JN051879

イージー★ライダー

敗け犬[ルーザー]たちの反逆

ハリウッドをぶっ壊[こわ]した
ピーター・フォンダとデニス・ホッパー

谷川建司

1969年5月12日カンヌ映画祭で上映　1969年7月14日ニューヨーク・ロードショー公開

1970年（昭和45年）1月24日 有楽町スバル座でロードショー公開

本書は、1996年に筑摩書房から出版された「『イージー・ライダー』伝説 ピーター・フォンダとデニス・ホッパー」の改題・増補改訂版である。

CONTENTS

はじめに

二〇一九年、『イージー★ライダー』が全米で公開五十周年を迎えた。——

この半世紀の間にハリウッドの映画産業の様相は大きく変わってきた。一九六〇年代末から一九七〇年代初めにかけて、映画離れを起こしていた若者たちが自分たち自身の姿を投影した新しいスタイルの映画を観に再び劇場に足を運ぶようになった。それを受けてスティーヴン・スピルバーグやジョージ・ルーカスらを代表とする新世代の映画作家たちが興行収益で一億ドルを越えるいわゆる「ブロックバスター」作品を生み出すようになり、一九三〇～一九五〇年代のハリウッド黄金時代をも凌ぐほどの好況をもたらした。

その後、一九八〇～一九九〇年代になると、映画の収入が劇場からの入場料収入だけでなく、ネットワーク・テレビでの放映、ビデオ・カセット、レーザー・ディスク、ＣＡＴＶやＰＰＶ（視聴者が視聴した作品ごとに対価を払う方式）など多岐にわたるようになったことや、原作本、サウンドトラックの発売、関連商品の売り上げなど、その経済効果が測り知れないほど広がってきていた。

ソニー、松下電器をはじめとする日本企業がハリウッドへ進出したことも話題になった。

経済効果が大きくなるにつれて、一本の映画から発生する権利も複雑になる。巨大なスタジオが俳優や監督たちを傘下に収めて映画を製作し、すべてをコントロールしていた時代は一九六〇年代には消滅しており、いきおい映画のクリエイティヴな面だけを担っていた監督や俳優たちが、自分たちの権利を守るべく、直接、映画製作に乗り出すようになってきた。

そういった九〇年代半ばのハリウッドの状況は一朝一夕で出来上がったものでは決してないが、そのルーツをたどれば、とりあえず一本の作品に突き当たる。それが『イージー★ライダー』だったのだ。

だが、それから更に四半世紀が経過し、ハリウッド映画産業界は再び大きな曲がり角を迎えつつあるように思える。一言でいえば、それは「保守化」ということになる。世界マーケットに照準を合わせているハリウッド映画産業界は、「最大公約数の観客を獲得する」という単純なポリシーにより、レイティングでいえば「G」(General Audience)に該当する映画、つまり、暴力やエロティシズムといった要素を含まない安全な作品のみを量産、真新しさや迫力といった要素を付加するためにCGやVFXの新奇さばかりを追求するようになった。結果として、マーベルコミック物であるとか、その続編やらシリーズ化やら、あるいはアメリカ以外の国で製作されて好評だった作品をベースにハリウッド流に規模を大きくしたリメイク作品であるとか、とにかく安全パイばかりを追い求めるようになってきている。

もちろん、社会的な問題を扱った意欲作、心温まる良質でヒューマンなドラマ、時代のエッジを行くような挑戦的な作品などが作られなくなったということではない。いつの世にも新しい才能がチャンスをつかみ、そういった作品が世に送り出されていく流れは担保されているように思う。問題は、ビッグビジネス化して最大公約数の観客たちから最大の利益を上げていくタイプの作品と、小粒だが少数の観客に強く支持されるタイプの作品とが分断され、異なるマーケット、異なるビジネス戦略の下で存在しているという状況にある。

ビッグビジネス化した「G」レイティングの作品がすべからく悪いとか、子供だましだ、と言うつもりはない。そういったタイプの作品の中にも、ときには年間のベストテンに入ってくるような素晴らしい作品もある。……だが、『イージー★ライダー』がそうだったような、低予算で、社会的なメッセージを含み、エッジの利いた作品が全米で、あるいは全世界で圧倒的な大ヒットを記録するようなことは、今の映画界ではどう考えても難しい。

一本の映画が商品として市場に送り出されるまでには非常に多くの人間の努力が必要であることは論を待たない

が、実質的に、映画『イージー★ライダー』は二人の男のアイディア、才能、そしてそれらを受け入れ得る「時代の要請」の中で一九六〇年代最後の年に劇的に登場した。

二人の男とはすなわちデニス・ホッパーとピーター・フォンダである。

デニス・ホッパーは映画俳優として、写真家として、そしてまた映画監督として八〇年代の後半に奇跡的なカムバックを遂げて以降、その後の映画界をリードしている多くの若手映画人たちやアーティストたちによって圧倒的に支持される存在となった。

日本でも八九年に東京・京都などで大規模に行なわれた「デニス・ホッパー・フェスティヴァル」(映画祭/写真展/本人の初来日)によって彼の評価が決定的となり、その後も単に映画の領域だけでなく、コム・デ・ギャルソン&ヨージ・ヤマモトのファッション・ショー「6・1 THE MEN」にファッション・モデルとして登場したり、男性誌「ESQUIRE」の別冊「1991スタイル・ブック」の表紙に登場したりと、九〇年代前半を代表する「顔」となり、また『トゥルー・ロマンス』、『スピード』、『ウォーターワールド』といった大ヒット作品にも恵まれて、一時はトヨタ自動車など日本のテレビ・コマーシャルにも次々と起用されるほどのモテようだった。

さて、そのデニス・ホッパーが一躍その名を全世界に知らしめた作品がまさしく『イージー★ライダー』だったわけだが、アメリカ映画史上に燦然と光り輝き、その後のハリウッドの進むべき方向の指針となったこの作品は、だがしかしその監督(兼準主役)だったデニス・ホッパーがカンヌ国際映画祭で「新人監督による作品賞」を受賞したことよりも、むしろ、この作品のもうひとつの顔であり、プロデューサーと主演を兼ねたピーター・フォンダのイメージで記憶されている。少なくとも公開当時の時点では、デニス・ホッパーは当時すでに人気スターだったピーター・フォンダの影に隠れて目立たない存在であった。では、ピーター・フォンダはその後どこへ行ってしまったのか?

『イージー★ライダー』が製作された一九六八年から四半世紀が経過した九〇年代半ばの時点では、華々しく第一線に返り咲いたデニス・ホッパーにひきかえ、ピーター・フォンダの名前は完全に表舞台から消えてしまっていた。『イージー★ライダー』の栄光を境に、その栄光にたどり着くまでの長い道のりを共に歩み、そして栄光の後にそれぞれに深い挫折を味わった二人の男にとって『イージー★ライダー』とは何だったのだろうか？

映画『イージー★ライダー』は、それを作った二人の男の人生に大きな影響を及ぼしたのみならず、ハリウッドにおける映画製作のシステムそのものにさえ決定的な影響を与えずにはおかなかった。

ハリウッドの末端にあってあえいでいた二人の男がユニオン（労働組合）未加入のスタッフによって作った『イージー★ライダー』が、批評的にも興行的にも圧倒的な勝利を勝ちとった事実は、ハリウッドに対して、若く経験に乏しい者たちによる低予算の作品であっても、それが観客の心をとらえるものであれば、ビジネスとして充分に魅力あるものになり得ることを証明してみせた。『イージー★ライダー』は、ハリウッドが新しい世代の映画作家たち——フランシス・コッポラ、ジョージ・ルーカス、スティーヴン・スピルバーグ、ピーター・ボグダノヴィッチといった者たちに門戸を開くきっかけを与えたのだ。したがって、この作品が生み出されるにいたったドラマを検証してみることは、すべからくその後のハリウッド・エンターテインメント業界が活況を示すようになった根幹の部分を解き明かす鍵を提供してくれるはずだ。

ただし、本書が目指したのは、映画史の中で『イージー★ライダー』が果たした意義を掘り下げることではない。当時のデニス・ホッパーとピーター・フォンダは、共に三十歳前後の〝怒れる若者たち〟であり、映画業界の中では決してメイン・ストリームにはたどり着けない〝負け犬一派〟とみなされていた。その彼らが、何を目指してこの作品を作り出したのか？　そして、彼らにチャンスが与えられた背景としての一九六〇年代末の時代状況はいかなるものだったのか？　本書は『イージー★ライダー』というひとつのエポック・メイキング的な作品が企画され、製作され、そして大きなうねりとして世界中に影響を与えていった過程を、主としてデニス・ホッパーとピーター・フォンダ自身による証言を手がかりに追ったドキュメンタリーである。

ピーター・フォンダ
Peter Fonda (1940 - 2019)

『イージー★ライダー』のプロデュース・共同脚本・主演。ニューヨーク生まれ。魚座。父ヘンリー、姉ジェーンともにハリウッドを代表するスター俳優。娘ブリジットも人気女優となった。青春スターとして映画界入りするが、マリファナ問題を起こしてドロップアウト。しかし、カリフォルニアの暴走族を演じたロジャー・コーマン監督作『ワイルド・エンジェル』で若者たちを熱狂させ一躍人気スターとなり、ドノヴァンの歌から『イージー★ライダー』のアイディアを思いつく。ホッパーのエキセントリックな映画作りに驚きながらも、自らはより静謐な西部劇『さすらいのカウボーイ』で監督デビューするが……。

デニス・ホッパー
Dennis Hopper (1936 - 2010)

『イージー★ライダー』の監督・共同脚本・主演。カンザス州ドッジシティ生れ。牡牛座。演技力を認められて映画入りするが、兄貴分ジェームズ・ディーンの死をきっかけに反抗的な態度を取るようになりハリウッドを追放される。ニューヨークで演技を学びながら写真家として活躍。アーティスト、ミュージシャンと交流するほか、公民権運動にも参加する。画家としても才能を発揮するが作品はハリウッド大火で焼失。フォンダ主演の『白昼の幻想』のLSDトリップ場面を監督して演出の才能を認められ、『イージー★ライダー』の監督をまかされる。しかし、撮影初日から酒とドラッグで錯乱しスタッフと大ゲンカを始める……。

ジャック・ニコルソン
Jack Nicholson (1937 -)

ニュージャージー出身。牡牛座。ハリウッドのMGMスタジオで「トムとジェリー」宛のファン・レターを整理する仕事をしなが俳優を目指し、ロジャー・コーマンのAIP映画に出演するようになる。LSD体験の豊富さを活かして『白昼の幻想』の脚本を執筆。俳優から足を洗おうとしていたが、『イージー★ライダー』にはプロデューサー側のお目付け役として参加しデニス・ホッパーと意気投合、「ニックニック〜インディアン」が大受けしてアカデミー助演賞候補に。以降、アカデミー賞12回ノミネート、3回受賞を誇るハリウッドを代表する名優となる。80年代にはメキシコ大統領を騙るホッパーから『イージー★ライダー』続編への出演を誘われるが……。

バート・シュナイダー

牡牛座のニューヨーク生まれ、父エイブラハムは後にコロムビア映画社長となる。コロムビアのテレビ部門スクリーン・ジェムズで出会ったボブ・ラフェルソンと共に作り上げたテレビシリーズ「サ・モンキーズ」が大当たりし、映画版の脚本をジャック・ニコルソンに担当させる。そこへホッパーとフォンダが『イージー★ライダー』の企画を持ち込んできた……。

テリー・サザーン

テキサス州出身。牡羊座。グリニッヂヴィレッジのビート作家からスウィンギング・ロンドンへ。『博士の異常な愛情』『007／カジノ・ロワイヤル』『バーバレラ』『ラブド・ワン』『キャンディ』など60年代後半には世界で最も注目される気鋭の作家・脚本家だった。ピーター・フォンダのアイディアに『イージー★ライダー』なるタイトルを与え、脚本を書くことをかって出るが……。

フィル・スペクター

ニューヨーク生まれの山羊座。「ビー・マイ・ベイビー」で知られる「ウォール・オブ・サウンド」を生み出した音楽プロデューサー。ホッパーの『ラストムービー』のプロデュースを買って出るが途中降板、『イージー★ライダー』にヤクの売人役で出演。その後、ビートルズ「レット・イット・ビー」やジョン・レノン作品のアルバム・プロデュースを務めた。

ロジャー・コーマン

デトロイト生れ。牡羊座。20代で監督となり、低予算・早撮りで娯楽作を次々に監督・プロデュースし「B級映画の帝王」と呼ばれる。若いスタッフを抜擢するのが得意技で、彼のもとでは映画を愛する若者たち――フランシス・コッポラ、モンテ・ヘルマン、ジョナサン・デミ、ピーター・ボグダノヴィッチらが低賃金で働き、その中にはフォンダ、ホッパー、ニコルソンもいた。

ロジェ・ヴァディム

フランス・パリ生まれ。水瓶座。ブリジット・バルドー、アネット・ヴァディム、カトリーヌ・ドヌーヴと美女を次々にモノにするプレイボーイとして有名。ジェーン・フォンダと結婚して住んだ海辺の別荘にはピーターやホッパーたちが遊びに来ていた。95年にはデニス・ホッパーと共に「ゆうばりファンタスティック映画祭」で審査員を務める。

ジェーン・フォンダ

ピーターの3歳年上の姉。ニューヨーク生まれの射手座。若手スターとしてハリウッドで成功し、フランスへ渡ってロジェ・ヴァディムと結婚。その関係でピーターとテリー・サザーンが知り合うことになる。70年代以降、ベトナム反戦運動やワークアウトなどで時代をけん引し、『コールガール』と『帰郷』でアカデミー主演女優賞を2度受賞している。

ヘンリー・フォンダ

ピーターの父。ネブラスカ州生まれ。牡牛座。『若き日のリンカン』で大統領、『荒野の決闘』でワイアット・アープ、『十二人の怒れる男』の陪審員など、まさに清く正しいアメリカ人を象徴するハリウッド・スターだったが、家庭では別人だった。生涯で5度結婚。2度目の妻でピーターとジェーンの母フランシスは自殺したが、真相は子供たちに伝えなかった……。

ボブ・ラフェルソン

ニューヨーク生まれ。魚座。父はエルンスト・ルビッチ作品で知られるハリウッドの有名脚本家。バート・シュナイダーとコンビで「サ・モンキーズ」を当てた後、『イージー★ライダー』の製作に協力、編集にも参加する。のちにジャック・ニコルソンとのコンビで『ファイブ・イージー・ピーセス』や『郵便配達は二度ベルを鳴らす』などを監督する。

ミシェル・フィリップス

双子座。「夢のカリフォルニア」で知られる「ママス&パパス」で人気となるが、バンドメンバーと不倫し夫ジョンと離婚。『ラストムービー』出演をきっかけにデニス・ホッパーと結婚するが、わずか8日間で離婚。その後、『さすらいのカウボーイ』でピーターと共演していたウォーレン・オーツ主演の『デリンジャー』で本格的に女優業に進出する。

ブルック・ヘイワード

ロサンゼルス生まれ。蟹座。父リーランドは大物演劇プロデューサー。ウォーレン・ビーティとデートしたこともあった。デニス・ホッパーと結婚し娘マリンをもうけるが、夫の破天荒な行動に呆れて『イージー★ライダー』完成前に離婚。同い年で幼馴染のジェーン・フォンダとはカレッジの同級生。のちに『イルカの日』などに出演した。

ポール・リュイス

フィラデルフィア生まれ。ブロードウェイで演劇制作に携わった後にハリウッドへ。『爆走！ヘルズ・エンジェルス』『旋風の中に馬を進めろ』などに続いて、『イージー★ライダー』でプロダクション・マネージャーを務め、以降のデニス・ホッパー監督作をプロデュース。通常は「ルイス」だが、ホッパーは「リュイス」と発音していた。

ビル・ヘイワード

ハリウッド生れの牡羊座。姉ブルックの夫デニス・ホッパーとは義兄弟にあたる。幼なじみだったピーター・フォンダと仲が良く、『イージー★ライダー』以降のピーター作品をプロデュース、バイク仲間として一生共に走り続けることになる。後にブルック原作によるヘイワード家物語をジェイソン・ロバーヅ主演でテレビ映画化した。

アンディ・ウォーホル

チェコスロバキア移民の子としてピッツバーグで生まれる。魚座。シルクスクリーン印刷によるファインアートの大量生産で知られるポップアートの旗手。映画や音楽の製作・プロデュースにも進出した。62年の初の個展で発表した「キャンベルのスープ缶」を最初に買ったのはデニス・ホッパー。

ラズロ・コヴァックス

ハンガリー生れの牡牛座。56年ハンガリー動乱を撮影したフィルムを持って西欧圏へ亡命。63年にアメリカの市民権を得てAIPのバイク映画を撮影、『イージー★ライダー』以後、数々のニューシネマで撮影を手がけた。ジャン＝L・ゴダールの『勝手にしやがれ』には彼の名前が何度も劇中に登場する。

トニ・ベイジル

フィラデルフィア生れ。乙女座。ニューオリンズ場面に登場する娼婦マリーを演じ、ピーター・フォンダの誕生日をベッドの中で祝った。80年代には歌手として「ミッキー」で全米1位を記録、振付師として『アメリカン・グラフィティ』『ワンス・アポン・ア・タイム・イン・ハリウッド』などを担当。

アレハンドロ・ホドロフスキー

チリ出身のロシア系ユダヤ人。水瓶座。フランスでパントマイムを始めてマルセル・マルソーと共演、ジャン・コクトーに認められる。シュールな西部劇『エル・トポ』がジョン・レノン、アンディ・ウォーホルらに絶賛され、ホッパーに『ラストムービー』のロケ地を紹介し編集作業にも加わるが……。

Prologue

PANDO COMPANY in association with RAYBERT PRODUCTIONS presents
EASY RIDER
starring
PETER FONDA-DENNIS HOPPER
JACK NICHOLSON
Directed by DENNIS HOPPER - Produced by PETER FONDA
Color
Released by COLUMBIA PICTURES

『バイカーズ・ヘヴン』

『バイカーズ・ヘヴン』

　一九八〇年。――『イージー★ライダー』公開から十年の月日を経たこの年、NBCの人気テレビ番組「サタデー・ナイト・ライヴ」の放送作家マイケル・オダナヒューは、『バイカーズ・ヘヴン』と名付けられた映画の企画を発案し、その実現のために精力的に動き回っていた。彼はまだおおまかなプロットしか持ち合わせていなかったが、オープニング・シークエンスに関しては頭の中で確固たるイメージができあがっていた。それはおおよそ次のようなものだった。

　時は西暦二XX年。核戦争によって世界の秩序が完全に壊滅し、廃墟と化した都市の風景。――

　核によるホロコーストから百年以上経って、いまだ高レベルの放射能が支配する静寂の世界。生き残った者たちはわずかに残った地下貯蔵の食物を奪い合い、新たなる秩序へ向けての権力闘争を繰り返していた。かつてアメリカ合衆国が存在した地域の崩壊ぶりは特にひどく、瓦礫の山から以前は都市だったとわかるこのエリアでは、放射能の影響でミュータントと化した者たちがバイクに乗って徒党を組み、掠奪を繰り返していた。

　場面は黒みに変わり、小さな白抜きの文字で「Heaven」と映し出される。

「やれやれ、何てこった」

　地上の様子を映し出すモニターを見つめながらビール片手にため息をつく男の後姿が、ぼんやりとしたもやと薄暗い光の中で徐々に浮かび上がってくる。

『バイカーズ・ヘヴン』

テーブルにビールの瓶を置きテレビのリモコンを手に取ったその男は、映像を別の時代に切り替える。

「ところで、連中はどうしちまったんだっけ？――一九……六九年だったかな？」

突然、場面は切り替わり、見渡すかぎりの緑の森の中にどこまでも続く一本の道が映し出される。道のまわりは牧草地になっており、道に沿って打ち込まれた杭にはネットが張られている。

この道をひた走る二台のハーレイ・ダヴィッドソンが視界に入ってくる。

先を行く男は花柄のシャツに黒のレザー・パンツをはき、首にはバンダナを巻いている。髪をたなびかせているその横顔には長く伸ばしたもみあげと目を覆うサングラス。星条旗柄のヘルメットは同じ柄の革ジャンと共に背もたれに引っかけている。前輪を大きく前に突き出させたそのチョッパー型の改造バイクのオイル・タンクにもやはり星条旗の模様が描かれている。

彼の名はキャプテン・アメリカことワイアット。

後に続くのは相棒のビリー。こちらはひだのついた薄茶色の革のジャケットに焦茶色のジーンズをはいている。首には動物の骨や牙で作った首飾りをかけ、顔には口髭と黒いサングラス。オールバックにした長髪が顔にかからぬように額にバンダナを巻いている。ワイアットと同様の改造バイクのオイル・タンクにはオレンジ色の燃え盛る炎が描かれている。

二台のバイクの後方からやってくる一台のピックアップ・トラック。白いシャツに白いカウボーイ・ハットをかぶった中年の運転手が前方をひた走る二台のオートバイに気づき、いぶかしげにつぶやく。

「連中、どこから来やがった?」

助手席に座っている黒い服の日に焼けた男は無表情に、

「知るもんか。おどかしてやろう」

と言って、座席の後にあったショットガンを手に取る。トラックが対向車線に入り後方を走っていたビリーのバイクの横につくと、助手席の男はうすら笑いを浮かべてビリーに銃口を向けながら言う。

「ぶち込まれたいか?」

笑う運転席の男。助手席の男はショットガンを構えたまま得意げに運転席に目をやる。左手をハンドルから離し、無言で中指を立てる仕草を示すビリー。

「その髪を切りやがれ!」

いきなり発砲され、転倒し道の脇に投げ出されるビリー。

「当たっちまったのかな？」

バイクの倒れる音に驚き運転席の男を見る助手席の男。——だがトラックは、銃声に気づきバイクを止めて振り返ったワイアットをかすめてそのまま走り去る。ワイアットはビリーの方に引き返し、転倒地点でバイクの向きを変え、すぐにビリーに駆け寄る。バック・ミラーにちらっと目をやる助手席の男。

「ビリー！」

駆け寄ってビリーのかたわらにひざまづくワイアット。

「ちきしょう！　やられちまった。」
「何てこった！　助けを呼びにいってくるからな！」
「起こしてくれ……」

血だらけの顔で、手だけをかすかに宙に持ち上げるビリー。足元には彼のかけていたサングラスがころがっている。

「引き返そう」

目撃者を生かしておくわけにはいかない、とばかりに無表情に言う助手席の男。

ワイアットは自分のバイクの背もたれにかけてあった革ジャンを引っつかむとビリーの上半身にかけ、すぐにバイクに駆け戻って、助けを求めに行こうとする。ころがる星条旗のヘルメット。

「奴らはどこへ行った?」

と、弱々しくつぶやくビリー。

だがワイアットはすでにバイクを始動させている。前方には向きを変えて戻ろうとするトラック。トラックの方へ向かって走ってくるワイアットのバイク。すれ違いざまに運転手越しにショットガンを発砲する助手席の男。銃声と共に、エンジンが回転したまま前輪が本体から離れた形で宙を舞うワイアットのバイク。タンポポの白い綿帽子がぽつぽつ生える草原に落ちてゆっくりと倒れるバイク。

——ワイアットの姿はない。突然、爆発し黒い煙と共に炎上するバイク。

すべてを見つめていたその目は空中をぐんぐん上がっていき、やがて炎上するバイクから遠ざかっていく。雲の中に入り、もやがかかる映像。やがてそれは再び薄暗い光の中の男の見るモニターの画面となる。

「あっけないもんだ。だが、やはり連中にもう一度ご登場いただくのが一番いいだろう。……さて

っ、と」

男は立ち上がると指をぱちっと鳴らす。すると突然、目の前にまばゆいばかりに光り輝く黄金のハーレイ・ダヴィッドソンが現われ、その光に照らされて男の顔がはっきりと映し出される。——ジョージ・ハンソンだ！

彼は手に取った金色のアメ・フト用ヘルメットをかぶると黄金のハーレイにまたがり、眉を吊り上げて悪魔のような笑みを浮かべ、こうつぶやく。

「何か残っているといいんだがな」

エンジンがかかり、爆音と共に音楽がスタートする。曲はステッペンウルフの「ワイルドで行こう(Born to be Wild)」だ。曲に合わせて薄暗やみの中を地上目指して黄金のバイクで駆けるハンソン。画面は黒みとなり、クレジットが小さな白抜きの文字で映し出される。

Pete Fonda /
Dennis Hopper
in
Biker's Heaven

Jack Nicholson
as
George Hanson

やがて、夕暮れどきの荒涼たる砂漠に一条の光とともに天からゆっくりと降りてくる黄金のバイク。まわりには、オートバイの部品と思われる金属の破片と、黒い革の切れはし、壊れたサングラス、そして動物の骨のネックレスの残骸などが散らばっている。バイクから降り立ったハンソンは、あたりを見渡してこれらの物を拾い集めると、それを一カ所にまとめて手をかざす。するとどうしたことか、スクラップは強烈な光を放ち始め、やがてその中から二台の改造型チョッパーと二人の男が現われる。――男たちはまさしくワイアットとビリーだ！　ハンソンはこれを見届けると満足気に一言つぶやいて黄金のバイクもろとも消える。

「もうひとっ走りする時が来たようだぜ（It's Time To Take Another Ride）」

映画『バイカーズ・ヘヴン』は、こんなシーンで始まることになっていた。企画の発案者マイケル・オダナヒューからこの話を持ちかけられたプロデューサーのバート・シュナイダーは、その身振り手振りを交えた冗舌な話しっぷりにすっかり参ってしまい、この企画のとりことなった。

時は一九八〇年。『イージー★ライダー』の公開からはや十年の月日がたっていた。バート・シュナイダーは、相棒のボブ・ラフェルソンと主宰していた「レイバート・プロ」のオフィスを、父エイヴが重役、兄スタンリーが製作担当責任者を務めていたコロムビア映画内に構えていたが、『イージー・ライダー』のエグゼクティヴ・プロデューサーとしてその名を一躍業界内外に知らしめたあと、「BBSプロ」と改めて、『ファイブ・イージー・ピーセス』、『ラスト・ショー』などの秀作を発表した。それでも、ここ数年はヒット作もなく鳴かず飛ばず状態だったため、この企画が久しぶりに自分の名を世間にアピールすることになるだろうと期待したのだ。

企画発案者であるマイケル・オダナヒューは、ひそかに大きな野心を抱いていた。彼は元来、自分が前面に出て何か目立ったことをしようというよりも、人の才能をサポートし、自らは黒子的な立場に立ってリードしていくタイプだった。だが、七〇年に創刊された「ナショナル・ランプーン」誌の編集長を七四年まで務めた後、放送作家のローン・マイケルズに誘われてＮＢＣの新バラエティ番組「サタデー・ナイト・ライヴ」にレギュラー脚本家として加わった頃から、徐々に自分を前面に押し出すようになっていく。チェビー・チェイスやジョン・ベルーシといった、まだ全国的には無名の存在だった若手コメディアンたちとともに自らも出演し、同番組を全米で一番の人気番組に育て上げていったのだ。彼は他の放送作家たちと共に、同番組によって一九七五—七六年度、一九七六—七七年度と二年連続でエミー賞の最優秀脚本賞（コメディ・バラエティ・音楽部門）を受賞するなど勢いに乗っていた。……だが、やがてチェイスは独り立ちし、ベルーシもまた番組を去って活動の中心を映画に置くようになる。そして彼もまた、これまで出版、放送とホップ・ステップで登りつめてきた自分のキャリアを、そろそろ映画の世界へジャンプ・アップさせてもいい頃だと思うようになっていたのだ。それには、この『バイカーズ・ヘヴン』はまさにうってつけの素材だった。

シュナイダーは、まずテリー・サザーンに連絡をした。この有名作家、映画脚本家、そしてドラッグ中毒の男は、『イージー★ライダー』のときは、ただ単に脚本家にビッグ・ネームを入れておきたいというプロデューサーとしての計算から仲間に引き入れただけの存在だったが、何といっても彼は核戦争を扱ったブラック・コメディの傑作『博士の異常な愛情　又は私は如何にして心配するのを止めて水爆を愛するようになったのか』の脚本をスタンリー・キューブリックとともに書き上げた実績があった。

このテリー・サザーンに加えて、オダナヒューの知人で、自ら成人映画『電話帳』（＊1）を発表したこともある作家ネルソン・ライアンも、脚本化作業に一緒に取り組むこととなった。四人で幾度かの打ち合わせを行なった結果、なんとか草稿ができあがり、今やオリジナルの『イージー★ライダー』を作った二人の男、すなわちピーター・フォンダとデニス・ホッパーに声をかけるときが来ていた。だが、彼らにはあくまで出演のみという形で協力を要請しなければならない。バート・シュナイダーにとって、ピーターとデニスからの持ち込みという形で自分が加わった前作と違い、今回はあくまで自分のプロデュース作品としてイニシアティヴを持ちたかったわけだし、マイケル・オダナヒューもまた、自分が監督することを条件にこの企画を持ちかけてきたのだった。

そして、シュナイダー、オダナヒュー、テリー・サザーンの三人ともわかっていたことは、この企画の実現の鍵は前作をきっかけに今や世界のスーパー・スターとなっていたジャック・ニコルソンが出演をＯＫするかどうかという点だった。

シュナイダーはホッパー、フォンダ、そしてニコルソンに草稿を送ると、頃合いをみて、まずはホッパーに声をかけた。彼は、つい最近カナダで出演していた『アウト・オブ・ブルー』という作品で十年ぶりに監督も務めることとなり、ひさびさにその名前が話題となっていた。だが、もちろん昔日の勢いとは比べるべくもなく、その作品もアメリカ国内での公開のメドはたっていなかった。加えて、アルコールとドラッグによって手がつけられない状態だという噂もあった。――ホッパーにはきっと金が必要だろう、そう考えたシュナイダーの読みは正しかった。マーロン・ブランドと共演した『地獄の黙示録』によって俳優としての出演依頼が殺到するだろうと思っていたのに、まったく当てが外れてしまっていたホッパーにとって、今や大スターとなったかつての仲間ジャック・ニコルソンとの共演がその代わりを果たしてくれると思えたのだ。

シュナイダーは次に、最大の難関と思われたジャック・ニコルソンに話を持ちかけようとしていた。シュナイダーには、ジャック・ニコルソンに今日の栄光をもたらすきっかけを提供したのはほかならぬ自分だという自負があった。彼はニコルソンがまだ無名の存在だった頃からのよき友人だったし、たしかにニコルソンにとってその評価が決定的となった『ファイブ・イージー・ピーセス』を世に送り出した恩人でもあった。その自分が直々に依頼している以上、ジャックだってそう簡単には断れないだろうとシュナイダーは踏んでいた。

ニコルソンは自分から連絡してきた。彼の反応はある意味で他人行儀だったが、またある意味では非常に筋の通ったものだった。彼は、今回の続編の企画がオリジナルとはまったく無関係の人物によって企画され監督される以上、オリジナル版を監督したデニス・ホッパーの同意がなければ出演しない、と言ってきたのだ。

この話をシュナイダーから伝え聞いたホッパーは、それならば自分がニコルソンをその気にさせるよう一肌脱ごうと考え、いささか芝居がかった方法で旧友に会いに行った。

ジャック・ニコルソンは語る。

JN『ボーダー』のロケをやっているときだった(*2)。不法入国者についての映画で、われわれはちょうど〝国境の日〟の最中にエル・パソにいた。その日、俺は背中をひどく痛めて寝ていたんだが、式典に出席するためにメキシコの大統領がやってきていて、エル・パソ市長の代理が手紙を持ってきた。そこには「ニコルソン様。ご存知のようにロペス・ボルティーヨ大統領が〝国境の日〟の式典に列席されるため、エル・パソに滞在中です。大統領と十六歳のご令嬢は、お二人ともあなた様のファンであると申されています。つきましては、ほんの十五分ほどで結構ですから、メキシコ大統領とご令嬢にお会いいただけないでしょうか。この非公式な会見は、メキシコ、アメリカ両国の友好関係にとってまことに意義あるものと存じます」とかなんとか書いてあった。（中略）

二台の白バイに先導されたデカいキャデラックがやってきた。（中略）背中がとても痛かったので車で横になりたかったが、大統領車の中で横になったりしたら失礼にあたるのでは、と思った。そこで、自分の車で、自分の運転手に運転させて行きたい、そして、もしよければウォーレン・オーツも連れていきたい、と頼んだ。

で、俺たちはでっかいバイクに先導され、サイレンやら何やらいっぱいつけたキャデラックの後をついていった。（中略）

ウォーレンが「おい、ちょっと起きてみろよ」と言った。見ると、道の両側に二列ずつ、デカいバイクが合計二百台ぐらいズラーっと隊列を作って並んでる。そして、俺たちが通過すると、そのバイクもついて来るんだ。なんかヘンだぞ、と思った。でも、シートに寝たままスピーチを考えていた。何かヤバいことになるんじゃないか、あるいは、これはバイク族のパーティか、それとも誘拐の途中で偶然バイクの大群に出くわしただけなのかとか、あれこれ考えながらね。キャデラックについていくと、大きなフットボール・スタジアムに入った。スタジアムには大勢の人が座っているし、軍楽隊までいる。二百台のバイクも入ってきてフィールドに勢揃いした。「何てこった！」と思った。大統領に対して礼を失しないよう頭の中でさえないスピーチの練習なんかしてるうちに、俺はまんまと誘拐されたんだと半分くらい確信したね。

車から降りた途端、仕掛け花火に火がついた。「ＪＡＣＫ ＩＳ ＮＯ１」という文字だった。

「こりゃすげえ。ボルティーヨは俺の最大のファンだ」と思った。集まってた連中が拍手し、軍楽隊が「テキサスの黄色いバラ」を演奏し、四十人ぐらいの、ハイヒールを履いた水着の美女がこっちに向かって行進してきた。近くまで来たとき俺は彼女たちに「いったい、どうなってんのかね」と訊いた。すると、その中の一人が、「あなたのお望みのままよ、ジャック」と答えた。俺は「何てこった！　背中さえ痛くなければ……」と悔やんだよ。

ところが、バイクの連中をよく見てみると、なんと、デニス・ホッパーがいるじゃないか。『爆走！　ヘルス・エンジェルス』で共演した二人もいる（＊3）。突然、上空にヘリコプターがやって来た。見ると、見事なバイクをぶら下げている。これに乗れ、という意味らしい……このときようやく気づいたよ。市長の手紙からはじまって、一から十まで芝居だったことに。すべて、俺をバイク映画の最高傑作に出したい男の仕組んだことだったんだ。（＊4）

この大がかりな歓迎式典（？）を仕組んだのが誰だったのか、この後ニコルソン自身がどういう態度を示したのかについて、彼は語っていない。そして、ニコルソンがこの話を「ローリング・ストーン」誌にしたのは『ボーダー』のエル・パソ・ロケの翌年、すなわち八一年のことと思われるのだが（八一年四月十六日号掲載）、その時点では、出るとも出ないとも態度をはっきりとはさせていない。ただし前後の文脈から想像して「勘弁してほしいよな」というニュアンスの感情が若干感じられる。

ともあれ、それからまもなくジャック・ニコルソンはバート・シュナイダーへの正式な返事をペンディングにしたまま、友人（といっても年は親子ほども違ったが）の独立プロデューサー、サム・スピーゲルのヨットでヨーロッパへと出かけてしまう。

この十年来働きづめだったため、かねてより休養を計画していたニコルソンは、本当は親友ウォーレン・ベイティの監督主演作『レッズ』への出演をもって休養に入るつもりだった。ところが、以前からいつか一緒に仕事をしようと約束していたイギリスのトニー・リチャードソン監督から『ボーダー』への出演依頼が来たために休養を先送りしていた。しかし、『ボーダー』では予想以上にアクション・シーンを数多く要求され、撮影がハードだったこともあって、当分は仕事から離れているつもりだったのだ。彼はこの年の冬を、雇っていたコック以外誰も寄せつけずにコロラド州アスペンにある別荘でスキー三昧（ざんまい）で過ごし、結局『ボーダー』のプロモートのために仕事に復帰したのは、実に一年半後の八二年の一月のことだった。

ピーター・フォンダは、初めからこの企画に対してあまり乗り気ではなかった。だが、シュナイダーがジャック・ニコルソンに振りまわされている間はそう結論を急ぐ必要もなかったし、適当に聞き流していればいいと考えていた。さらに彼は八〇年に息子の高校進学問題への結論として、長く続けていた船上での生活を止めて妻ベッキーと住むために購入しておいたモンタナ州リヴィングストン郊外の土地、インディアン・ロック牧場に定住し始めたばかりだった。そのため、先ずは生活の基盤を安定させることを何よりも優先して考えていたのだった。

しかし、実際問題として、七九年に監督主演した『ワンダ・ネヴァダ』（＊5）で、配給を引き受けてもらったユナイト映画と大喧嘩をして以来、インディペンデントの映画プロデューサー兼監督兼スターという立場でわずかに保っていたハリウッドとのつながりも完全になくなってしまっていた。そのため、仕事らしい仕事をするチャンスは当分めぐってきそうもない状況になっていた。

彼に来る話といえば、ピーター・フォンダの名前がまだまだスターとして通用する日本からのコメディ映画『だいじょうぶマイ・フレンド』（＊6）への出演依頼だとか、香港資本のオールスター映画

『キャノンボール』での「ヘルス・エンジェルス」のリーダー役というセルフ・パロディのカメオ出演（＊7）といったものばかり、というのが現実だった。

ピーターの心は揺れ動いていた。

一九八二年十月二十六日付の「ニューヨーク・ポスト」が、『バイカーズ・ヘヴン』に関してインタヴューしてきたのに対して、ピーターは次のように答えている。

PF 僕は「キャプテン・アメリカ」うんぬんのことはとうの昔に放棄してしまっていたんだが、人があることから逃れることができないとしたら、それを笑ってしまう方がいいっていうことさ。（＊8）

この時点では、『バイカーズ・ヘヴン』の実現の可能性はかなり高かったということになるが、実際には調整は遅々として進んでいなかった。そして、デニス・ホッパーの語るところによれば、八三年時点で『バイカーズ・ヘヴン』の映画化の話は、結局次のようないきさつで立ち消えとなった。

DH ピーターは乗り気じゃなかった。乗り気になっていたのはバート・シュナイダーだった。「サタデー・ナイト・ライヴ」の放送作家のマイケル・オダナヒュー、それからネルソン・ライアン、そしてテリー・サザーン。――この三人が『バイカーズ・ヘヴン』というタイトルの脚本を書き、マイケル・オダナヒューが監督をする企画だった。彼らはピーターと俺に出演を依頼してきた。ジャックにもね。そして、ジャックは俺が同意しなければ出演するつもりはないと言った。（俺じゃなくて）他の誰かが監督する『バイカーズ・ヘブン』のために、みんなでまた集まった。

ろうってことだ……マイケル・オダナヒューのためにね。でもとにかく、俺は彼が「オーケー」と言ったと聞いたんで「やろう」と言い、ジャックも出演しようと言った。だけど、ピーターが来てこう言った――「僕はやりたくない」ってね。彼は、その企画は『イージー★ライダー』をちゃかしているが、自分は誰かが最初の映画をちゃかすような企画には巻き込まれたくない、と言うんだ。つまりピーターが反対したというわけだ。あのとき、ジャックと俺はそのつもりでいたんだよ。(＊9)

この回答は非常に明快だったので、しばらくの間、筆者はこの時点(八〇年〜八三年)における経緯(いきさつ)はこんなところだったのだろうと推察し、それ以上追及はしなかった。が、しかしここにひとつの興味深い資料がある。これは後になって入手したものなのだが、「ハイ・タイムズ」というマリファナ専門誌(!)の八三年八月号で、当時全米で『アウト・オブ・ブルー』公開へ向けてのプロモーション・ツアーを続けていたデニス・ホッパーに対して行なわれたインタヴューのコピーである。インタヴューが行なわれた場所はホッパーが滞在していたニューヨーク、セントラル・パーク・サウス・ホテルのスイートルームで、その部屋には同作品の宣伝担当者数名とホッパーの当時のガールフレンド、そして作家のテリー・サザーンが一緒にいた。インタヴューは、ちょうどその頃に謎の死を遂げたナタリー・ウッドについての話題から、『理由なき反抗』とジェームズ・ディーンのこと、そして『アウト・オブ・ブルー』のことへ移り、この作品の主人公がそうであるような「パンク少女」の話題となる。このあたりからテリー・サザーンも加わって『バイカーズ・ヘヴン』の話へと拡がっていくのだが、かなり面白いのでここに一部採録しておく。

TS リップ・トーンの娘がモヒカン刈りをしているぞ。おまけに彼女は美しいブロンドの少女なんだ。アンジェリカ。

DH （大笑いする）あいつ、あの映画で最高だったよな！

TS 『Heartland』か？

DH 違うよ。地下鉄の中でナイフを突きつけるやつ、何て言ったっけ？

TS ああ。『A Stranger Is Watching』だ。（＊10）

DH それそれ、そいつだ。彼はそいつらを殺っちまうんだよ。つまり、あいつは冷酷な奴なんだよ。ぞっとするぜ。テキサスからやってきた男って……おまえら二人ともテキサス出身だもんな。おまえも道を間違えちまったんだろうな。そういえば、ヴィム・ヴェンダースと俺も今テキサスに行こうとしているところなんだ。どうしたっていうんだろう？　まったく狂った世の中だよ。

――テキサスがどうかしたんですか？

DH リップ・トーンとテリー・サザーンは二人ともテキサス出身なんだよ。俺たちはただ……俺たちは『イージー★ライダー』を思い出し、舞い戻ろうとしているんだよ。

――『イージー★ライダー』の続編にあなたを巻き込まないなんて、いったいどういうことなんです？　それとも関わっているんですか？　出演だけして監督なさらないということですか？

DH そうだな、彼（サザーン）が誰か俺に似た奴を起用するっていう可能性はいつでもあるわけでね。

TS ブリッジス兄弟の一人とかね。

DH 俺はその役を演じるには若く見え過ぎるっていうわけだよ。ピーターの次にね。彼（サザーン）はもっと年食った奴を選ぶべきだよ。

――なぜ新しい監督を選ばれたんですか？

DH こいつは〝格〟の問題でね。シュナイダーとフォンダと俺自身の間には〝格の違い〟があるってことさ。

（中略）

――（『イージー★ライダー』のラスト・シーンに未使用の別テイクがある、という事実に関して）あなたはこれまでにその別テイクに立ち戻って、それを何とかしようと考えたことはありませんか？　それとも戻るには昔のこと過ぎますか？

DH まさに今、テリーとマイケル・オダナヒューが続編の脚本に取りかかっているんだよ。俺たちはあのラスト・シーンの最初のテイクを使おうかと思っている。（記者に対して）何でそんな顔をしているんだ？

――あなたが続編を監督しないなんて、僕にはまったく驚きですよ。想像もできない。狂気の沙汰ですよ。

DH 俺にだって狂気の沙汰に思えるさ。だが、つまりどうしてだと思う？　俺は頼まれなかったんだよ。

――誰が監督をするのか、はっきりと決まっているんですか？

DH マイケル・オダナヒュー。

――でも、彼は監督じゃないでしょう！

DH ご名答。「サタデー・ナイト・ライヴ」の元プロデューサーで、作家先生だ。だけど、シュナイダーはピーターと俺に連絡してくる前に、彼と取り決めをしていたわけさ。（＊11）

ホッパーの応答ぶりは「あきらめの境地」のようにも感じられる。だが、こうして現に新作のプロモーションの合間にもテリー・サザーンと会っていたり、『イージー★ライダー』の未使用テイクを使おうと思っている点などを考え合わせれば、少なくとも彼が積極的に『バイカーズ・ヘヴン』の映画化実現へ向けて動いていたことはわかった。ただし、ここにひとつ疑問がある。それはリップ・トーンの名前がここで初めて登場しているという事実だ。

リップ・トーンはもともと『イージー★ライダー』でジョージ・ハンソン役を演じることになっていた俳優で、彼がトラブルから役を降りたことでジャック・ニコルソンにお鉢が回ってきた経緯があった。八三年の夏の時点でリップ・トーンが企画に加わっていたということはジャック・ニコルソンがこの話を断っていたためなのだろうか？　もしそうだとすれば、前述のホッパーの説明とは矛盾することになる。あるいは、リップ・トーンは全然別の役での登場が予定されていたのだろうか？　それとも、そのモヒカン刈りの娘のついでに名前が挙がっただけで、『バイカーズ・ヘヴン』そのものには何ら関係はなかったということなのだろうか？

ともあれ、八三年の時点での『バイカーズ・ヘヴン』映画化実現の可能性は、ピーター・フォンダがホッパーのように開き直ることができずに、最後まで心を揺らせながらも結局は断ったためにいったんは消えた。だが、この企画はまるで『イージー★ライダー』を作った男たちに対する呪縛のように、その後数年を経て再び浮上してくる。

一九八七年。——ピーター・フォンダ、デニス・ホッパー、そしてジャック・ニコルソンを取り巻く状況は、四年前とはまた大きく変わっていた。

ジャック・ニコルソンの俳優としての名声はその間にもますます高まり続けていた。

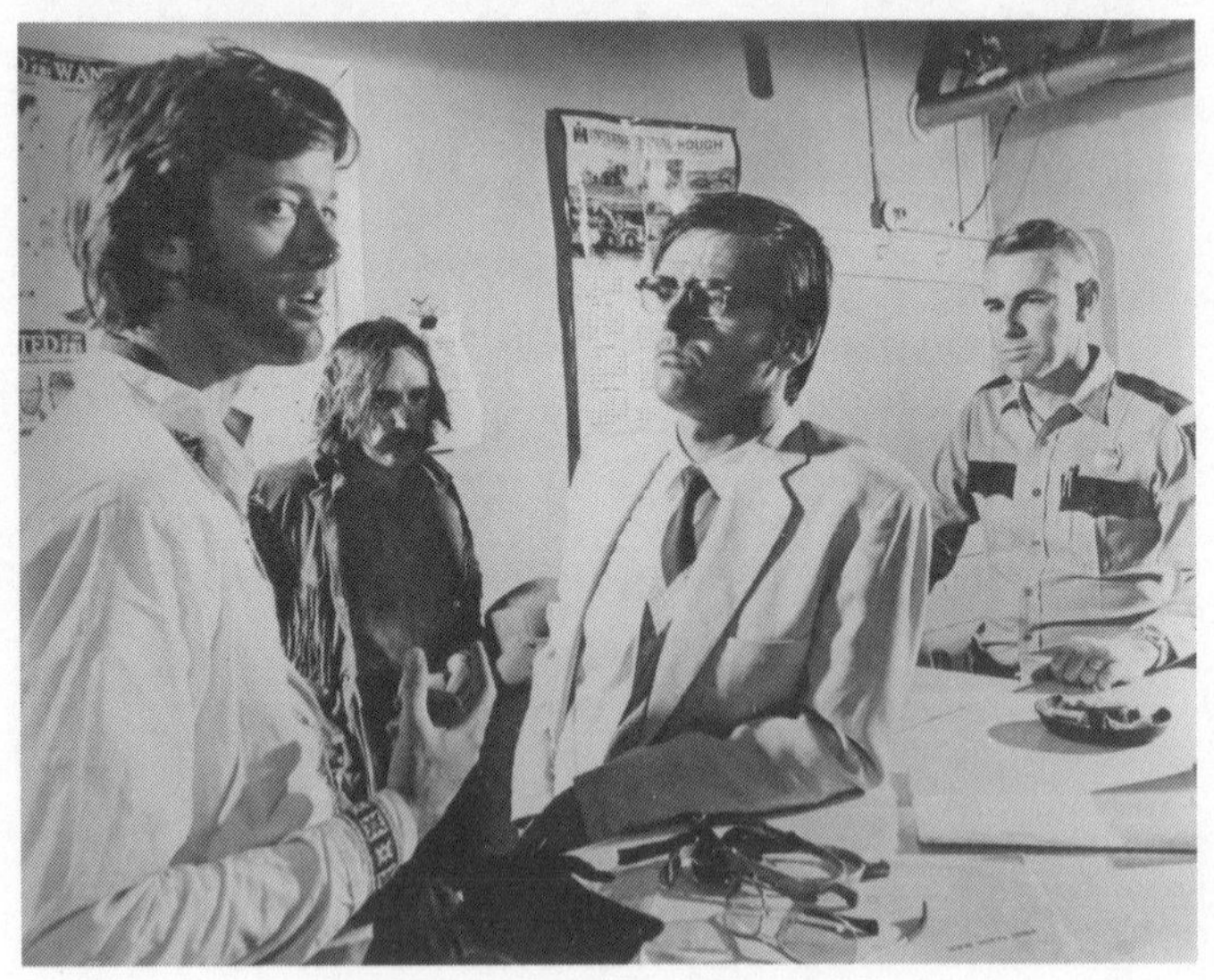

八二年三月に行なわれた第五十四回アカデミー賞において『レッズ』で最優秀助演男優賞にノミネートされたのに続き、八四年四月の第五十六回の同賞ではシャーリー・マクレーンと共演した『愛と追憶の日々』で他の主要部門とともに二度目のアカデミー賞受賞（一回目は七五年度の『カッコーの巣の上で』で主演男優賞を受賞）が現実のものとなり、ニコルソンはジャック・レモン、ロバート・デ・ニーロに続く史上三人目の主演・助演両部門での同賞の受賞者となった。既存の権力構造に歯向かい続けるアンチ・ヒーローとしてスターダムを確立したジャック・ニコルソンだが、いまや現代の名優としてハリウッドという「体制」そのものの顔にまでなったのだ。

一番劇的な変化を遂げていたのはデニス・ホッパーだった。彼はアルコールとドラッグの中毒から幻覚を見るようになっており、そのため時おり錯乱状態に陥り、前述の「ハイ・タイムズ」のインタヴューの後、メキシコで『ジャングル・フィーバー』という西ドイツ映画の撮影中に村を裸で歩き回り逮捕された（ホッパーは役を降ろされ、マージョー・ゴートナーが代役を演じ、最終的には『ジャングル・ウォリアーズ』のタイトルでアメリカで公開された。日本では何と『拷問（レイプ）！・美女軍団の復讐』の題名でビデオ発売された）。その後、ロサンゼルスのアルコール依存症医療施設スタジオ12で治療を受け、この年の暮れから八四年初めにかけてはニューメキシコ州タオスで静養する。四月にはロサンゼルスのセンチュリー・シティ病院の麻薬・アルコール中毒用リハビリ・プログラムを試すものの、結局シーダーズ・サイナイ病院に移送され、とうとう自分の意志では退院すらできない禁治産者の立場にまで追い込まれてしまう。だがこれを聞いたバート・シュナイダーがホッパーを引き取り、完全に回復するまで治療に専念させる。普通、ここまで落ちぶれてしまうとなかなか復帰できそうもないところだが、ホッパーの場合、奇跡とも呼べるような劇的な復活を遂げる。

復帰の足がかりとなったのはディズニーの新会社タッチストーン社による『マイ・サイエンス・プ

ロジェクト』だったが、ここで彼は何と過去へタイム・スリップし、ラストに『イージー★ライダー』のビリーそのままの扮装で登場し、「ウッドストックへ行ってきたぞ！」などと叫ぶのだ。セルフ・パロディでも何でもかまわない、仕事に復帰できればそれだけで嬉しいんだ、という気持ちがみなぎっていた。さらに八六年の暮れから翌八七年の初めにかけて、彼は『ブルーベルベット』、『勝利への旅立ち』の演技によって全米批評家協会賞やロサンゼルス映画批評家協会賞などの最優秀助演男優賞を受賞。アカデミー賞やゴールデン・グローブ賞では惜しくも受賞を逃したものの同賞にノミネートされ、完全復活を世界中に印象づけるに至ったのだ。

ピーター・フォンダはどうだったろうか。八二年八月に偉大な父ヘンリーが七十七歳で亡くなってからというもの、彼にはある変化が表れ始めていた。それまでは、父や姉のキャリアと比べて、自分のそれが総合的にみてかなり見劣りがするという世間一般の評価を気にし続けていた。しかし、そうは言っても、『イージー★ライダー』のようにそれ一本で映画史上にいつまでも記憶される作品を作ったのはフォンダ家の中でも自分一人だというプライドから、役者として主役以外のオファーには見向きもせずに、さまざまな意味で映画作り全般を通じて自分が王様でいられるものにしか関心を示さなかった。だが、もちろんそれは彼のキャリアの幅をせばめることにしかならなかったし、トラブル・メイカーとしての悪評は自らを孤立させる以外のものは何ももたらさなかった。

そんなピーターにとって、父ヘンリーの死はある意味でつっかえを取り払う効果をもたらした。次第に彼は開き直り、何も主役でなくたっていい、父や姉のキャリアに対抗意識を燃やすよりも、先ずは自分が俳優としてそう捨てたもんじゃないんだ、と世間に、そしてハリウッドに対してアピールすべきなのだと思うようになった。ジャック・ニコルソンだけならまだしも、ホッパーまでもが再びそのキャリアを復活させたことが、その気持ちに拍車をかけたことはいうまでもなかった。

だが、現実は厳しかった。もはやピーター・フォンダに声をかけてくれる者などハリウッドにはいないという事実が彼を精神的に追い詰め、彼に以前では考えられないような思考をもたらした。――この時期のピーターの行動や時おりマスコミで取り上げられた際の発言を見ればその本音がどんなものだったかが容易に推察できる。すなわち、「自分のために姉ジェーンの人気を利用して何が悪い！自分のために『イージー★ライダー』をもう一度利用して何が悪い！」という開き直りだ。

ピーターはジェーンが西部の女傑アニー・オークレイを演じ、自分がその生き別れていたならず者の弟を演じる企画と、そして一度は自ら潰してしまった企画、すなわち『バイカーズ・ヘヴン』をもう一度実現させるべく奔走する。

ピーターとともにこの一九八七年時点で積極的に動いたのはバート・シュナイダーだった。四年前に頓挫した時点で、マイケル・オダナヒューが監督する当初の案は否定された形となっていた。今回オダナヒューをたてねばならない義理はなかったからだろうか、ともかくもオダナヒューの名は表舞台から消えた。だが、もちろんバート・シュナイダーはまだこの企画の実現にたっぷりと未練を残していた。ピーター・フォンダが積極的にプロデュースを買って出ている以上、原点に立ち返りホッパーに監督を頼むべきだろう。ピーターとデニス、つまりオリジナルの『イージー★ライダー』を生み出した二人が再び全面的に取り組むというのであれば、最近のホッパーの復活ぶりを考えれば出資者を見つけることもそう難しくないだろう。

だが、大規模なＶＦＸ（特殊効果）を要する『バイカーズ・ヘヴン』の映画化には前作のときとは比べものにならないくらい巨額の製作資金が必要となる。おまけに当然、前作同様の世界的な大ヒットを目指していく以上、出演者のギャラの要求も超大作の水準となることは必至だった。そう考えれば必然的に出資者が納得するような絶対的な信頼度が必要となる。それはジャック・ニコルソン以外には考えられなかった。

今やデニス・ホッパーにはピーターの思いがけない熱心さにも対応できる余裕が十分にあった。しかもシュナイダーは今回は自分に監督も頼みたいと言ってきている。上等だ。何の不足があろうかというものだ。だが、監督の立場で考えてみても、自己満足的に映画さえ撮らせてもらえれば後はもうどうでもいい、ヒットしようがそっぽを向かれようが構わない、という態度で済ますわけにはいかないことは当然だった。作る以上は何が何でもヒットさせなければならない。出資者に対して十分な見返りをもたらし、次の企画へスムーズに取りかかれる状況を作らなければならないのだ。

やはり、鍵はジャック・ニコルソンが握っていた。

『バイカーズ・ヘヴン』の企画が結局どうなったのかは記すまでもないだろう。今日にいたるまで『バイカーズ・ヘヴン』という映画は製作されていない。映画化断念のいきさつについて、デニス・ホッパー、ピーター・フォンダはそれぞれ次のように語っている。

DH つい最近（一九八七年頃）になって、ピーターと俺とバートとで、新たな『バイカーズ・ヘヴン』を一緒に作ろうという話になった。今度は、監督は俺で、ピーターは「やろう」と言った。だけどジャックが反対したのさ。それでその話は立ち消えになったんだが、今では気にかけていないよ。みんなで集まるのなら、いつでもオーケイさ。大いに楽しめるだろうからね。――しかし、もし実現するとしても、とても製作費のかかる映画になるだろう。特殊効果がたくさん必要だし、俺たちが最初に作った映画のような安上がりな映画とは違うものになるはずだ。それとお金の面でも……われわれは一五〇〇万……いや一八〇〇万ドルの予算になる予定だったが、それはジャックが出演をＯＫした場合のみの条件付きだったんだ。ジャックは、ほんの一週間、いや五日も来てくれれば済んだんだが、彼は「ダメだ。行けない」と言った。実際、彼は『黄昏のチャイナタウン』を作っていたからね。彼の言うには、「最初は一緒にやりたいと思っていたが、やはり無理だ。俺は別の映画の仕事に入っているんだ。どうせなら何か別の企画について話し合いたいな」ってとこさ。おかげでバートはその巨額の製作費を調達できなくて、この企画を辞退したんだ。バート・シュナイダーとジャック・ニコルソンは、この件についてそれ以上話をしていない。完全に仲たがいしたのさ。あのときは俺たち三人で一週間のうちに二回夕食を共にしたんだが、彼らはもはやお互いに話をしようともしない。問題は報酬の基準（の相違）のようだったね。（＊12）

PF その企画は間違いだと思った。僕は……自分たち自身との競争になるだろうと思ったんだ。人々はきっと言うだろう――「最初の映画に比べるとたいしたことないよな」とね。しかもその通りだったのさ。そいつはとてもひどい脚本で、お粗末な代物だったんだ。……まあ僕はそもそも、そのアイディア自体が好きではなかったんだが、製作費を工面しに出かけたんだ。そして誰もがお金を必要以上に要求してきた。それで僕は身を引いたわけだ。一九八七年と八八年には二〇〇〇万ドルもの製作費を集められるメドがたっていた。だが、「さあ、ここに二〇〇〇万ドルあるぞ」と言っても、誰も決心するにはいたらなかったんだ。お金っていうものはいつまでも待ってくれはしない。お金は次の可能性へと流れていく。より良い投資対象にね。今、僕にとって『イージー★ライダー』の続編をつくる考えは終わりを告げたように思う。それが一番いいことなんだろうと思っているよ。（＊13）

どちらの言葉にもかなり真実が含まれているだろうし、どちらの言葉にも自己弁護がまた感じ取れる。ホッパーが、ニコルソンが出演を断った経緯を詳しく説明した後で、ついポロっと口走った「報酬の基準」の相違がどうやらキーワードなのだろう。この点に関しては、ピーターの「誰もがお金を必要以上に要求してきた」という発言と一致している。そして、どうやらこの報酬額に関する各人のこだわりという問題は、前作『イージー★ライダー』の予想をはるかに越えた成功のあと、利益配分をめぐって生じた軋轢（あつれき）が二十年経った時点でも各人の心の底に拭い切れずに残っていたと見てよさそうだ。

それともうひとつ、ジャック・ニコルソンの名誉のために付け加えておくならば、彼には大ヒット作の続編企画に関してとても苦い思いがあったはずだ。というのも、まさしくこの『バイカーズ・ヘヴン』への出演を要請された時点で彼が取り組んでいた『黄昏のチャイナタウン』をめぐって、前作『チャイナタウン』(＊14)を一緒に作って以来長く続いていた彼とロバート・タウン、そしてロバート・エヴァンスの三人の友情にひびが入ってしまったのだ。『黄昏のチャイナタウン』の企画は八四年の暮れ頃にはじまり、主演のジェイク・ギテス役はもちろんジャック・ニコルソン、相手役の「もう一人のジェイク」を前作のプロデューサーにして元俳優のエヴァンスが演じ、監督は前作で脚本を書いたタウンが務めることになっていた。ちなみに、この時点ではもう一人の共演者としてデニス・ホッパーも出演することになっていた。ともあれ、八五年の四月にはパラマウント撮影所にセットまで建てられたが、撮影開始のわずか三日前になってタウンがエヴァンスの演技にクレームをつけて役からはずし、それに抗議したニコルソンとタウンの関係もおかしくなり、結局製作中止となった。その後、パラマウントとの契約で映画そのものをどうしても完成させせなければならなくなったニコルソ

ンは、仕方なく一人で監督と主演を兼ね、相手役に『ボーダー』で共演していたハーヴェイ・カイテルを起用して撮影に入ったところだったのだ。

同じ失敗を二度しないようにと、ニコルソンが『バイカーズ・ヘヴン』の企画実現を拒んだとしても不思議はない。

さて、こうして一九八〇年にマイケル・オダナヒューとバート・シュナイダーが考えついた『バイカーズ・ヘヴン』の企画は、何度かの紆余曲折を経て一九八八年には完全に消滅した。

だが、実は『イージー★ライダー』の続編自体は前作に関わった者たちの心の中で消え去ってしまったわけでは決してない。ピーター・フォンダは、その後も『イージー★ライダー』のある種のリメイク——あるいは九〇年代版の『イージー★ライダー』をもう一度みんなで作るというアイディア——に憑りつかれていた。また、バート・シュナイダーは九二年のカンヌ国際映画祭で、『バイカーズ・ヘヴン』の冒頭で使うことが予定されていた前作の別テイクや、前作でカットされたシーンを用いて『イージー★ライダー／完全版』を作る予定がある、と発表している。

これらの企画が実現することは、決してなかった。だが、オリジナル版の製作からすでに四半世紀たった一九九〇年代の半ばの時点でも、このように作り手たちの仕事上のキャリアに、また人生そのものに大きな影響を与え続けていた『イージー★ライダー』とは何だったのだろうか？

ハリウッド一二〇年の歴史において、『イージー★ライダー』の果たした意味を定義するのであれば、ことはそれほど難しくはない。

——大手のスタジオがすべてをコントロールし、工場製品がベルトコンベアーから自動的に送り出されるように映画が次々と製作され、公開され、安定した収益を上げていくという〝スタジオ・シ

ステム〃は、一九六〇年代までに完全に機能不全に陥っていた。各映画スタジオが起死回生をねらって巨額の製作費を投じて公開した大作映画の数々は、若い映画観客からは見向きもされずに惨敗を喫していた。どうしたら若者たちが映画館に足を運んでくれるのか計りかねていた大手の各スタジオは、それまでの〃スタジオ・システム〃の枠の外に人材を求め始めた。それはたとえば『卒業』のマイク・ニコルズ監督、『明日に向って撃て!』のジョージ・ロイ・ヒル監督のような舞台演出家であり、『俺たちに明日はない』のアーサー・ペン監督、『真夜中のカーボーイ』のジョン・シュレシンジャー監督のようなテレビ出身の演出家であった。もちろん、演劇界など、映画界に近い領域の仕事で成功している人材を新しい血として迎え入れることなどは、サイレントからトーキーへと映画の形態が変化したとき以来ハリウッドが常に行なってきたことだった。演出もプロデュースの経験もまったくない単なる俳優、たとえば大スターのジョン・ウェインが『アラモ』で初監督に挑戦したようなケースなら過去にも例はあったものの、デニス・ホッパーとピーター・フォンダのコンビのように、良識のある大人たちからは眉をひそめられるB級映画配給会社ＡＩＰの作品で仕事をしている、いわば俳優としても末端の地位にある者たちがハリウッドのメジャー・スタジオ配給作品を自分たちの手で製作・監督するなどということはそれまででは考えられないことだったのだ。これは、それだけハリウッドの機能不全の状況が深刻で藁にもすがりたい状況だったことを示している。……だが、そのデニス・ホッパーとピーター・フォンダが作った『イージー★ライダー』が、若者たちから最も熱烈な支持を受けたばかりか、カンヌ国際映画祭で新人監督賞を受賞しアカデミー賞でも脚本賞と助演男優賞の二部門でノミネートされ、作品のクオリティの部分でも認められたことで、それまでのハリウッドの秩序が根底からくつがえされることになってしまったのだ。

さらに、『イージー★ライダー』はハリウッド映画産業界のシステムそのものを変革する起爆剤ともなった。それは、『イージー★ライダー』がわずか三七万五千ドルの予算で製作された作品でありながらも、最終的に七〇〇〇万ドルもの収益を生み出したことによる。ハリウッドの歴史上、これほどまでに利益効率の良いケースは例がなかった。『イージー★ライダー』の圧倒的な成功以降、ハリウッド映画産業界では、経験はさほどなくても才能がありそうだと見なした若いクリエイターたちに投資するようになり、それらの作品が若者たちに圧倒的に支持されて巨額の収益を上げていくスタイルの映画づくりが主流となっていく。その中からスティーヴン・スピルバーグ、ジョージ・ルーカスのような人材が輩出されていったのだ。

一言でいえば、『イージー★ライダー』は古いハリウッド・システムを変革し、アメリカ映画を救った作品、と位置づけることができるのである。

だが、もっとパーソナルな部分で、作り手たちの人生に大きな影響を与えたことの意味を知るためには「『イージー★ライダー』を作った男たち」のドラマをもう一度最初から見てみる必要があるだろう。彼らは如何にして出会い、何を作ろうとし、そして各人がつかんだ大きな成功がその後の人生にどのような影響を与えたのか？それを知ることがすなわち彼らの俳優、監督、映画製作者としてのプロフェッショナル・ライフの、ひいては彼らの人生そのものを理解する上での鍵となるに違いない。

まず、二人の男のドラマの始まりに立会うために、『イージー★ライダー』誕生の八年ほど前にさかのぼってみよう。

『バイカーズ・ヘヴン』

＊1　『電話帳』未見だが文献によればわいせつ電話に取り憑かれる人間の話だという。

＊2　『ボーダー』The Border　1982年アメリカ映画　監督：トニー・リチャードソン　音楽：ライ・クーダー　共演：ハーヴェイ・カイテル、ウォーレン・オーツ、ヴァレリー・ペリン。テキサス州エルパソを舞台にメキシコからの移民問題と国境警備隊の腐敗を描いた社会派アクションドラマ。撮影は1980年の7月から12月にかけて行われた。ニコルソン演じる国境警備員が最後に司令部を爆破して逮捕されるエンディングは、テスト試写の結果、メキシコ女性を助ける場面に差し替えられた。

＊3　『爆走！　ヘルス・エンジェルス』HELLS ANGELS ON WHEELS　1967年アメリカ映画　監督：リチャード・ラッシュ　出演：ジャック・ニコルソン、アダム・ロアーク、サブリナ・シャーフ、ジャック・スターレット。悪名高き暴走バイカーギャング「ヘルス・エンジェルス」の無軌道ぶりと抗争を描き、ニコルソンは見習いのエンジェルス・メンバーを演じた。スタジアムに現れたのは、リチャード・ラッシュとジャック・スターレットではないかと思われる。

＊4　「ローリング・ストーン」誌八一年四月十六日号（第三四一号）所収のティム・カヒル記者によるインタヴュー。なおこのインタヴューは、「アメリカン・ニュー・シネマの息子たち／ルーカスからゴダールまで11人のインタヴュー集」（ロッキング・オン社、一九八二年刊。ロッキング・オン編集訳）に収録されている。

＊5　日本では『グランド・キャニオンの黄金』のタイトルでテレビ放映された。

＊6　『だいじょうぶマイ・フレンド』1983年　監督・原作・脚本：村上龍　出演：ピーター・フォンダ、広田玲央名、渡辺裕之、根津甚八、武田鉄矢、タモリ。ピーター・フォンダは地球（日本）へ落ちてきたスーパーマン「ゴンジー・トロイメライ」を演じたが、プロデューサーが『砂の女』の市川喜一だったことで出演したと思われる。また、デニス・ホッパーは来日時に市川と面会している。

＊7　ピーター・フォンダの出世作『ワイルド・エンジェル』は当時社会問題となっていた暴走族ヘルス・エンジェルスの若者たちを描いた作品だった。

＊8　ジェフリー・ウェルズ記者によるインタヴュー記事。「ニューヨーク・ポスト」紙、一九八二年十月二十六日付。

＊9　筆者によるデニス・ホッパーへのインタヴュー（九一年七月十五日）※以下、「**インタヴューA**」

＊10　『Heartland』は一九七九年のリチャード・ピアース監督作で日本未公開。『A Stranger is Watching』は八二年ショーン・S・カニンガム監督作、『誰かが見ている』の題名でビデオ発売、『ニューヨーク25時・少女誘拐』としてテレビ放映された。

＊11　Dennis Hopper interview by Michael Wilmington, "High Times" No. 96, Aug. 1983, pp.33-35

＊12　インタヴューA

＊13　筆者によるピーター・フォンダへのインタヴュー（九一年七月十六日）※以下、「**インタヴューB**」

＊14　『チャイナタウン』1974年ロマン・ポランスキー監督によるロサンゼルスを舞台にしたフィルムノワール。翌年のアカデミー賞では作品賞、主演男優賞（ジャック・ニコルソン）など11部門にノミトされ、ロバート・タウンが脚本賞を受賞。ニコルソンはゴールデン・グローブ賞、全米批評家協会賞、ニューヨーク批評家協会賞などで主演男優賞を獲得した。

Chapter 1

栄光への旅立ち

『ワイルド・エンジェル』のピーター・フォンダ（右から2人目）とブルース・ダーン（その左）
©1966 Orion Pictures Distribution Corporation. All Rights Reserved.

01 運命的な出会い

一九六一年八月九日、ニューヨーク。

その日、二十三歳の若き女優ジェーン・フォンダは、朝からそわそわと落ち着かない時間を過ごしていた。

今日は彼女の親友ブルック・ヘイワードが、最近ブロードウェイの舞台『マンディンゴ』で共演した俳優デニス・ホッパーと結婚式を挙げ、その後の披露宴をジェーンの住むマンションの部屋で行なうことになっているのだ。

ブルックの父リーランド・ヘイワードは、ニューヨークで、いやショウ・ビジネス界で知らない者のいない大物舞台プロデューサーであったから、本来もっと盛大なパーティが催されてもよいはずだったが、ふたつの理由からごく身内だけのホーム・パーティという形になった。ひとつは、ブルックがすでに一度結婚に失敗しており、二人の息子を連れての再婚であったということ。そしてもうひとつは、この結婚が必ずしもまわりの者から祝福されたものではなかったからだ。

この結婚に最も強硬に反対していたのは、ほかならぬリーランド・ヘイワードその人だった。今朝、すなわち結婚式当日の朝ですら彼は娘ブルックに電話をかけ、もう一度考え直すようにと説得している始末だった。彼にとって、ハリウッドを追放された問題児ホッパーを娘の夫に迎えることなどもってのほかだった。

もちろん、ブルックにもデニス・ホッパーに協調性の欠如という問題があるのはわかっていたが、彼女が惹かれたのは権力におもねることをよしとしない彼の強い意志と、そしてまた芸術に対する深

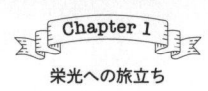

い思い入れであり、父リーランドの反対などは問題ではなかった。

そして、その意味においてジェーンもまた、まだ会ったことはなかったにもかかわらず、親友の夫となる男にいくばくかの共感を覚えていたのだ。

ジェーンはもちろんデニス・ホッパーの存在を知っていた。直接会話をしたことこそないが、ともにアクターズ・スタジオでリー・ストラスバーグに師事しており、何度かは授業で一緒だったことがあった。

ジェーンは女優として、前年のブロードウェイの舞台「ゼア・ワズ・ア・リトル・ガール（少女ありき）」と、映画『のっぽ物語』で華やかなデビューを飾り、年末にはニューヨーク批評家協会の「明日のスター」に選ばれるなど、順風満帆のスタートをきったばかりで、初日からわずか二日後に打ち切られた「マンディンゴ」の助演格だったデニス・ホッパーとは雲泥の差だった。それでもホッパーが、一度はハリウッドでジェームズ・ディーンの跡を継ぐ有望スターの地位を獲得しながらも、彼女の父ヘンリーの属する古い世代と真っ向から対立して追放されたという事実を知っていた。加えて、自分のデビューした舞台と映画のどちらもが父の親友の一人であるジョシュア・ローガンの演出によるものであったために、父の世代を批判したくともできない自分自身の現実を考え合わせると、ホッパーへの関心は、親友の決心を応援する気持ちを越えて大きくなりつつあった。

ピーター・フォンダはその日、親友のビル・ヘイワードとともに、ビルの姉ブルックが結婚相手に選んだ男がどんな奴だろうかと思いをめぐらせていた。いや、正確に言えば、二人の耳にはすでにデニス・ホッパーについてのあまり芳しくない評判がたっぷりと届いていたのだが、人の噂ほどあてにならないものはない――実際に会ってみるまではつまらない偏見は持たないようにしよう、そう彼は考えていた。ピーターは数か月後にはやはりブロードウェイの舞台「血と汗とスタンリー・プール」で本格的に俳優としてデビューすることになっていたこともあり、俳優デニス・ホッパーにも興味があった。だが、むしろ感覚的には、ここ数年つらく悲しい出来事が続いた自分とヘイワード家のみんなにとって、新しい家族を迎え入れることがすべてを良い方向へ向かわせるきっかけになるかもしれないという期待のほうが大きかった。

ジェーンとブルック、ピーターとビルがそれぞれ親友同志だったのは単なる偶然ではない。彼ら四人にブルックとビルの妹ブリジットを加えた五人の若者たちは、ものごころついてからというもの、まるで兄弟のように育っていた。それはただフォンダ家とヘイワード家の仲がよかっただけのことではなく、もっと深く、いささか因縁めいたいきさつがあった。それは彼らの親たちの込み入った関係であり、その問題は「大人たちへの反感」と「自己のアイデンティティの危機」という共通した傷として五人の子供たちの間に結ばれていたのである。話はさらに三十年前にさかのぼる。

一九三一年十二月二十五日、メリーランド州ボルチモア。

東部の大学生らによるセミ・プロ劇団、ユニヴァーシティ・プレイヤーズに籍を置く若い俳優、二十六歳のヘンリー・フォンダと、まだ二十歳になったばかりのスター女優マーガレット・サラヴァンは、その日、家族同様の劇団員たちに祝福されて結婚式を挙げた。式に立ち会った劇団員の中には、のちにジョン・フォード一家の一員として『黄色いリボン』、『三人の名付親』などに出演する女優ミルドレッド・ナトウィック、スチール・カメラマンとなったジョン・スウォープ、そしてこの劇団の主宰者であり、戦後映画監督として『南太平洋』、『ピクニック』などを発表するジョシュア・ローガンらが含まれていた。

サラヴァンはこの年、ブロードウェイのブース劇場で「現代の処女」というコメディの主演女優と

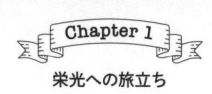

して売り出していたが、公演が打ち切られたあと古巣のユニヴァーシティ・プレイヤーズに戻ってきていたのだった。

ネブラスカ出身の名もない演劇青年ヘンリー・フォンダにとって、若干二十歳にしてブロードウェイの主演女優となった彼女のハートを射止めたことは天にも昇る心地だったことは想像に難くない。とにもかくにも二人はシーズンがおわるとニューヨークへ行き、グリニッヂ・ビレッジにアパートを借りて暮らし始めた。

しかし、二人の結婚生活はわずか四ヵ月たらずで破局を迎えた。『風と共に去りぬ』のヒロイン、スカーレット・オハラそのもののような激しい気性を持ったサラヴァンが家庭に落ちつくのはいささか早すぎたのかもしれない。フォンダは、彼を追ってニューヨークへやってきていたジョシュア・ローガンや、その頃、新たにユニヴァーシティ・プレイヤーズの一員となっていた若きジェームズ・スチュアートたちと共同生活を始めたが、正式に離婚した後もマギー・サラヴァンへの愛情は心の中で消えることはなかった。

五年後の一九三六年、二人を取り巻く状況は大きく変化していた。サラヴァンは早くから活動の場を映画に移し、MGMのスター女優となっていた。フォンダもまたブロードウェイでの成功を経て、彼のエージェントとなっていたリーランド・ヘイワードの勧めにより三五年にウォルター・ウェンジャーと契約して『運河のそよ風』で映画へ進出していた。そして、この年、二人は映画『月は我が家』で共演する。二人のロマンスはたちまち再燃し、二度目の結婚を考え始めるに及んだ。フォンダとの離婚後、サラヴァンは映画監督ウィリアム・ワイラーと再婚したが、この結婚も長くは続かず、すでに別れていた。フォンダの方はずっと独身を通し、ハリウッドに来てからも相変わらずニューヨーク時代同様スチュアート、スウォープ、ローガンらとの共同生活を続けていた。しかしながら、またしても二人は喧嘩別れしてしまい、フォンダはフランス女優アナベラとの共演作『暁の翼』撮影のために訪れていたロンドンで、若く美しい未亡人フランシス・シーモア・ブロカウと出会い、同年九月に結婚式を挙げる。

だが、運命は二人をそのままで済まそうとはしなかった。サラヴァンはやがてフォンダの仕事上のパートナーであるリーランド・ヘイワードと結婚し、両家はハリウッドでほんの目と鼻の先に住居を構えることとなった。

ヘイワードは戦後になって、エージェントとして俳優たちと結んでいた契約の権利をＭＣＡに売却し、舞台プロデューサーとして活躍するようになり、フォンダの生涯の代表作「ミスタア・ロバーツ」を手がけることになる。ちなみに「ミスタア・ロバーツ」の演出にあたったのはジョシュア・ローガンであった。（＊1）

一九三七年、フォンダ家に娘ジェーンが生まれる。ジェーンの乳母はヘイワード家の乳母と知り合いだったため、ジェーンの誕生と同じ頃にマーガレット・サラヴァン・ヘイワードが生んだ女の子ブルックとは、物心がつく頃からずっと一緒に遊んでいた。一九四〇年に生まれたピーターは、ヘイワード家の長男ビルや次女ブリジットと同年代だったので彼らと遊ぶことが多かった。つまり、フォンダ家の二人の子供とヘイワード家の三人の子供は、まさに兄弟のように育ったのだ。

一九四八年、ヘンリー・フォンダは二十世紀フォックスとの七年契約を終了すると古巣ブロードウェイに戻り、「ミスタア・ロバーツ」に出演する。フォンダの舞台へのカムバックは大絶賛のうちに迎えられた。本拠地を東部に移し舞台俳優としての仕事に専念しようと決心したヘンリーは、九月にはハリウッドの邸宅を引き払ってコネティカット州グリニッヂに移り住む。フォンダと共に舞台プロデューサーとしてそのキャリアの第二の頂点を極めようとしていたリーランド・ヘイワードも、当然ながら本拠地としてニューヨークを選択していた。やがて、早々にリーランドとの結婚を解消していたマギー・サラヴァンまでもが、フォンダに感化されたかのように子供たちとともに東部に移ってくる。……両家の子供たちはもちろん、ヘンリーとマギー・サラヴァンがかつて結婚していたことを知っていたし、今回の両家の引っ越しが単に父親同志の仕事上の関係だけのためではないことを、うすうす感づいていた。ピーター・フォンダはこう語っている。

PF ハリウッドに住んでいた期間、ジェーンと僕は決して「ハリウッドの子供」ではなかった。僕らの父親はとても内気でもの静かな男だったし、彼はパーティの類が嫌いだった。きらびやかなハリウッドに彼と彼の生活は無関係だったんだ。それで、僕らも親父の生き方に従っていたわけだ。映画業界の若い人たちも周囲にいたけれど、彼らと一緒にパーティに行くようなことはめったになかった。親しかった唯一の家族はリーランド・ヘイワードの家族、つまり、ブルック、ブリジット、ビルのヘイワード姉弟だったんだ。ビル・ヘイワードは僕の義理の兄弟のようなものだった。――なぜなら彼の母親と僕の父親は、互いに最初の結婚相手だったからね。とても複雑なんだけど(笑)。彼は『イージー・ライダー』の共同プロデューサーにもなった。デニスの提案でそうなったんだけどね。

ビルは今でも僕の相棒で、大親友なんだ。彼は僕の弁護士の一人でもあるし、今でもパートナーである。ビジネスも二人三脚でやっているんだ。僕が映画を監督するときは、いつも彼にプロデューサーか製作総指揮をやってもらってきた。彼は僕の仕事の仕方を知っているからね。普通とは違う形だけど家族なんだよ。僕が両親と姉と共にニューヨークへ引っ越してきたとき、ビル・ヘイワード、ブルック・ヘイワード、ブリジット・ヘイワードの姉弟もまたニューヨークへ引っ越してきたんだ。彼らの両親もそのすぐ後にね。われわれはみんな、彼らの母親と僕の父親はお互いに愛し合っていたんだろうと思っている。……たぶんね。わからないけれど。(*2)

この奇妙な関係は両家の子供たちに奇妙な連帯感を生じさせたが、それ以上にフランシス・フォンダの精神のバランスをも不安定なものにしていた。その頃、作曲家オスカー・ハマースタインII世の娘スーザン・ブランチャードとのロマンスを新たに進行させていたヘンリー・フォンダは、離婚を決意してマンハッタンでアパート暮しを始める。

最初の悲劇は一九五〇年四月十四日、フランシスの自殺という形で訪れた。極度の躁鬱症治療のためにサナトリウムへの入退院を繰り返した末の出来事だった。子供たちのショックは察してあまりある。だが、ジェーンとピーターにとっては、母の死後ヘンリーがすぐにスーザン・ブランチャードと結婚したことも大きなショックだったであろう。まだ十歳だったピーターには母の死が自殺だったことはずっと後になるまで知らされなかったが、大人たちのエゴ——父が最初の結婚相手であるマギー・サラヴァンとの特別な関係をいつまでも保っていたこと——が自分の母親を追いつめ、とうとうその命を奪ったことだけは感じ取っていた。

この年、ミズーリ州カンザスシティからカリフォルニア州サンディエゴに越してきた一家があった。ジェイとマージョリイのホッパー夫妻である。一家の長男デニスはこの町に本格的な演劇を上演するオールド・グローブ劇場があることを知り、心がときめくのを感じていた。

十三歳にして演劇への情熱を自身の中に発見していたデニス・ホッパーは、ここオールド・グローブ劇場で俳優としてのデビューを飾った。続く数年間、学業のかたわらサンディエゴ・コミュニテ

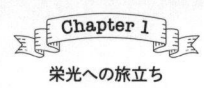

ィ・プレイヤーズに加わって修業を積んでいたデニス少年は、一九五三年の夏、自宅近くのラ・ジョラ劇場で「郵便配達は二度ベルを鳴らす」の役をつかむ。ラ・ジョラはサンディエゴ市内から一時間ほど足をのばしたところにある郊外の町で、同劇場を主宰していたのは女優ドロシー・マクガイアとジョン・スウォープ夫妻だった。

映画女優としてすでに『ブルックリン横丁』や『らせん階段』で名声を博していたドロシー・マクガイアには、若いデニス・ホッパーの気持ちがいたいほどよくわかった。彼女自身、十三歳にしてオマハ・コミュニティ劇場でヘンリー・フォンダに「発見」されてプロの女優としての足がかりをつかんだのだった。かつてマギー・サラヴァンと共演した芝居「シンデレラへのキス」の再演で、フォンダはマギーの後釜を務める相手役としてドロシーを抜擢したのだ。

彼女の夫ジョン・スウォープもまた、かつてフォンダやマギー、そしてジェームズ・スチュアートらとともにユニヴァーシティ・プレイヤーズで演劇修業を積んだ後、彼らとともにハリウッドへ向かったのだが、やがて俳優としての限界を感じてスチール・カメラマンに転身して成功。今では愛妻ドロシーと共に、このラ・ジョラ劇場の経営と、才能のある若者を発掘することに生きがいを見いだしていたのだった。

すぐにでもニューヨークかハリウッドへ行って自分の力を試したい！——そう若きデニス少年が思うのも無理はなかったが、ドロシーはまず学業を終了させるよう説得し、彼はそれをしぶしぶ受け入れた。ドロシーの脳裏には、二十年以上前、今のデニス少年同様の気持ちを抱いていた自分に、ヘンリー・フォンダが同じアドヴァイスをしてくれたときの情景がつい昨日のことのように浮かんでいた。

その後、デニス・ホッパーはナショナル・シェイクスピア・フェスティヴァルの演劇奨学金を得てシェイクスピア劇のいくつかに出演すると、スウォープ夫妻の紹介状を持ってハリウッドへ乗り込むことになる。彼自身はデビューまでのいきさつを次のように語っている。

DH 俺はもともと絵に興味があり、幼い頃からロッキー山脈を描いていた年老いた画家のレッスンを受けていた。九歳か十歳になる頃、ネルソン・アート・ギャラリーが美術館で開いていた教室へ通い始めて絵の勉強を続けた。そこの美術館には俳優の養成学校があってね。土曜日にそこの俳優が演技するのをスケッチしたりしていた。十三歳のときにカリフォルニア州サンディエゴに引っ越したんだが、その頃、両親に「俳優になりたい」と告げた。俺はリー・ホイットニーという女性の演技コーチの許(もと)でレッスンを始めた。彼女はブロードウェイの舞台にも立った人で、サンディエゴで劇団をやっていた。とにかく高校のときにそこで朗読を学び、スピーチ・コンテストに出たりしたんだ。それから、サンディエゴでセミ・プロ劇団と呼ばれていたオールド・グローブ劇場で演技を始めた。初めての劇は十三歳のときで、ディケンズの「クリスマス・キャロル」だ。日中は学校へ行き、夜にはいろいろな劇に出ていた。十七歳のときにプロの劇団ラ・ジョラ劇団に入った。そこにはドロシー・マクガイア、グレゴリー・ペック、そしてジェニファー・ジョーンズらがいて、デヴィッド・O・セルズニック(*3)はいつも妻のジェニファーに合った役を探すためのショウケースとしてこの劇場を使っていた。だから俺はちょいとトラックをころがすだけで、当時プロの俳優だった人たちに会うことができた。そんな中にドロシー・マクガイアの夫であり劇団の経営者でもあったジョン・スウォープがいた。俺はサンディエゴのオールド・グローブ劇場でシェイクスピア劇の役をいろいろこなし、シェイクスピア奨学金を得ていたんで、彼ら(スウォープ夫妻)を招いて自分の演技をみてもらい、ハリウッドのキャスティング・ディレクターに手紙を書いてもらったんだ。十八歳のときにハリ

ウッドへ行き、紹介状を持って『カバルケイド・オブ・アメリカ』というテレビ番組の小さな役のテストを受けた。演じた役は南北戦争によって足を切断された若者役だった。

……こうしてスタートしたわけだが、次に医学ドラマの『メディック』で役を得た。これが五五年一月七日に放映されるや、五つのスタジオから契約を申し込まれた。俺はハリー・コーンと喧嘩をしてコロムビア映画のブラック・リストに載せられ、ワーナー・ブラザースと契約した。（＊4）

こうして、まさにアメリカン・ドリームを地で行くかのごとく、デニス・ホッパーはハリウッドに登場した。彼は同じワーナー所属のスターで、公私共に兄貴分と慕っていたジェームズ・ディーンと『理由なき反抗』、『ジャイアンツ』の二作品で共演したほか、パラマウント映画に貸し出された形で出演したジョン・スタージェス監督の名作西部劇『ＯＫ牧場の決斗』でもクラントン一家の末の息子役を好演する。特に『ジャイアンツ』では、監督のジョージ・スティーブンスをして「十年に一人の才能」と言わしめるなど、その将来を阻むものは何もなさそうに思えた。だが、一九五五年九月三十日にジェームズ・ディーンが事故死したことで、ホッパーの人生の歯車は少しずつ狂い始める。すさんだ生活と権力者に対する傍若無人な振る舞いは次第に彼を孤立させ、古参監督ヘンリー・ハサウェイとの『向う見ずの男』撮影中の演技をめぐる対立によって「デニス・ホッパーは才能はあるが扱いにくい奴だ」という悪評は決定的となる。ワーナーは彼との契約を撤回し、一九五八年、デニス・ホッパーは亡きジェームズ・ディーンの足跡をたどるかのようにニューヨークへ向かう。アクターズ・スタジオで演技力に磨きをかけると、「いつか映画監督となって本当に自分たちが撮りたい映画を作ろう」と約束しあったディーンのアドヴァイスにしたがって写真を撮り始める。

一九五九年、ピーター・フォンダはオマハ大学で父親と同じ道を歩み始めていた。ジェームズ・スチュアートの舞台での最大の当たり役であった「ハーヴェイ」の主役で彼が初舞台を踏んだ日、ヘンリー・フォンダはこっそりとニューヨークからやってきて、息子の演技を見守っていた。

ピーターは母親の自殺以降、精神的に不安定な少年時代を送り、高校時代も何かと問題を引き起こしていた。だが今では父親のことも理解できるようになり、秘かにプロの俳優になる決心をしていた。姉のジェーンもすでにこの頃には本格的に女優を目指すべく、ニューヨークのアクターズ・スタジオで修業を始めていた。

すべてが順調に進みだした矢先、再び悲しみが訪れた。この年の大晦日、ニュー・ヘイヴンで芝居の巡業中だったマギー・サラヴァンが睡眠薬の過剰摂取によって謎の死を遂げたのだ。翌一九六〇年初め、マギーの息子ビル・ヘイワードがカンザス州トペーカで結婚式を挙げることになり、ピーターは久しぶりにヘイワード家の〝姉妹たち〟と再会して何時間もおしゃべりをして時を過ごした。ビルの姉ブルックはジェーンと一緒にヴァッサー女子大で学び、すでに一度結婚に失敗し、子供二人を育てながら女優を目指そうとしていた。妹のブリジットはピーターと同じく、精神的に不安定な少女時代を過ごしサナトリウムで治療を受けていたが、美しい女性に成長していた。ピーターは彼女に想いを寄せた。心の傷を分かち合えるピーターに対し、ブリジットもまた心を許していたが、彼女はスイスへ留学することが決まっていた。

そして、再び悲劇が起きる。ピーターがあと一年残っていた学業を放棄してニューヨークで本格的に俳優を目指そうとした矢先の一九六〇年秋、スイスから戻っていたブリジットがニューヨークのアパートで自ら命を絶ったのだ。彼女を救うことができなかった無力感、そして自分の愛する者たちが次々と死を選んでいく絶望感によってピーターは打ちのめされる。

ピーターが二年続けて不幸に襲われたその翌年の一九六一年八月九日、結婚式を終えたデニス・ホッパーとブルック・ヘイワードがジェーンのマンションに到着する。

ヘイワード家側の客としてパーティに出席していたピーターは、ブルックによってホッパーに紹介された。同世代の若者たちだけの気さくなパーティだったこともあり、なごやかな雰囲気のうちに宴はすすんだ。パーティも終わり近くになった頃、ホッパーはピーターや他の何人かの客と共に映画談義に花を咲かせていた。彼は、この痩せて背の高いジェーンの弟が、自分に対して「ブルック・ヘイワードと結婚した男」として以上に興味を持っていることを感じていた。のちに筆者がピーターの第一印象を尋ねたとき、ホッパーは簡潔に「気に入ったのさ」と答えた。彼はピーターが映画に熱中し、映画を作りたいという熱い思いを抱いていることに強烈な印象を受けていた（＊5）。彼はピーターに自分と同じ資質を見いだしていたのだ。

こうして、まるで運命の糸に引き寄せられるようにしてデニス・ホッパーとピーター・フォンダの人生は一点に交わる。………デニス・ホッパー二十五歳、ピーター・フォンダ二十一歳のときのことである。

少年時代のデニス・ホッパー（左下）
『アメリカン・ドリーマー』より ©Palaris Communications.inc

『理由なき反抗』1955年
左からデニス・ホッパー、ナタリー・ウッド、ジェームズ・ディーン
©SNAP Photo/amanaimages

1947年頃、ブレントウッド・タイガーテイル通のヘンリー・フォンダ邸にて。中央上がピーター、左から母フランシス、ジェーン、フランシスの連れ子パン、ヘンリー

©MPTV/amanaimages

02 「夢」に向って

デニス・ホッパーとブルック・ヘイワードの結婚式から数か月後、ピーター・フォンダはブロードウェイの舞台劇「血と汗とスタンリー・プール」でプロの俳優としてデビューする。ジェームズ&ウィリアム・ゴールドマンによるこの海兵隊を舞台としたコメディは「ミスタア・ロバーツ」のような大きなプロジェクトではなかったし、ピーターの役も大きなものではなかった。演出家で、ピーターにアドヴァイスを頼まれてもいたジョシュア・ローガンは、この舞台でのピーターをこう評している。

ピーターは、実際の彼自身と同様に若く見えた。魅力的かつ印象的で、芝居を生き生きとさせていた。目立つチャンスのある役ではなかったし、特に目立っていたわけではないが、ともあれ出発点ではあった。（＊6）

初日に駆けつけた父ヘンリーが、感想をと訊かれて答えに窮するほど地味なデビューではあったが、批評家たちはもっと好意的で、ある新聞にはこう書かれていた。

今朝がピーター・フォンダにとって、「ヘンリー・フォンダの息子」と呼ばれる最後の日だということは疑う余地のないところだ。（ウォルター・カー「ニューヨーク・ヘラルド・トリビューン」一九六一年十月六日）

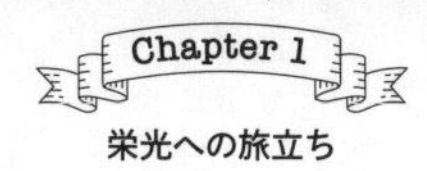

こうした好意的な批評は、ニューヨーク劇批評家協会によって、その年の「最も将来を期待される新人」に選出される栄誉をもたらしたが、ピーターに大きな決断をさせることにもなった。それは自身の結婚とハリウッドで運試しをしてみようという決意だった。

劇の初日からわずか三日後、ピーターは学生時代に知り合い、交際を深めていた一歳年下のガールフレンド、スーザン・ブリューワーと結婚式を挙げる。彼女は母親の再婚相手で、大富豪ハワード・ヒューズの右腕であったノア・ディートリッヒという男の娘としてロサンゼルスで育っていた。彼女の家がピーターの幼なじみの一人であるロバート・ウォーカー・ジュニアの家のすぐそばだったことが、二人の仲を気のおけないものにしていた。ちなみにロバート・ウォーカー・ジュニアは、アルフレッド・ヒッチコック監督の『見知らぬ乗客』などで知られる俳優ロバート・ウォーカーと女優ジェニファー・ジョーンズとの間に生まれた子供だが、ピーター同様に不幸な少年時代を過ごしていた。彼が四歳のとき、母親がプロデューサーのデヴィッド・O・セルズニックのもとへ走ったために両親は離婚。彼が八歳のときに母はセルズニックと再婚したが、父はその二年後に病気により失意のうちにこの世を去ったのだ。ボビー（ロバート）・ウォーカーは、のちに『イージー・ライダー』に出演することになる。よく似た境遇のピーターとボビーが親友同士となったのは当然の成り行きだったのかもしれない。デニス・ホッパーが修業を積んでいたサンディエゴのラ・ジョラ劇団にジェニファー・ジョーンズと再婚相手の夫デヴィッド・O・セルズニックがしばしば姿を見せていたのも不思議な因縁ではある。ピーター・フォンダの花嫁、スーザン・ブリューワーは、こうしたハリウッドのセレブリティを隣人にもってはいたが、ショウ・ビジネス界にはまったく縁のない境遇のもとに育っていた。

結婚式はニューヨークの大きな教会で盛大に執り行われ、ピーターの大学時代の親友、ストーミィ・マクドナルドが花婿付添人を務めた。

「血と汗とスタンリー・プール」は二か月あまりで終演した。新妻スーザンを連れて数年ぶりにハリウッドの地に帰ってきたピーターは、ワーナー・ブラザースが製作する若き日のジョン・F・ケネディの活躍を描く戦争映画『魚雷艇109』の主役オーディションを受ける。しかし、姉ジェーンと違って俳優としての正式なトレーニングを積んだわけでもないピーターが、ヘンリー・フォンダの息子だというだけで役をもらえるほどハリウッドは甘くはない。ケネディ役はクリフ・ロバートソンのものとなった。

ピーターにチャンスが巡ってきたのはハリウッドに戻って一年以上たった一九六三年になってからだった。サンドラ・ディーがヒロインを演じるシリーズ物の青春映画『タミーとドクター』。ピーターの役はサンドラのお相手の若い医者で、ハンサムであれば誰でもつとまるような役にすぎなかったが、一万五〇〇〇ドルの出演料は、当時でも数台のスポーツ・カーやオートバイを買ってもまだおつりが来るものだった。

その後、ピーターは『勝利者』、『リリス』（日本では劇場未公開、ＤＶＤ発売）、『若い恋人たち』といった作品で好青年役を演じ続け、ハリウッドのゴールドウォーター渓谷にプールとテニス・コート付きの家を購入するまでになった。だが、映画スターというにはほど遠く、二流の作品への出演依頼しかまわってこなかったため、ピーターは常に満たされない思いを抱いたままであった。

一九六四年には、後に女優として大成する長女ブリジットが誕生する。ピーターにとっては思い出深い初恋の人、ブリジット・ヘイワードにちなんで名付けられた女の子である。

豪華な家と富の象徴である高価な車を持ち、家庭では家族を重視する保守的な態度を示していたピーターであったが、仕事上のいきづまりは彼を同じような境遇の、マリファナの煙にまみれながら体制や権力に対して辛辣な批判を繰り返す友人たち――ジム・ミッチャム（俳優ロバート・ミッチャムの長男）、ボビー・ウォーカー、そしてデニス・ホッパーらとの時間を共有する方向へと向かわせていた。

一方、デニス・ホッパーは、ニューヨークのアクターズ・スタジオでの演技レッスン、連日の美術館やギャラリー巡りと共に知り合ったアーティストたちの写真を愛用のニコンで撮り続けていた。ブルックとの結婚を期に再び活動の拠点をロサンゼルスに移すことにしたホッパーは、そろそろハリウッドとの関係を修復させて自分に才能があることをアピールしようと決めていた。ジミー・ディーンと語り合った夢、すなわち映画作家として本当に撮りたい映画を自分の手で撮るという夢を実現できるかもしれない、と考えたからだ。ブルックもまた、自分の持つハリウッドの実力者とのコネが夫に良い仕事をもたらし、彼が風来坊のような今の生活からもう少し地に足の着いた暮らしをしてくれるようになることを願っていた。

二人が居を構えたのは、ロサンゼルスでも高級住宅街として知られているベル・エアだった。もっとも、当時のホッパー夫妻にその邸宅にふさわしい収入があったわけではもちろんなく、デニス・ホッパーとしてはブルックと彼を快く思っていないその父リーランド・ヘイワードに全面的に頼っての、「ひも」のような立場での「ハリウッドへの帰還」であった。邸宅の中に置かれた高価な家具もそのほとんどがブルックの母、故マギー・サラヴァンの持ち物だった。

しかしながら、二人がこのベル・エアの邸宅で暮らすことができたのは、ほんの数か月でしかなかった。一九六一年十一月五日の早朝、サンタモニカ山地の北側斜面で発生した火災が、乾燥したカリフォルニアの大地を南、そして西へと拡がっていき、住宅地を焼き尽くしたからだ。世に名高い「ベル・エアの大火」である。二人の家は、バート・ランカスター、ザ・ザ・ガボール、ジョーン・フォンテーンら有名スターの家を含む五百軒以上もの高級住宅とともに焼失し、ホッパーがニューヨーク時代に描きためた自作の絵画や数百編の詩も、灰燼と化した。ただ唯一、初の個展を開くために外へ持ち出していた写真のネガだけは難を逃れた。

この大火災は、発生翌日の午後まで収まらず、多くの映画人の貴重な財産を奪い去ったが、その中にはピーター、ジェーンの姉弟が生まれ育った家や、フランシス・フォンダが自ら命を断つ前に子供たちに宛てて書いた手紙なども含まれていた。この大火災の直後にニューヨークからハリウッドへ戻ったピーターが、真っ先にしたことは灰と化した自分の生家を訪れることだった。彼は自分の両親から土地を購入していた婦人を訪ね、全財産と引き換えに土地を買い戻したいと申し出たが叶わなかった。

デニス・ホッパーとブルックはウェスト・ハリウッドのトパンガ渓谷の郊外に建つ、スペイン風の小さな家を見つけ、そこに落ち着いた。この、ホッパーの新しい家について、この頃彼と知り合って後に互いに大きな影響を与え合うことになるアンディ・ウォーホルが次のように記している。

> トパンガ渓谷の新しい家は遊園地のような造りになっていた。風船ガムの機械が見つかりそうなある種酔狂なお祭り広場といった感じ。サーカスのポスターや映画の小道具、赤い漆(うるし)の家具、ワニスを塗ったコラージュなどがあった。当時はまだ世の中すべてが明るくカラフルになっていなかったから、僕らにしても、そんな風に家中が子供のパーティみたいに色どられた雰囲気のところへ行ったのは初めてだった。(＊7)

ちなみにホッパーとウォーホルが出会ったのは、一九六二年の七月にウォーホルが美術作家としての最初の個展をロサンゼルスのフェラス画廊で開いたときのこと。この個展は、例の「キャンベルのスープ缶」をスクリーン印刷した絵を三十二枚並べて論議を巻きおこしたもので（といっても美術界からはまだ相手にされていなかったのだが）、同展の仕掛人であったアーヴィング・ブラムの証言によれば、世界で一番最初にウォーホルのこの「スープ缶」作品を購入したのが、ほかならぬデニス・ホッパーだった。

ウォーホルはその後ホッパーを通じて知り合った映画界のスターたちをモチーフにシルク・スクリーンの作品群を制作し、映画製作にも乗り出して「アンダー・グラウンド・シネマの帝王」の名をほしいままにしていく。

だが、その当時ホッパーは、映画俳優として第一線に復帰し、いずれは映画監督として認められるという夢――ブルックが心から望み、本人自身もまたジミー・ディーンと語り合って以来、かたときも忘れたことのなかった夢――の実現にはまだ遠く及ばなかった。実際のところ、ブルックの強力なコネで知り合うことのできたハリウッドの多くの実力者たちを前にしても、ホッパーは自分にチャンスを与えようとしない彼らをなじり罵るだけで、とても本気で映画での仕事にありつこうという態度とは思われなかった。ドラッグとアルコールの力も加わってパーティなどで破滅的な言動を繰り返すホッパーと、翌日になって前夜の被害者にお詫びの電話をかけまくるブルック――それが、この時期の二人を知る友人たちの共通の印象だった。

一九六一年にロサンゼルスへ戻ってからの四年間でホッパーが出演した映画はたった二本、最初の一本はインディペンデント映画のはしりで、イタリアのスポレトで開かれた「一九六一年の二つの世界フェスティヴァル」に出品されたカーティス・ハリントン監督の実験映画『ナイト・タイド』（日本未公開、のちにDVD発売）。もう一本はアンディ・ウォーホルが初めて撮ったプライヴェート・フィルム『ターザンとジェーンの復活……のようなもの』（日本未公開）というわけだから、事実上人の目に触れる作品には一本たりとも出演していないことになる。彼は生活費を稼ぐために、当時、映画よりも格が下と見なされていたさまざまなテレビシリーズ――『ライフルマン』、『裸の町』、『87分署』、『サーフサイド6』といった番組に片っ端から出演して自らの才能を浪費していた。

デニス・ホッパーがハリウッドのメジャーな作品に姿を現したのは、ようやく一九六五年になってからのことだった。彼にこの転機をもたらしたのは意外な人物だった。ヴェテラン監督のヘンリー・ハサウェイが、御大ジョン・ウェイン主演の新作西部劇『エルダー兄弟』に起用してくれたのだ。そう、八年前に『向う見ずの男』の撮影中のトラブルからホッパーをハリウッド追放へと追いやった、あのハサウェイ監督だ。役は小さなものだったが、ホッパーは今でもこのときの恩を忘れていない。後に彼は「俺はハワード・ホークス、ジョン・フォードそしてヘンリー・ハサウェイの伝統を受け継ぐ、アメリカの映画作家だ」と語るなど、ハサウェイに最大限の敬意を払っているし、四人目の夫人キャサリンとの間に初めてもうけた男の子にはヘンリーと名付けている（この件に関しては本人は「いや、キャサリンの叔父にそういう名の人がいて……」と言葉を濁していたが、筆者がピーター・フォンダとこのことを話題にしたところ、ピーターも「絶対にハサウェイにちなんで付けたんだと思うよ」と同調してくれた）。

さて、『エルダー兄弟』以降、ホッパーには『暴力脱獄』、『奴らを高く吊るせ！』といったメジャー作品への出演の話も来るようになったが、いずれにしてもそれらはみな「メジャーな映画のマイナーな役」にすぎなかった。だが『エルダー兄弟』が彼にもたらしたものは実はそれだけではなかった。この作品はメキシコのデュランゴ郊外にある小さな村で撮影されたが、撮影終了後、セットとし

て建てられた西部の町全体が村に寄贈されることになっていた。撮影クルーにとっては「虚構の町」が「現実の町」となるだけのことだが、現地の村人たちにとって、町を建設してくれた人たちが行なっていたこと、すなわち虚構の物語の撮影という行為はどういう意味を持っていたのか？　もしかするとそれは、彼らにとってはまぎれもない現実だったのではないか？　この「現実」と「虚構」をめぐるテーマは彼にあるインスピレーションを与え、それはやがて彼の映画人生最大の挑戦となった作品、すなわち『ラストムービー』へと結実していく。デニス・ホッパーは語る。

DH『エルダー兄弟』はジョン・ウェイン、ディーン・マーチン、そして監督のヘンリー・ハサウェイとメキシコのデュランゴで撮影したんだ。俺は長い間映画を撮りたいと思っていて、（ハリウッドから）干されていた間、ずっとヨーロッパの映画作家たちに興味を持っていた。トリュフォー、ゴダール、デ・シーカ、パゾリーニ……ベルイマンもずいぶん観た。それと黒澤。とにかく外国映画ばかり観ていた。で、その西部劇に出演していて俺は思ったんだ。土地の人たちの住んでいるみすぼらしい家々のすぐ近くに撮影用のセットが建てられたんだが、セットで建てた教会のすぐ近くには本物の教会があり、撮影を見学している土地の人々は本当に腰に銃を下げて馬に乗って生活している。こいつはいったいどういうことだ？　撮影隊が引き上げた後も、ここでは彼らが見ていた映画のバイオレンス・シーンと同じことがくり返されている。それで俺は、これはクリエイティブなテーマだと思い、スチュアート・スターンとともに脚本化したのさ。俺の最初の監督作品にしようと思って脚本を書いたんだが、撮影開始のときにはすでに一本撮り終えていてね。つまり『イージー・ライダー』で成功した後、この作品を撮りに戻ってきたというわけだ。（＊8）

『ラストムービー』が実際に製作されるまでには着想を得た一九六五年から五年もの月日が費やされることになるのだが、ホッパーがただ漠然と映画を作りたいと思うだけではなく、具体的に映画化したいテーマをつかんでいたことが、実はデニス・ホッパーとピーター・フォンダを急接近させる大きな要因となっていたのである。

ロサンゼルスに戻ってきてからというもの、ピーターはときどきホッパーに電話をかけてくるようになっていた。お互いに仕事上の行きづまりを感じ始めてからは、さらに一緒に過ごす時間が多くなってきていた。ホッパーは六二年に娘マリーンが生まれた後でさえ、家庭人らしい暮らしをすることはなく、何かに憑かれたように友人たちと街へ繰り出しては、大小さまざまなトラブルを引き起こしてばかりいた。

初めて二人が、一緒に自分たちの映画を作ろうと話し合ったのがいつごろだったのか、ホッパー、ピーターともに明確には覚えていない。ただ、一九六五年ごろから二人がお互いにパートナー意識を急速に強めつつあったことは明らかだ。

この年の夏、フランスに渡って映画監督ロジェ・ヴァディムと恋に落ち、同棲生活を始めていたジェーン・フォンダが彼とともに数か月を過ごすためにマリブへやってきていた。二人はウィリアム・ワイラーの家を借りて暮していた。

ちなみにジェーンが生まれたとき、父ヘンリーはちょうどワイラーの監督作品『黒蘭の女』に出演中だったが、二人は共にマギー（マーガレット）・サラヴァンの元夫であり、しかも二人のエージェントであるリーランド・ヘイワードがその時点でのサラヴァンの夫だったことから、当時三人の男たちは「マギー・サラヴァン・クラブ」と呼ばれていた。フォンダ家にとってウィリアム・ワイラーはヘイワード家同様に少ながらず縁のある存在だったのだ。ともあれ、この夏ピーターとスーザンのフォンダ夫妻、そしてデニスとブルックのホッパー夫妻もひんぱんにこのワイラー邸に入り浸っていた。やがてそれぞれ夫婦単位で現われるよりも、ボビー・ウォーカーや、ボビーの主演作『ミスター・パルバー』で端役を演じた縁で彼と親しくなっていたジャック・ニコルソンといった仲間たちと連れ立って来ることの方が多くなっていった。

この年の二月に学生時代の親友ストーミィ・マクドナルドが自殺を遂げ、母やブリジット・ヘイワードのときの心の傷と重なりあって神経をさいなまれ始めていたピーターは、この頃からホッパー、ボビー・ウォーカーらとともにそれまでのマリファナより強力なドラッグ、すなわちＬＳＤを試すようになっていた。ＬＳＤによってもたらされた「トリップ」は彼らの思考・思想を開放し、あるときなどはフラワー・シャツにブルー・ジーンズといういでたちのホッパーとボビー・ウォーカー、そして二人の弁護士と思わせるようにスリー・ピースのスーツに銀メタルのアタッシュ・ケースを携えたピーターの三人組で、メキシコはバハ・カリフォルニア半島のラ・パズまでみんなで住めるコミューンの場所を探しにいったことすらあった。

ヘンリー・フォンダは「現代のスヴェンガリ」（＊9）とも呼ばれたロジェ・ヴァディムのことを洗練された男と認め、ジェーンと彼がこの年の八月になって自分には一言も告げずにラス・ヴェガスで結婚式を挙げたことを知ったときでさえ、「そのことを聞いたときは嬉しかった」と述べている。そのくらい、子供たちの自主性を重んじる態度を保っていたヘンリーだが、たまに訪れるジェーンたちの家で（ヘンリーもまたこの年の夏をマリブの別の家で過ごしており、ジェーンが同地のワイラー宅を借りたのは父にヴァディムをよく知ってもらおうという考えからだった）、長髪になったピーターが、デニス・ホッパーやボビー・ウォーカーたちとアルコールやドラッグに浸っている姿を目にすると、ただ首を横に振ってため息をつくばかりだった。

しかしながら、この時期のホッパーやピーター、その仲間たちは、ただ酒に酔い、ドラッグに身を委ねていただけではなかった。彼らは自分たちの将来や映画界の今後の在り方といった問題を真剣に考える時間を共有してもいたのだった。ピーター・フォンダはこう語っている。

PF 僕らは、映画の将来やハリウッドの現状について考え、語り合っていた。映画を作るための資金集めの方法についてもね。その頃はとても落ち込んでいた。なぜなら僕らは、当時の映画が現実を反映していないと思っていたからね。あの頃の映画は、偽りの道徳観を反映していた。アメリカ映画は、観客の若者たちに「ロック・ハドソンやドリス・デイのようにおなりなさいよ」と語りかけていた(＊10)。僕らは「何か違う」と気がついてはいたけれど、マーロン・ブランドなら何かしてくれるはずだ……死んだジェームズ・ディーンならば何か変化を起こすことができたはずだ、と思っていたんだ。ハリウッドの実権はまだタイクーン（一握りの大物経営者）たちに握られていた。たとえばラブ・シーンは口を閉じてキスしなければならないとか、ベッド・シーンでキャメラはベッドではなく床を写していなければならないとかね。まったく馬鹿げていたよ。――でもそれが映画産業の標準だったんだ。

僕は映画の作り方を変えたかった。その頃作られていたいわゆる「ハリウッド式の映画」を変えたかったんだ。自分たち自身がうんざりしていたからね。(＊11)

『エルダー兄弟』の撮影中に経験したことから、ようやく自分が撮りたいと思える映画、すなわち

『ラストムービー』のアイディアをつかんだデニス・ホッパーは、早速脚本化作業に取りかかることにしたが、思い入れをこめてある脚本家に依頼しようと考えていた。それはいつか自分たちの撮りたい映画を撮ろうという夢を共有していた故ジェームズ・ディーンとの思い出につながる人物で、二人が初めて出会い、共演した映画『理由なき反抗』の脚本をディーン、ニコラス・レイ監督とともに仕上げた男、スチュアート・スターンだった。スターンは、後に最終的に出来上がった『ラストムービー』を観て最初に二人で仕上げた脚本とのあまりの違いにショックを受け、以後二度とホッパーと一緒に仕事をすることはなかったが、少なくともこの時点ではホッパー同様にディーンへのセンチメンタルな思いも手伝って、こころよくホッパーの申し出を引き受けた。

そして、一九六六年の初め頃、デニス・ホッパーからストーリーのアウトラインを聞いたピーター・フォンダもこの夢に乗った。当初ピーターは自分でこの記念すべき「自分たちのジェネレーションで作る最初の映画」のプロデュースを務めたがったが、結局ホッパーの幅広い交友関係の中で同世代としてはずば抜けた実力者だった音楽プロデューサーのフィル・スペクターがプロデュースを引き受けることとなる。スペクターは一九六六年五月にこの企画の映画化権を七万一〇〇〇ドルで買い取り、スターンに正式に脚本化作業を依頼した。

ピーターはこの時点で『ラストムービー』に関しては出演のみという立場となり、新たに三本の作品への出演契約を結んでいたマイナーな映画会社アメリカン・インターナショナル・ピクチャーズ（AIP）の最初の作品の撮影に入る。すなわち、社会的に問題視されているオートバイの暴走グループ、ヘルス・エンジェルスを描いた映画『ワイルド・エンジェル』に、主演のジョージ・チャキリスに次ぐ準主役格として一万ドルの出演料で出演することになったのだ。『ワイルド・エンジェル』は〝B級映画の帝王〟ことロジャー・コーマンが製作・監督を務めた作品で、今日でこそ多くの人材にチャンスを与え世に送り出した人物としてのコーマンの評価の上昇とともにカルト・クラシック作品として位置付けられるようになったが、少なくとも製作当時の状況としては、それほど注目されるものではなかった。そもそもＡＩＰ自体が「ポルノ映画まがい」の安手で粗悪な作品を作る会社としかみなされていなかったので、ハリウッド映画人の大半が「名優ヘンリー・フォンダの息子が家名を傷つけている」と眉をひそめるような状況だった。一方、ホッパーとフィル・スペクターはメキシコに似た雰囲気を持つ場所を探してロケ・ハンし、結局バハ・カリフォルニアの対岸、メキシコ中部のマサトランにセットを建てることにし、あとは主演スターと契約して撮影を開始するばかりまでこぎつけた。撮影監督には、すでに注目を集める存在となっており、同年の『ヴァージニア・ウルフなんかこわくない』でアカデミー撮影賞を受賞することになるハスケル・ウェクスラーと契約をすませた。だが、その後この作品がたどった苦難の道の前触れのように、ホッパーとスターンが主役に想定して脚本を書いたモンゴメリー・クリフトが、この年の七月二十三日に四十六歳の若さで心臓麻痺により不幸な死を遂げてしまう。

仕方なくホッパーは、ジェイソン・ロバーズに白羽の矢をたて、ロバーズ自身もかなり乗り気になった。だが、今度はフィル・スペクターがあてにしていた製作資金がどこの映画会社からも得られそうにないことが判明し、企画は暗礁に乗り上げてしまう。一九六七年の半ば頃までには一〇〇万ドルを越える額がこの企画に注ぎ込まれていたが、結局スペクターは投げ出してしまう。ホッパーと、脚本料を支払われていなかったスチュアート・スターンはそれぞれ訴訟を起こし、スペクターがスターンの脚本料を含めて六〇万ドル支払うことで示談が成立した。しかしながらホッパーは、この最初の挫折に関する筆者の質問に対して、訴訟ざたについては触れずに、やや自己弁護的にこう語っている。

DH フィルはいくつかの映画会社がこの企画に出資するだろうと見込んでいた。われわれはすべてのスタジオを回ったが、出資しようという会社は皆無だった。そこでフィルは、自分の金を映画製作のために出資しようと言いだした。俺は監督をしたことがなかったし、ぜひともこの映画を作りたかったんだが、だからといってフィルの個人的な金を借りるのはフェアじゃない。当時予定していた製作費一二〇万ドルはハリウッド映画にすれば低予算だったけれど、個人にとってはもし映画が失敗したら大損害になる。だから俺は「ノー」と言った。（＊12）

これはいくらなんでも美談にしすぎだ。彼がフィル・スペクターに対して訴訟を起こしたのはまぎれもない事実なのだ。デニス・ホッパーと知り合って何度もいろいろな話を聞く機会を持つにつれ、彼はえてして話を単純化し、すべて自分の意志で決めたように脚色してしまう傾向があることが次第にわかってきた。ともあれ、ホッパーとスペクターはこの訴訟沙汰の後でも親しい友人として付き合っており、現に『イージー・ライダー』の冒頭にはフィルが麻薬の売人役で出演しているくらいなのだから、重箱の隅をつついてもあまり意味はないだろう。

話を一九六六年に戻そう。

ふりだしに戻ったデニス・ホッパーは、再びピーター・フォンダと、今度は目先を変えて別の企画の映画化に奔走する。ピーターは四月には、ジョージ・チャキリスの降板によって主役を演じることになった『ワイルド・エンジェル』の約三週間の撮影をすでに終えており、夏に公開になった同作品がＡＩＰとしては記録的なヒットを達成しつつあるという状況だった。そのため、ここで『ラストムービー』よりももっとメジャー・スタジオが興味を持ちそうな企画をたてれば、今度こそ念願の映画製作が実現するのではないかと考えていた。二人が共同で書き上げた脚本は『YING YANG』というタイトルのコメディで、自分たち自身をモデルにした映画業界内幕ものの楽屋落ち的な内容だった。ピーター、ジェーン、そしてヘンリー・フォンダの親子がそろって出演し、これに映画監督志望の青年役でデニス・ホッパーがからむ話だったという。本当にヘンリー・フォンダまで出演可能だったのであれば、少しは興味を示す映画会社があってもよさそうなものだったが、結局はホッパーとフォンダの息子が持ってくる話など信頼度に欠けると最初から相手にされず、製作資金を得るにはいたらなかった。

だが、翌一九六七年になると状況は次第に良い方向へ向かい始めた。『ワイルド・エンジェル』は「ロック・ハドソンやドリス・デイの映画」に飽き飽きしていた若者たちの圧倒的な支持を受け、ピーターは一躍人気スターの地位を獲得したのだ。黒の革ジャンにサングラスをかけ、ハーレイ・ダヴィッドソンにまたがったピーター・フォンダのポスターはひっぱりだことなり、『乱暴者』のブランド、『大脱走』のスティーヴ・マックイーンの代わりにアメリカ中の若者たちの部屋に飾られた。

当然ＡＩＰは柳の下の二匹目、三匹目のドジョウを求めて次々と亜流作品を製作した。すでに前年、『ナイト・タイド』で仕事をしたカーティス・ハリントン監督が演出にあたったＣ級ＳＦ映画『クイーン・オブ・ブラッド』（日本未公開　DVD発売タイトル『スペース・ヴァンパイアQ』）で、ＡＩＰの仕事をしていたホッパーにも声がかかり、『続・地獄の天使』に主演することになった。

このバイク映画ラッシュで仕事にありつくことができたもう一人の男がいた。『爆走！ヘルス・エンジェルス』（日本未公開　ビデオ発売）、『ジャック・ニコルソンの　ダーティ・ライダー』（日本未公開　ビデオ発売）と二本のＡＩＰ製バイク映画に出演したジャック・ニコルソンである。当時のＡＩＰを事実上取り仕切っていた独立プロデューサー、ロジャー・コーマンの『古城の亡霊』、『忍者と悪女』、

『リトル・ショップ・オブ・ホラーズ』にも出ていたものの、俳優としてはいつまでたっても芽が出ないため脚本家としてやっていこうかと迷っていた彼は、『ダーティ・ライダー』出演の仕事をもらったその日、コーマンからもうひとつ別の仕事の依頼を受けた。それは、コーマンがバイク映画の次に現代の若者の間で流行している風俗を取り上げる企画として思いついた、LSDに関する映画『白昼の幻想』の脚本を書く仕事だった。

『白昼の幻想』のピーター・フォンダとデニス・ホッパー

03『白昼の幻想』

一九五五年、ドロシー・マクガイアとジョン・スウォープ夫妻の紹介状を持って意気揚揚とハリウッドに乗り込んできたデニス・ホッパーが、テレビシリーズ『メディック』での好演でいきなり五つのメジャー・スタジオから契約を申し込まれていた頃、やはり半年前の夏に大志を抱いてハリウッドへやってきたジャック・ニコルソンはかろうじてMGMにメイル・ボーイの仕事をみつけたばかりの俳優の卵に過ぎなかった。『クライ・ベイビー・キラー』（日本未公開）での映画初出演はようやく一九五八年になってからであり、いきなりの主役デビューだったとはいえ、ドライブ・イン・シアターでしか上映されないようなAIP製のB級作品でしかなかった。その後もたまにロジャー・コーマンがAIP作品に声をかけてくれるくらいで、「失業手当てやなんやかや」でかろうじて生活しているありさまだった。

一九六二年には、同じ売れない俳優仲間の女優サンドラ・ナイトと結婚し、一女ジェニファーをもうけたが、五年後の六七年の時点でも、メジャー作品にはワーナーがヘンリー・フォンダ主演で大ヒットした『ミスタア・ロバーツ』の続編として六四年に製作した『ミスタア・パルバー』（前作でジャック・レモンが演じたパルバー少尉を主役にし、前作同様ジョシュア・ローガンが監督した作品）にクレジットすらされない端役として出演することができただけだった。ちなみにこの作品でタイトル・ロールを演じたのがロバート（ボビー）・ウォーカー・ジュニアで、彼は前述のごとくピーター・フォンダとよく似た不幸な少年時代を過ごして成長した〝有名人の息子〟だ。ボビーはこの『ミスタア・パルバー』でさわやかな二代目スターとして売り出したものの、やがてピーター同様にハリウッドのメイン・ス

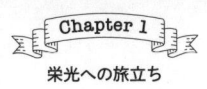

トリームからはドロップ・アウトする。しかし、この当時、同世代だったニコルソンとボビー・ウォーカーは親しい友人同士となり、この友情がやはりボビーの友人だったデニス・ホッパーやピーター・フォンダとニコルソンとの接点をもたらした。

コーマンが『ダーティ・ライダー』の出演と、LSDについての映画の脚本執筆のふたつの仕事を回してくれたとき、ジャックはこのまま辛抱して俳優を続けていくか、それとも常々コーマンが認めてくれている脚本家としてのキャリアを優先させていくかで悩むとともに、妻サンドラとの離婚の危機というもうひとつの悩みを抱えていた。ニコルソンは語る。

JH 俺は一度にふたつの仕事を抱えていたし、そのプレッシャーが離婚にかなり影響した。その前までは仕事にあぶれていた。庭に出てカルマンギアのブレーキを自分で直した。五〇ドルを浮かせるためにね。ところが、その日、ふたつの仕事にありついたんだ。ひとつは映画（『白昼の幻想』）の脚本を書くことで、もうひとつは映画（『ダーティ・ライダー』）に出演する仕事だった。『シャイニング』の「俺が部屋にいてタイプの音が聞こえるときは、絶対に一人にしておいてくれ」というセリフは、そこからきている。（中略）あのシーンはスタンリー・キューブリックと一緒に書いた。あれは俺の結婚生活のクライマックスともいうべきシーンなんだ。脚本は仕上げなければならないし、『ダーティ・ライダー』では演技しなければならないしで、ものすごいプレッシャーだったからね。『ダーティ・ライダー』は即興劇的な作品でハリー・ディーン（・スタントン）とブルース・ダーンが共演者だった。……自分の出演作品の中ではただひとつ観ていない作品だと思う。とにかく、その間は、毎日遅くまで仕事をしていたんだ。脚本は締め切りに間に合うように書かなければならないし、演技のほうの準備もあったし。離婚についてのほとんどのことが『白昼の幻想』に書き込まれている。

つまり、俺にはゆっくりできる場所が必要だった。（ロバート・）タウンのところに住まわせてもらおうとしたんだが、一日しかもたなかった。……お互いに住みにくい相手だったんだ。ハリー・ディーンのところはすごく住みやすかったね。俺が引っ越していく一、二年も前からローレル・キャニオンに住んでるってのに、彼はまだ荷物を解いてすらいないんだ。リビング・ルームはまったくその機能を果たしていなかったから、隅にあった机で『白昼の幻想』を書き上げた。カーペットも敷いていない床にはレコード・プレイヤーが置いてあって、俺はよく踊ったもんだ。それでまた、机に戻って鬼のように書くんだ。（＊13）


こうして書き上げられた『白昼の幻想』の脚本は、ニコルソン自身の豊富なLSD体験に基づいており、劇中、主人公が体験するLSDによるアシッド・トリップを主観的な眼でとらえ、観客にトリップを疑似体験させるようにも意図されていた。この作品でピーター・フォンダ扮する主人公と離婚手続きを進めている妻の役を演じたスーザン・ストラスバーグによれば、彼女が実生活で経験したようなLSDの「破滅的なものは一切なく、非常にロマンチックに描かれていた」（＊14）わけだが、自身のアイデンティティの危機がLSDによって救われたと公言してはばからないピーターは、この脚本を初めて読んだときに感動のあまり涙を流し、「信じられない！　僕が本当にこの映画に出られるなんて信じられない！　こいつはアメリカ映画史上最高の作品になるぞ！」と叫んだという。

ピーターのこの反応は、ジャック・ニコルソンにとっては予想どおりのものだった。彼は初めから主人公に『ワイルド・エンジェル』でスターダムを確立していたピーターを想定して脚本を書いたのだ。当時、共通の友人ボビー・ウォーカーを通じて面識はあったものの、まだニコルソンとピーターとはそれほど親しい間柄だったわけではなかった。だが、もちろんニコルソンはピーターが新聞紙上などで自らＬＳＤの信奉者であることを表明していたのを知っていたし、彼がＡＩＰとの契約によってこの作品の主演になるだろうこともロジャー・コーマンから聞いていた。そして、この『白昼の幻想』によってピーターとニコルソンの間柄は急速に親密度を増す結果となった。脚本の出来があまりに素晴らしいことに感激したピーターは、読み終えるとただちにニコルソンの家まで車を走らせて感謝の気持ちを伝えたのだ。実は、ニコルソンはピーターをＬＳＤ体験に導く導師の役を自分で演じたかったのだが、プロデューサーと監督を兼ねるロジャー・コーマンはこの役に彼のお気に入り、ブルース・ダーンをキャスティングし、ニコルソンが俳優としてこの作品に出演できるチャンスはついえた。ここで、『白昼の幻想』のストーリーを簡単に紹介しておこう。

主人公はＣＭディレクターのポール・グローヴス（ピーター・フォンダ）。仕事に行きづまり、妻（スーザン・ストラスバーグ）との結婚生活も破綻して八方塞がりの状態となっている彼は、友人ジョン（ブルース・ダーン）の勧めでＬＳＤの力を借りて自己探求を試みようと、サンセット・ストリップにあるサイケデリック・クラブを訪れる。クラブの主マックス（デニス・ホッパー）やヒッピーの娘グレンらに紹介されたポールはＬＳＤを試みる。初めのうちはエネルギーがみなぎるのを感じ、感覚の冴えとともにこれまで見たこともない素晴らしい世界を見る。だがこのトリップは突然悪夢に変わり、中世の騎士に追いかけられた上に自分の葬式までも幻視してしまう。混乱したポールはクラブから逃げ出すと夜のサンセット・ストリップを朦朧（もうろう）としながら徘徊し、やがてマックスによってグレンの許へ連れていかれる。グッド・トリップとパッド・トリップの両方を経験したポールは、人生の新しい扉が開かれたのを感じる……。

良い悪いの判断を押しつけるのではなく、あくまでドキュメンタリー・タッチにＬＳＤによってもたらされる驚異の体験を伝えることに主眼をおいた企画だったが、製作期間中にＬＳＤへの社会的な関心が高まり保守層からの反感が予想される状況となったため、配給元のＡＩＰの手で「ドラッグの使用に対して否定的な立場」に勝手に変えられてしまった。ここで作品論を展開するつもりはないが、客観的に見てもマックスを演じたデニス・ホッパーの自然さは作品全体の中でもとりわけ異彩を放っている。ホッパーの出演は主演俳優ピーター・フォンダのたっての希望で実現したが、のちにピーターは、ホッパーが仕事にあぶれていたので自分が彼に役を提供してあげたのだ、という趣旨の発言をしている。これは、客観的に見ればたしかにそのとおりなのだろうが、二人は互いに助け合うことで「自分たちのジェネレーションで作る最初の映画」を実現させるためのパートナー・シップをより強固なものにしていたと見ることができる。

さて、この作品が極めて重要なのはデニス・ホッパー、ピーター・フォンダ、そしてジャック・ニコルソンの三人が初めて実際に仕事上で結びついたことだけではない。ロジャー・コーマンの演出がニコルソンの脚本の素晴らしさを殺してしまっていると感じていたホッパーとピーターが、幻想場面の一部を自分たちで撮影したいとコーマンを口説いたのだ。そして、めでたく二人は撮影をまかされ、それが結局『イージー★ライダー』の予行演習となったという事実こそが重要なのだ。

すでに『ワイルド・エンジェル』でスターの地位を獲得していたピーター・フォンダは、『白昼の幻想』では二万五〇〇〇ドルの出演料に加え総利益の五パーセントを受け取る契約となっていた。だが、撮影が進むにつれ、ときどき撮影の様子を見にきていた脚本家ジャック・ニコルソンともども失望の念を強めていく。コーマンは自身も積極的にＬＳＤを試してみたりもしたが、やはりそこはいか

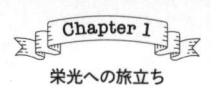

に安く早く儲かる映画を作るかを最優先させるプロデューサー・ディレクターのこと、脚本に描かれていた想像力あふれるシーンも、いきおいＡＩＰお得意のホラー映画の小道具を使って適当に処理してしまうことが多かった。このままではせっかくの「アメリカ映画史上最高の脚本」がだいなしになってしまうと危機感を強めたピーターは、自分たちの撮りたいように撮らせてもらうべくコーマンに対して一芝居打つことにする。

PH ロジャーが撮った映画は、ジャックが書いた脚本とは違うものだった。ジャックの脚本は、それは素晴らしいものだったんだよ！　とてもファンタスティックでね。ジャックは出演もしたがっていた。ブルース・ダーンの役だ。僕も彼に出演してもらいたかったんだが、残念ながらハリウッドは（ネームバリューのない）ジャックを欲していなかった。――まあともかく、デニスは仕事を必要としていたので僕が彼に役を提供した。彼はその役をとても素晴らしく演じたし、一緒に仕事ができて有意義だった。……『白昼の幻想』では視覚的なシーンが必要だったんだが、ロジャー・コーマンはそういったシーンを撮ろうとはしなかった。僕が「撮らなくちゃダメでしょう！」と言うと、彼は……ただ単に「ダメだ」とも言えなかったんだろうけど……「残念ながら撮っている時間がない」と言ったんだ。僕は驚いて怒りまくった。……それから、ふと思いついて「僕はキャメラは持っていて、必要なのはフィルムだけだ。もし僕に未撮影のシーンを撮りに行かせてくれれば……」と言うと、彼は「オーケイ」と三リール分、つまり三百フィートのフィルムをくれたんだ。

つまり、ロジャーはそのシーンの撮影を放棄したわけなんだが、彼は後始末をしない人だった。後始末がどんなことを意味するかわかるかい？　ある企画に加わるとしよう。まずビジョンを持たねばならない。監督し、必要なものをすべて撮り、そして編集する。——編集には情熱と、そして冷淡さが必要だ。「これを取ってこれを捨てよう。これはまた戻して……」という具合で、ひとつの重要なプロセスなんだよ。それが映画を生み出すことになり、映画をより良くさせるわけだ。しっくりいく音楽を選んだり、そういったすべてのことが映画製作の一部なわけだよ。ロジャーはそうした（ポスト・プロダクションの）領域には興味を持っていなかった。

それで、デニスと僕とキャメラマンと——実は僕はキャメラは持っていなかったんだけどフィルムを手に入れるとすぐにキャメラを持っている若い奴に電話して来てもらったんだ。それとボビー・ウォーカー・ジュニアも。『イージー★ライダー』でも一緒だったけど、彼はキャメラマンの助手として来てくれた——結局、われわれは四人でカリフォルニアの砂漠へ行ったんだ。僕は砂漠の上を走り回り、デニスがショットを決め、その男がキャメラを回したわけだ。とても美しいシーンでね。『白昼の幻想』を観れば、どのシーンがデニスと僕が撮ったもので、どのシーンがロジャーによって撮られたかが分かるはずだよ。フレーミング、全体の雰囲気……まったくテイストが違うからね。一九六七年にこの撮影を一緒に行なったことで、僕はデニスが偉大な映画監督になることを確信したんだ。（＊15）

デニス・ホッパーの撮ったシーンはまるで絵画のような美しい構図が特徴で、たしかに説明的なロジャー・コーマンの画作りとは異質のものだ。ピーター・フォンダの背後で滝の水が飛沫を上げてきらきらと輝く詩的なイメージはここ十年来のデニス・ホッパーの暴力的、かつ破滅的な生活のイメージとはかけ離れたものでもあった。俳優を志す以前から絵画を学び、自ら写真を撮り、美術館やギャラリー巡りをしてニューヨーク時代を過ごしたりした彼にとっては、自分の持つヴィジュアル・イメ

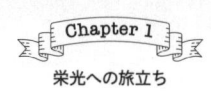

ージを映像化する機はすでに完全に熟していた。事実、ジェームズ・ディーンのアドヴァイスに従って最終的に映画監督として独り立ちするための修業として始めた写真撮影でも、彼は決してトリミングは行なわず、常に映画のキャメラで撮っているイメージを大切にしていたのだ。また、映画のキャメラで自分のイメージした画を撮ってみたとき、実際にどのような感じでスクリーンに映し出されるのかも、つい最近ある感触をつかんだばかりだった。……実は『白昼の幻想』に先立って主演したＡＩＰ作品『続・地獄の天使』は、監督のアンソニー・Ｍ・ランザが全体の四分の三程度撮り終えた時点で撮影を投げ出してしまい、ホッパーが残りの部分を自分で演出することになった。後で出来上がったフィルムを観たホッパーは、ひそかに自分の演出能力に自信を深めていたのだ。

　ここでロジャー・コーマンの立場でも、ことの次第を見ておかなければならない。彼はその自伝で、たしかに追加撮影を提案してきたのはピーターだが、ホッパーに撮影をまかせたのは「組合に入っていない者」でなければならないという理由で自分が判断して頼んだのだ、というニュアンスのことを述べている。ピーターにしろロジャー・コーマンにしろ、「『イージー★ライダー』に先駆けてデニス・ホッパーの演出の才能にいちはやく気づき、彼にチャンスを与えた」自分のプロデューサーとしての能力に自信があるあまり、時の経過とともに自分に都合のいいように記憶が変わっていってしまった部分はあるだろう。ここでどちらの言い分がより真実に近かったかを検証してみても意味はない。ただ言えることは、チャンスを与えられたデニス・ホッパーが素晴らしい演出をし、それを誰もが認めたということだ。そしてロジャー・コーマンの素晴らしいところは、出来上がったものが優れていれば素直に受け入れ、自分の手柄にしてしまおうなどとは決して考えずにその才能を称え、結果として、その者に次なるチャンスをもたらす点につきるだろう——このようにして彼の許から映画界のメインストリームへと進出していった映画人たち、フランシス・フォード・コッポラ、ピーター・ボグダノヴィッチ、ジョナサン・デミ、ロン・ハワードといった面々をみれば、それは誰の目にも明らかなはずだ。

こうして『白昼の幻想』の撮影は終り、コーマンはピーターとホッパーが撮ったシーンをすべて使って編集を終えた。ピーターは、ジャック・ニコルソンによる脚本が意図した通りにはできあがらなかったものの、一部とはいえ自分たちの撮りたいように撮った部分もあるし、観客にも支持されるだろうと考えていた。『ワイルド・エンジェル』の成功により勝ち取った歩合制の出演料契約を考えれば一財産となるはずだし、その金で二五万ドルのボートを購入し、船上で暮らすことをひそかに考えていたのだ。だが、この期待はやがて苦い想いに変わった。

配給元のAIPは、コーマンが編集を終えて次の作品のためにヨーロッパへ旅立つと、勝手に『白昼の幻想』の編集をやり直した。もともとLSDのありのままの姿を描き、それが良いものか悪いものかの判断は観客の手にゆだねようというスタンスに立っていたはずなのに、冒頭に「LSDの使用は生命を危険にさらすことになる」と警告が加えられ、ラスト・シーンもあたかもLSDの使用によってピーター扮する主人公の精神が破滅させられたかのように変えられてしまった。

それでも『白昼の幻想』はカンヌ国際映画祭に出品されて好評を博し、AIPに六〇〇万ドルもの収益をもたらした。だが、AIPを信用し、単純に基本出演料の二万五〇〇〇ドルに加えて、一〇〇万ドルの利益に対して五万ドルが自分のものになると考えていたピーターのもとには、やがてさまざまな名目の経費控除によって実際の純利益がほんのわずかしかないと記されたレポートが届けられる。作品のキャンペーンで国中のあちこちを回り、新聞・雑誌のインタヴューやテレビ出演をこなしていた彼は、ようやく自分の甘さに気がつき始めた。

結局のところ、いくら映画が収益を上げても、他人が権利を掌握している限り利益は吸い取られてしまう。ピーターの心の中では、やはり一〇〇パーセント自分たちでコントロールして映画を作らなければダメだ、という気持ちが一層ふくらんでいた。要は、ホッパーと砂漠へ行って撮ったのと同じことをして、まるまる一本の映画を創り上げればいいのだ。

ピーターの決意は、『白昼の幻想』のプロモーション・ツアーの期間を通じて次第にたしかなものになっていった。

一九六七年九月。キャンペーンも最後に近づき、ピーターはカナダ・トロントのとあるホテルの一室にいた。一日中インタヴューに応え続けて疲れていた彼は、夜、部屋に戻ってシャワーを浴びると、よく眠れるようにと酒を少しばかり口にした。酔いはすぐにまわってきた。……ふと、テーブルの上に目をやると、関係者の一人からサインを頼まれていた『ワイルド・エンジェル』のスチール写真があった。その写真は彼とブルース・ダーンが一台のチョッパーに二人でまたがっているものだった。しばらくぼんやりと写真を見つめていたピーターに、ある考えが浮かんだ。もし、一台のオートバイに二人が乗っているのでなく、二台のオートバイそれぞれに一人の男が乗っていたらどんな風になるだろうか？

それが、『イージー★ライダー』誕生のきっかけだった。

＊1 『ミスタア・ロバーツ』は、トーマス・ヘッゲンの原作をもとに一九四八年にブロードウェイで上演された、海軍のオンボロ輸送船を舞台にしたコメディ。舞台演出・脚色はジョシュア・ローガン。五五年にはジョン・フォードとマーヴィン・ルロイ監督によって映画化され、同じくヘンリー・フォンダがロバーツ副艦長を務め、ミスタア・パルバーを演じたジャック・レモンがアカデミー助演男優賞を受賞した。

＊2 インタヴューB

＊3 デヴィッド・O・セルズニックは、MGM、パラマウントを経て一九三三年にRKOで『キング・コング』を製作、アカデミー作品賞を受賞した『風と共に去りぬ』やヒチコックの『レベッカ』のほか、『スタア誕生』『第三の男』などで知られるハリウッドを代表する名プロデューサー。四九年に再婚した女優のジェニファー・ジョーンズのために『ジェニイの肖像』『終着駅』『武器よさらば』などを製作した。

＊4 インタヴューA

＊5 同上

＊6 James Brough, "The Fabulous Fondas", David McKay Company, Inc., NY. 1973. p195

＊7 Andy Warhol & Pat Hackett, "POPism/THE WARHOL'60s", Harpar & Row, Publishers, NY. 1983. p41
(originally published by Harcourt Brace Jovanovich, Inc., 1980 邦訳「ポッピズム」高島平五訳／リブロポート刊)

＊8 筆者によるデニス・ホッパーへのインタヴュー（八九年六月二十一日）※以下、「**インタヴューC**」

＊9 スヴェンガリはジョルジュ・デュ・モーリアの小説「トリルビー」に登場する邪悪な音楽の天才の名で、催眠術で女性を意のままに操る怪しい人物のことを指す。

＊10 ハリウッドの典型的ハンサム・スターだった『ジャイアンツ』のロック・ハドソンや「ケ・セラ・セラ」などで知られる歌手兼女優のドリス・デイは、品行方正なハリウッドスターの代表的存在だった。後にハドソンはゲイをカミングアウトしエイズで死亡した。

＊11 インタヴューB

＊12 インタヴューC

＊13 「ローリング・ストーン／インタヴューズ」（CBSソニー出版、一九九〇年刊。小倉ゆう子、岡山徹、奥田祐士訳）に収録されている、「ローリング・ストーン」誌のフレッド・シュルアース記者による一九八六年に行なわれたインタヴュー（掲載号不明）。

＊14 スーザン・ストラスバーグ著「女優志願」（晶文社、一九八五年刊。中尾千鶴訳）三五〇頁

＊15 インタヴューB

Chapter 2

『イージー★ライダー』

01─撮影準備

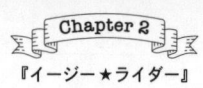

一九六七年八月、ロジェ・ヴァディムはローマのディノ・デ・ラウレンティス・スタジオで妻ジェーン・フォンダ主演のエロティックSF映画『バーバレラ』の撮影に入った。ちょうど二年前の八月十四日、彼とジェーンはラス・ヴェガスのホテル・デューンズの部屋で秘密裏に結婚式を挙げていた。ジェーンは初婚だったがヴァディムの方はすでに女優ブリジット・バルドー、アネット・ストロイベルグとの二度の結婚、そしてカトリーヌ・ドヌーヴとの同棲を経てのゴールインだった。そのため、ゴシップ記事になることを避けて、ごく身内の八人だけの立会人の前で式は執り行われた。八人とはヴァディムの母親、ジャーナリストのオリアナ・ファラチ、俳優のクリスチャン・マルカンとその妻ティナ・オーモン、そしてピーター・フォンダと妻スーザン、デニス・ホッパーとブルック・ヘイワード夫妻という顔触れだった。

それから二年が過ぎ、ヴァディムはかつての妻たちを演出したときと同様にジェーンの美しさを永遠に記録しようと、有名な無重力状態でのストリップ・シーンをはじめとするキッチュでセクシーなシーンの数々をラウレンティスのスタジオで撮影していった。

『バーバレラ』は今日でこそカルト作品として認知され、早すぎた傑作という地位が与えられている（日本でも九三年にリバイバル公開された）けれども、少なくとも一九六七年の時点では漫画（コミック）をもとにした映画などは「きわもの」以外の何物でもなかった。だがヴァディムは漫画という素材に早くから大きな可能性を見い出していて、この作品も原作者のジャン＝クロード・フォレストや自分自身を含む八名もの脚本家の手によってエロティックSFの姿を借りた見事な風刺劇に仕立て上げられていた。だが、八人の脚本家の中で、この作品の持つブラックなユーモアを際立たせるのに一番大きな役割を果たしたのは作家のテリー・サザーンだったろう。彼はスタンリー・キューブリック監督の問題作『博士の異常な愛情』の脚本を担当したことで知られている他にも、小説『キャンディ』や『マジック・クリスチャン』がともにこの時期に映画化されつつある、まさしく今が旬という存在だった。サザーンは自らが手がけた作品『バーバレラ』の撮影を見学しにローマを訪れていたが、ヴァディムが『バーバレラ』の撮影終了後ただちにブルターニュのロスコフに移動して、同じく妻ジェーン主役の次回作に取りかかることになったとき、彼に同行した。その作品は、フェデリコ・フェリーニ、ルイ・マル、そしてヴァディムの三人の監督がエドガー・アラン・ポーの三つの短篇をそれぞれ映像化するオムニバス形式の映画『世にも怪奇な物語』だ。西暦四万年の未来の女性から一転、中世の女伯爵役を演じることになったジェーン・フォンダの今回の相手役は、実弟ピーター・フォンダが演じることになっていた。

ピーターとテリー・サザーンはすでにヴァディムとジェーンがマリブに借りていた別荘で何度も顔を合わせていたが、二人はこのロスコフでの『世にも怪奇な物語』の撮影中、毎晩のように酒を飲んでは、ピーターが『白昼の幻想』のキャンペーンでトロントのホテルの部屋で思いついたある企画――その時点ではまだタイトルは未定だった――について話しあっていた。テリー・サザーンは後に、ピーターの企画に『イージー★ライダー』というタイトルをつけることになる。

トロントでのあの晩、ピーターはロサンゼルスのデニス・ホッパーに電話をかけ、自分が思いついた内容を彼に話し、その二日後には自らロサンゼルスに戻ってホッパーとともに自宅のテニスコートを何時間も歩き回りながらアイディアを煮詰めていった。二人がテニスをするでもなく何かに憑かれたように話し合っていた最中、当時四歳だったピーターの娘ブリジットは、三輪車に乗って二人の足

元にまとわりついていたという。(＊1)

トロントからホッパーに電話をかけた際の会話の内容について、ピーターは次のように語っている。

PF デニスに初めてそのストーリーを話したのは僕がトロントにいた一九六七年の九月のことだ。僕はデニスに電話をかけて、こう言った。「おい、聞いてくれよ！　これこれしかじかなんだ――どう思う？」。すると彼は「そいつは面白い。凄いじゃないか！　それで一体どうしようっていうんだい？」と訊いてきた。僕はこう答えた。「君が監督を、僕がプロデュースをするんだ。二人で脚本を書いて二人で出演するんだ。お金を節約するためにね」

「本当に俺に監督をやらせてくれるっていうのか？」

「ああ、デニス。君さえよければね」

僕は『白昼の幻想』の撮影のときにデニスが偉大な映画監督になると確信していたんだ。それに彼には「西部劇」の脚本を書くために必要な知識もあると思ったしね。(＊2)

ピーターが「西部劇」と言ったのは、父ヘンリーがジョン・フォード監督と生みだした名作西部劇『荒野の決闘』や、ジョン・ウェインとその相棒ワード・ボンドの姿をとおして描かれてきた古き良きアメリカと、今のアメリカの現実を比較して何かを表現したいという気持ちがあったからだろう。たしかにオートバイに乗った二人の若者の姿は馬にまたがったカウボーイに通じるものがある。しかも彼らが実際にこの企画の製作資金を得て撮影を開始した後に、版権の問題ですでに決まっていた主人公たちの名前「キャプテン・アメリカとその相棒バッキー」を変更しなければならなくなったとき、ピーターは代わりに「ワイアット・アープとビリー・ザ・キッド」という名前を持ち出してきている。だが、最終的に映画『イージー★ライダー』として結実したピーターのアイディアを、単なるバイク&ドラッグ・ムービーの一作品ではなく時代を象徴する一本にまで高めたメッセージ性は実際のところ誰の功績によって折り込まれたものなのだろうか。それを探る前に、もう少し事実関係について二人の発言から整理してみよう。

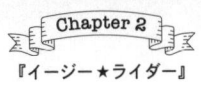

DH ピーターはカナダから俺に電話をかけてきた。AIP映画のオーナーたちと夕食をとっていて、彼らからもう一度オートバイ映画を作ってはどうかと持ちかけられていたんだ。だが、俺たちは以前から、もうこれ以上ありきたりのオートバイ映画なんかを作るのはやめよう、と話し合っていた。ピーターには考えがあった——俺と一緒にオートバイ映画を作って、俺に監督と主演をやらせてくれるというね。そして彼は実現へ向けて動き出した。ピーターは俺にストーリーを語って聞かせた。二人の男が麻薬を密輸し、オートバイとともに売っぱらって金を得て、別のオートバイを手に入れて国を横断する旅に出る。途中ニューオリンズの謝肉祭で素晴らしい時を過ごすが、やがてそこを出発してフロリダで隠遁生活を送ろうとする。だけどその途中で、邪悪なハンターたちに撃ち殺されてしまう——。俺がピーターに「AIPが君に資金を提供してくれるのか？」と聞くと、彼は「そうだ」と答えた。俺は、その映画を作るのは大賛成だと言ったよ。そこで俺たちは他のすべてのことを投げうって、まずは脚本に取り組み始めた。ピーターと俺は思いのままに話し合い、とことん話したものをテープに吹き込んでいったんだ。（＊3）

PF 僕たちはある日、僕の家のテニスコートでそれについて話しながら一日中歩き回った。やがて僕は映画の撮影のためヨーロッパへと向かい、一か月くらい別々でいることになった。彼はこう思っていたはずだ。「やれやれ、フォンダが本当に一緒にやらしてくれるとありがたいんだがな」。というのも、「僕の次回作はこれこれしかじかなんだけど、君にはこれこれしかじかをやってほしいんだ」と彼に伝えていたのは当時、僕だけだったわけで、他には誰一人として彼を雇おうとする者はいなかったんだ。そのとき僕には何十万ドルかの資金を調達できるだけのパワーや魅力が自分には備わっているという感触があった。それで僕らは何度も手紙をやりとりして意見を交換した。「映画の中に謝肉祭のシーンを入れようじゃないか、きっと最高だよ。ニューオリンズへ行けば、ロジャー・コーマンが泣いて喜ぶようなゴキゲンな衣装が山ほど揃っているだろうし、衣装代を払う必要もないんだからね」。それから弁護士の登場を思いついた。僕はこう書いた。「どこかで、何かの理由によってブタ箱に放り込まれることにしよう。酒場での喧嘩か何かの理由でね」。それからパレードのアイディアを思いついたんだ。彼らは町に立ち寄って、ハイになり、昼食をとってパレードに加わるが、無許可でパレードに参加したのをとがめられてブタ箱に放り込まれるというわけだ。僕は「パレードは盛大なやつにしたいね」と書き、デニスも同意してその場面を付け加えた。デニスが「ヒッピー・コミューンへ行くことにしよう！」と言い張るので、僕は「わかった、わかった。途中でヒッピーを拾って、彼をコミューンに送り届けるってわけだね。つまりパレードを見て、逮捕されて、それから……」。僕たちは思いついたアイディアをいちいち書き残したりはしなかったけど、後になって正式な脚本としてまとめたわけなんだ。（＊4）

このピーター・フォンダの発言は一九六九年六月二十六日、『イージー★ライダー』公開の二週間前に行なわれたインタヴューでのもので、トロントからの電話にはじまり、ロサンゼルスのフォンダ家のテニスコートでストーリーのアウトラインがどのように肉付けされていったかを伝えている。つまりピーターは、『世にも怪奇な物語』撮影のためにヨーロッパへ渡ったものの、大西洋を隔ててデニス・ホッパーと手紙で意見交換を続け、いまだタイトルさえつけられていなかった映画の青写真を頭の中で確立しつつあったということになる。

そこへ、テリー・サザーンが現われた。

PF テリーは『バーバレラ』の撮影をしていたヴァディムとジェーンの様子を見にやってきていた。彼は酔っ払ってハイになり、こう訊いてきた。「お前さん、今何やってんだ？」「映画の企画を進めているところなんだ」「ふーん、製作費は誰が出すんだ？」「まだメドは立っていないんだけれど、僕はこいつを作りたいんだよ、メン（＊5）。僕の次の出演作品としてね」「どんな内容なんだ？」「これこれしかじか……」すると彼はこう言ったんだ。「そいつはぶっ飛んだ話じゃないか！　俺が今までに聞いた中で最高のストーリーのひとつに入るぞ。はじまりがあって、展開があって、物語が完結する。素晴らしいじゃないか！」。

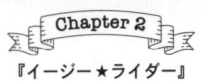

まあ、テリーはそんな感じだった。それから「お前さんこいつをどうするつもりなんだ？」と訊くので「誰か脚本家に頼んで、ちゃんとしたシナリオに仕上げるさ」と答えると、彼が「俺が引き受ける」と言い出したんだ。あわてて「テリー、君は脚本料で一本あたり一五万ドルも取ってるんだろ。それじゃあ僕らの予算を全部使うことになっちまうよ」と言ったんだ。する

と彼は「違う、違う！　わかってないな。とにかく俺はこれをやりたいんだよ」と……。まあそんなわけで彼が加わることになった。デニスと僕は、テリーがそばで聞いているところで、テープレコーダーにストーリーを吹き込んだ。それから僕たちはそれを持ってバート・シュナイダーのところへ売り込みに行ったんだ。……彼は僕たちに完全に自由にやらせてくれた。で、僕らはニューオリンズのシーンを撮りに行き、やがてテリーと一緒に戻ってきた。テリーは、たとえば「そうだな、思うに君のセリフはこうした方がいいんじゃないかな……」という感じでアドヴァイスをしてくれた。その間デニスは秘書にそれを書き取らせていた。それは僕が彼にこう言ったからだ。「デニス、書き取ってくれよ。君は監督するんだからな。それと、映画の中でどんな風にしたいのか言ってみてくれよ。そうしたら僕はそれに賛成かどうか言うから」。そうやって僕たちは実際に脚本を仕上げていった。（アドリブではなくて）完全に一語一句書いたんだ。それは銀行のためだった。銀行っていうのは「なるほど、ちゃんと何ページものセリフが書いてありますね。わかりました、三五万ドル融資しましょう」という具合なんだよ。（＊6）

やや長い引用になったが、これも前述の公開二週間前のインタヴューでピーター・フォンダが発言したことだ。バート・シュナイダーが製作資金の面倒をみることになるまでのいきさつは少々はしょりすぎだが、少なくとも脚本化作業においてテリー・サザーンが果たした役割は明確に述べられているといえるだろう。だが、製作から二十五年を経た時点での発言だとはいえ、デニス・ホッパーはテリー・サザーンの役割について多分にニュアンスの異なる話をしてくれた。だが、それを紹介する前に、まずはバート・シュナイダーのもとへこの企画が持ち込まれた経緯について彼の発言をみてみよう。

DH（ピーターと二人でストーリーをテープに録った後）俺たちは映画製作資金を集めようと友人たちに頼んだんだ。先ずマイケル・マクルーア——彼はとてもよくできた芝居「髭」の作者だった——に電話をかけ、彼と一緒にバート・シュナイダーとボブ・ラフェルソンのオフィスへ行った。バートやボブも俺たちの友だちで、当時テレビシリーズ「ザ・モンキーズ」で大当たりをとっていた。俺たちは、四人のドラッグ漬けの政治家が女装してジョン・F・ケネディ大統領の暗殺に関して話し合うっていう映画の企画を売り込んで、五万ドルの出演料で出てもいいよと言った。その四人はロバート・マクナマラ、リンドン・B・ジョンソン、それからディーン・ラスクと……もう一人は忘れた（＊7）。政府閣僚が四人で生のロブスターを食べながら、どうやってケネディを暗殺しようか相談してるんだ。女ものの服や真珠を身につけてね。俺たちは、このたったひとつのセットですむケネディ大統領暗殺に関する政治風刺劇に出て〝ドラッグ漬けで服装倒錯者の四人組〟を演じることで五万ドルを頂戴しようとしていたわけだ。それでマイケル・マクルーアを連れてピーター・フォンダと俺と三人でボブの事務所に行ったんだが、そこにいたのがバート・シュナイダー、ボブ・ラフェルソン、そしてジャック・ニコルソンだったのさ。ボブ・ラフェルソンとジャック・ニコルソンは、そのとき『ザ・モンキーズ／恋の合言葉 ＨＥＡＤ！』というモンキーズの断片的映像を綴ったコロムビア映画配給の大作を作っていた。俺たちは、とりあえず大統領暗殺の政治風刺劇について話し合ったんだが、彼らが俺たちの話を面白がったんで、ピーターが「僕たちはＡＩＰでバイク映画を作ろうとしているんだ」と『イージー★ライダー』のストーリーを説明した。俺たちはそのあといったん帰ったんだが、ボブ・ラフェルソンがあとで俺のオフィスへやってきた。「これはバート・シュナイダーの家の電話番号だ。今夜電話をかけろよ。俺が思うに、彼は『イージー★ライダー』の製作資金を出してくれるはずだ。もし君らがその企画をＡＩＰじゃなくてコロムビア映画で撮るつもりがあるのならね」。――俺たちは映画製作に関してＡＩＰと密接な関係にあったものだから、こいつはちょっと問題だった。ただ、ＡＩＰは俺が出演するか、監督するかのどちらかを考えていて、俺たちは両方できることを期待していた。そしたら、バートがこう言ったんだ。「ボブ・ラフェルソンは君に出演と監督の両方をやってもらおう、と言っている」――これが、俺たちが分相応のＡＩＰではなく、メジャー・スタジオのコロムビア映画で『イージー★ライダー』を作ることになった経緯さ。（＊８）

ＪＦＫ暗殺に関する政治風刺劇企画は「クイーン」というタイトルで、ピーター・フォンダによれば『イージー★ライダー』の製作資金を得るためのつなぎ的な企画として彼らが持ち歩いていたものだったようだ。ともかく彼らはこの「クイーン」の企画を売りこもうと考えてバート・シュナイダーを訪ね、結果的に棚からぼたもち式に『イージー★ライダー』へのバックアップをとりつけることに成功したということだ。しかし、ＡＩＰとの関係に関して言うならば、ホッパーの述べるように彼らが『イージー★ライダー』の製作資金を出すことに乗り気だったり、ましてやデニス・ホッパーに出演や監督を頼みたがっていたりしたことはなさそうだ。トラブル・メイカーとして知られていたホッパーの状況を考えれば、ピーターが言う「誰一人として彼を雇おうとする者はいなかった」という方がもっともらしく聞こえる。だが、レイバート・プロ（バート・シュナイダーとボブ・ラフェルソンのプロダクション）が資金提供をすることが決まった後の、撮影に至るまでのいきさつに関してはホッパーの説明はとても筋がとおっている。

DH 俺たちは概略について話したテープをこしらえた。基本的に、ピーターのアイディアは脚本にできるレベルにまでは達していなかったんだ。彼のアイディアは、密売人たちがバイクを欲しがるっていうだけだった。だけど、誰も二人の野郎がバイクで走り続けるだけの映画なんか観たくないだろうから、俺がコカインを小さな袋に詰めて大金を儲けるっていう部分を付け足した。それからピーターはヒッピー・コミューンへ行く状況設定が気に入っていなくて、コミューン（のシーンの打ち合せ）では座っているだけでアイディアを出そうとしなかった。それで俺が考えたわけさ。――つまり、ポイントは、俺がピーターのストーリーを取り上げ、それを俺が使えると思えるようなレベルにまで成長させた、っていうことさ。通りすがりのトラックの男たちが俺たちを殺してしまうという幕切れやら、ジャック・ニコルソンが演じたキャラクターを「アメリカ人が彼らの息子を殺す」象徴として登場させるといった点を加えたわけだ。つまり、彼ら南部の保守的な白人たちは俺たちに代表されるような長髪の連中は嫌いだけれど、ジャック・ニコルソン演じる弁護士なら許容できるわけなんだ。アメリカのど真ん中に来れば、（映画の中で描かれるような）ジャックのキャラクターはまさしく彼らの〝息子〟であるわけなんだが、彼らはその自分たちの息子を殺してしまう。なぜなら彼が長髪どもと一緒にいるからだ。あの頃、アメリカ中が身震いさせられるような状態にあった。たとえば大都市では黒人と白人の争いで街のあちこちで焼きうち騒ぎがあったし、ヒッピーが街に繰り出してドラッグの解禁を堂々と主張したり、ラヴ・インが行なわれたり、国中がヴェトナム戦争に対して失望するようになっていたりで、本当にひどい状態だったんだ。それで、俺はそれを象徴化したかった。俺はコミューン――そこはドロップ・アウトした者の集まりなんだが――とか、（ドラッグによる）幻覚とかを描くことが重要だと思っていた。

それから、ピーター、ジャック、バート・シュナイダーが声をそろえて、ピーターにこう言ったんだ。「お前の友だちのテリー・サザーンなんだが、脚本家として彼の名前を使わせてもらうことが大切だと思うんだ」ってね。

テリーがこの映画に関して唯一貢献したことは、『イージー★ライダー』というタイトルをつけてくれたことだ。彼はニューヨークにある自分の事務所を俺に提供してくれたんだが、映画を作る上では役に立たなかった。プロダクション・マネージャーのポール・リュイスと俺は二人でロサンゼルスを出発し、国を横断してロケ地を探しに行った。二人だけでね。ピーターはテリー・サザーンと一緒に脚本を書くためにニューヨークへ行ったはずだった。その頃ポールと俺は車で国を横断していて、二週間後にニューヨークへ着いてみると、彼らは何ひとつ書いていなかった。俺が言いたいのはつまり――俺が彼らの時間の無駄づかいを責めたってことと、テリー・サザーンの事務所を取り上げて二週間半かけて俺と秘書の二人で誰の手も借りずに脚本を全部書いて、ロサンゼルスのバート・シュナイダーのもとへとって返したってことだ。これが脚本完成までのいきさつなのさ。(*9)

物事にはすべからく多面性があるものだ。配給を引き受けることになったコロムビア映画や、実際に資金を融資する窓口であった銀行に対する信用度を高めるため、売れっ子のテリー・サザーンの名前が必要だったというのはおそらくそのとおりなのだろうし、ピーター・フォンダにしてみればサザーンは実際にいろいろとアドヴァイスをしてくれた存在だったのだろう。少なくとも、『世にも怪奇な物語』撮影中にピーターとサザーンが『イージー★ライダー』のシナリオについて話し合っていたことは、ロジェ・ヴァディムがその自伝の中で明確に述べている(*10)。一方、デニス・ホッパーに

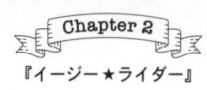

してみれば、テリー・サザーンはもとよりピーターすら脚本を仕上げる過程においてはまったく役に立たなかったという印象だったのだろう。

ともかく、ピーター・フォンダが思いついてホッパーが物語としてまとめ上げたこの物語には、作家テリー・サザーンによって『イージー★ライダー』というタイトルがつけられた。その意味するところは「売春婦とともに楽をして生きる男」だが、ホッパーの言葉によれば「ポン引きは売春婦を売る奴のことだが〝イージー・ライダー〟はポン引きではなくて売春婦の恋人なんだ。彼は彼女からお金をもらったりはするが、彼女のビジネスとは無関係だ。彼は売春婦と暮らし、彼女から愛され生活の面倒をみてもらっている。――それが〝イージー・ライダー〟なのさ」ということだ。

別の企画を売り込みに行ったのに、たまたまバート・シュナイダーが『イージー★ライダー』に興味を持ち、彼とボブ・ラフェルソンがテレビシリーズ「ザ・モンキーズ」の大ヒットによって設立していたレイバート・プロダクションが製作資金三七万五〇〇〇ドルを提供してくれることになった。まさに〝イージー・ライダー〟にふさわしい成り行きに思える。

ピーター・フォンダとデニス・ホッパーもまた、二人の頭文字PとDをもじった「パンド（PAND）・カンパニー」というプロダクションを設立していたので、『イージー★ライダー』はこの両プロダクションの共同製作の形がとられることになった。（ちなみにパンド・カンパニーはその後もピーター・フォンダの個人会社として存続し、レイバート・プロの方はまもなくスティーヴ・ブラウナーをパートナーに加えて「BBSプロ」に発展する）。配給はコロムビア映画が引き受けることになったが、これは当時バート・シュナイダーの父エイヴがコロムビア映画の重役で、同じく兄スタンリーが製作担当責任者だったことが大きくものをいった形だ。

こうして、一九六七年の九月にトロントのホテルでピーターが思いついたアイディアは『イージー

★ライダー』と名付けられ、翌六八年の二月にはいよいよ製作開始へ向けて動きだした。最終的なシナリオはまだ出来上がっていなかったが、ニューオリンズで謝肉祭が行なわれているうちにそれを背景としたシーンを撮ってしまう必要があったので、機材が揃うのを待つ余裕さえないまま、16ミリのキャメラと何リール分かのフィルムだけを携えて、ピーター・フォンダとデニス・ホッパーは道(オン・ザ・ロード)へと飛び出していった。

02 クランクイン

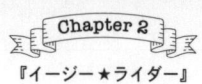

一九六八年二月二十三日、金曜日――場所はルイジアナ州ニューオリンズ。映画『イージー★ライダー』の撮影は、ピーター・フォンダの二十八歳の誕生日であったこの日に開始された。

すでに述べたように、この段階ではまだ脚本は完成しておらず、撮影機材すらまともに揃っていなかったが、当初からピーターとデニスが話し合っていたとおり、まずは一週間の予定で同地で謝肉祭が行なわれているうちにマルディグラ（*1）を背景としたシーンを撮ってしまうことにしたのだ。その後ピーターはテリー・サザーンとともにニューヨークのサザーンの事務所で「銀行を安心させるため」に脚本を完成させ、ホッパーはいったんロサンゼルスへ戻ってプロダクション・マネージャーのポール・リュイスと残りのシーンのためのロケハンを済ませるという段取りとなっていた。

いくら低予算とはいえ、コロムビア映画での配給が決まってい映画で、自主製作映画まがいのこのような製作スケジュールがまかり通ることは異例中の異例だったし、そもそも大手のスタジオの配給作品でありながら、組合未加入のスタッフだけで映画を作ることは初めての試みだった。だが、ピーターとホッパーから初めてこの作品のアウトラインを聞いたときから強いインスピレーションを受け、彼らのやりたいようにやらせなければこの企画の持つ大きな可能性が死んでしまうだろうと感じていたバート・シュナイダーは、自らのレイバート・プロで製作資金を提供するのみならず、コロムビア映画に働きかけ、組合員の賃金を保証させることで批判を封じ込め、ピーターとホッパーに完全なる裁量を与えることを認めさせていた。後にこの作品が大成功したことを考えれば、バート・シュ

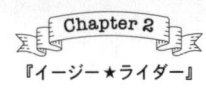

ナイダーによる強力なバックアップが果たした役割の大きさは測り知れない。

ニューオリンズでの最初の一週間で撮影することが予定されていたシーンは、マルディグラに沸く町中でキャプテン・アメリカ（ピーター）とバッキー（ホッパー）が娼館「青灯亭」の二人の娼婦、マリーとカレンを連れて練り歩くシーンと、彼ら四人が墓地でＬＳＤによるバッド・トリップを経験するシーンだった。撮影監督バリー・ファインスティンによって16ミリのフィルムで撮られたこれらのシーンは後に他のシーンに合わせて35ミリにブロー・アップされたが、単に35ミリのキャメラが間に合わなかったという理由で16ミリを用いただけなのに、結果的にはその粗い粒子の映像があたかもドキュメンタリー・タッチの効果を狙って意図的にデザインされたシーンのように感じられるのだから、これもまたひとつの意図せぬ幸運というものだったのだろう。

マリー役、カレン役にはまだ駆け出しの女優だったトニ・ベイジルとカレン・ブラックがそれぞれ選ばれていた。トニ・ベイジルはダンスのうまい女の子で、役者としてはパッとしなかったが、ダンスの振付に活路を見い出し『アメリカン・グラフィティ』、『ローズ』、『ペギー・スーの結婚』といった作品で振付担当としてクレジットされているほか、一九八二年にはイギリスのヒット曲をカバーして歌った「ミッキー」で全米ヒットチャート第1位に輝いている。さらに、二〇一九年には、クエンティン・タランティーノ監督が『イージー★ライダー』の全米公開の年である一九六九年のハリウッドを背景として描いた『ワンス・アポン・ア・タイム・イン・ハリウッド』で振付を担当している。

カレン・ブラックの方は、この時点ではまだロジャー・コーマン組卒業生でしかなかったフランシス・フォード・コッポラ監督の初期の佳作『大人になれば…』（六七年／日本未公開　ビデオ発売）と、もう一本の作品に端役出演したことがあるだけの新人に過ぎなかったが、『イージー★ライダー』で見せた存在感が認められてレイバート・プロ改めＢＢＳプロの次回作『ファイブ・イージー・ピーセス』に起用されるや、ゴールデン・グローブ賞やニューヨーク映画批評家協会賞を受賞し、一躍演技派女優としての地位を確立。その後は、パニック映画『エアポート75』、ロバート・アルトマンの『ナッシュビル』、アルフレッド・ヒッチコックの『ファミリー・プロット』などに出演し、一九七〇年代を代表する女優の一人に成長していった。

ちなみに『大人になれば…』にはもう一人、助演格の俳優としてリップ・トーンが出演しており、彼は『イージー★ライダー』で第三の男と言える酔っ払いの弁護士ジョージ・ハンソン役を演じることに決まっていた。

撮影をまかされることになったバリー・ファインスティンは、1967年に開かれた伝説的ロック・コンサートの記録映画『モンタレー・ポップ』のキャメラマンの一人であり、『イージー★ライダー』のマルディグラ撮影の後には、独りで製作・監督・撮影を務めた『ユー・アー・ワット・ユー・イート』（日本未公開）を発表しているが、その後はもっぱらドキュメンタリー分野の撮影、スチール・カメラマンとしての仕事をするようになっていった。

ともあれ『イージー★ライダー』は、ピーター・フォンダ、デニス・ホッパー、トニ・ベイジル、カレン・ブラック、そして撮影のバリー・ファインスティンなど、最小限のスタッフによって二月二十三日より撮影が開始される運びとなった。だが、故ジェームズ・ディーンと将来の夢として語り合って以来、ひたすらに映画監督となることを夢見て過ごしてきたデニス・ホッパーにとって、与えられたチャンスがあまりにも大きかったのだろう。彼は極度のプレッシャーによって押し潰されそうになり、ドラッグの力に頼ったため、撮影は初日から波乱含みのスタートなった。撮影初日の様子をピーターはこう語っている

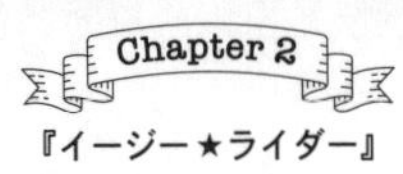

PF 一九六八年二月二十三日の金曜日にニューオリンズで撮影を始めることになった。そのときは忘れていたんだけど、その日は僕の二十八歳の誕生日で、つまり『イージー★ライダー』は僕の誕生日に合わせて撮影を開始したわけなんだ。朝の六時三十分にはスタッフ・キャストはみな外で待機していて、群衆シーンの撮影予定だった。アングラ映画作家たちも手伝ってくれていたので、合計五台のキャメラがあった。ところが、デニスは朝の六時三十分だというのに興奮していてみんなに向かってこう叫び始めた。――「こいつは俺の映画だぞ！　誰も俺からこの映画を取り上げることはできないぞ！」と大声で。われわれに言い聞かせるように三時間も叫び続けたんだ。他には何も言わないんだ。ただ「こいつは俺の映画なんだぞ！　誰も俺からこの映画を取り上げたりはできないぞ！　わかったか！」とだけ、何度も何度も何度も何度も……声が出なくなるまでね。ついに僕たちは彼を車に押し込んだ（笑）。なぜって、僕はプロデューサーだったんだから。邪魔者にはどいてもらおう、と礼儀正しくね（笑）。デニスは毎朝、六日間続けて声が渇れるまで叫んでいたよ。僕たちは毎日、それが収まってから撮影を始めたんだ。最初の晩、僕はトニ・ベイジルとカレン・ブラックと一緒に彼女たちの部屋にいた。カレンはギターを持ってきていて、僕がそれを弾いた。そこで僕は、まさしく今日が自分の誕生日だったことに気が付いたんだ。まったく忘れていたんだよ。トニ・ベイジルが僕に素敵な誕生日プレゼントを渡してくれようとしていたとき、外で何か……モーテルの中庭から何かわめき声のようなものが聞こえてきたんだ。ドアを開けると、デニスがバリー・ファインスティンと大喧嘩していた。そこには録音技師もいたから、それが全部テープに録音されたんだよ。デニスの雄叫びが全部ね（笑）。バリーは16ミリ・キャメラと一眼レフのカメラを持っていたんだが、デニスは彼に足蹴りを加えようとし、彼のキャメラを取ろうとしてこう言ったんだ。「俺は

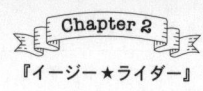

屋外で撮影をしたいんだ！ わかるか、おい？ 本来の色を見たいんだ、こいつで撮れる本来の色をな！」——バリーは16ミリの高価な機材を貸したくなかったので、「これを使えよ」と言って一眼レフをデニスに渡した。デニスはまったく狂っていたね。彼は「スピード」——つまりアンフェタミンの混合物さ——をやっていてその上酒も飲んでいた。身体にいいわけないよ（笑）。とにかく正常じゃなかった。それで、僕はバリーが彼に一眼レフを渡すのを静観することにした。それでも彼とバリーは喧嘩し続けていたから、僕はトニとカレンの部屋に戻ったんだ。「フーッ！ 恐ろしいよ。デニスはバリーを殴ったり蹴ったりしている。バリーに向かってテレビセットを投げつけたり、ギターで彼の頭を叩いたりしてるんだよ」って、話したら、カレンは「私のギターよ！」って叫んでたけど（笑）、僕は「とにかく誕生日を続けよう！」って言ったのさ。

しばらくして、僕はデニスを落ち着かせ、彼を部屋まで——彼と僕とは同室だったんだ——連れて行った。彼は「奴らは俺から監督の座を奪い取ろうとしていやがるんだ！ わからないか、おい、わからないか！ 奴らは俺から……」と言い続けるんで、僕は「デニス、誰も君から取り上げたりはしないさ。われわれみんなでこの映画を作っているんだ。君一人でじゃない。君は監督だよ。だけど映画はみんなで作っているんだよ」と言ったわけだ。彼は「俺が唯一の監督だよな！」とわめき、僕は「そのとおり。君は監督だ。僕はプロデューサーさ。僕たちは友だちだろ。落ち着けよ。誰も君に対して何かしようとしたりはしないさ」と答えた。それでも、彼が「そこにいるんだ！ そこにいるんだ！」と言って聞かないので（笑）、睡眠薬を飲ませることにした。「ほら、こいつが君を落ち着かせてくれるよ」とね。デニスは睡眠薬を飲むと、あれこれしゃべり続けながら、テーブルに突っ伏して眠り込んでしまったよ（笑）。だから彼を抱き起こしてベットに運び、ベッドカバーで彼を包んだ。そこで、ブーツを履いたままだってことに気がついたんで脱がせようとすると、彼は突然むくっと起き上がり「俺のブーツを脱がすな！」と叫んだんだ。「わかったよ」と言うと、彼はまたパタッと眠り込んでしまった。それでブーツはそのままにした（笑）。で、僕はその晩はトニと一緒に寝たってわけさ。そうしたいって思ってたからね（笑）。（*12）

このピーター・フォンダの発言は一九九二年に彼の自宅で行なったインタヴューからのもので、『イージー★ライダー』製作からすでに二十三年を経た時点でのものなのだが、彼は実に生き生きとデニス・ホッパーの声色をそっくりに真似ながら語ってくれた。もちろん、ホッパー本人の口からはこのような話は聞けるわけもなく、そもそも彼の記憶にすら残ってはいないだろうが、今でも保存されているという録音テープを聞くまでもなく、事実と判断して良さそうだ。だが、すでにホッパーが撮影開始直前までいきながら『ラストムービー』の製作を断念しなければならない経験をしていた事実を考えれば、この「誰かが自分を監督の座から引きずり降ろそうと企んでいる」という強迫観念もわからないではない。また、彼のドラッグおよびアルコールの過剰摂取問題（それはやがて彼のキャリアも人格も粉々にしてしまうことになる）が一九六八年の時点でかなり深刻な様相を呈していたというのもまぎれもない事実だ。このことが原因で彼とブルック・ヘイワードは翌一九六九年に破局を迎えることになる。

『イージー★ライダー』に話を戻そう。結果的にホッパーに愛想をつかした撮影担当のバリー・ファインスティンは一週間の撮影が終了するとこの映画から去ってしまう。ロサンゼルスへ戻ったデニスとプロダクション・マネージャーのポール・リュイスは、別の撮影監督を見つけなくてはならなくなった。そして新たに撮影を担当することになったラズロ・コヴァックスこそが、『イージー★ライダー』にヴィジュアル面での圧倒的な美しさをもたらすキーマンとなるのだが、その経緯に触れる前にこの最初の一週間の撮影で撮られたもうひとつのシーン、墓地でのLSDトリップ場面についてのピーター・フォンダの発言を紹介しておこう。

PF デニスは僕を墓地へ連れて行った。そこは一フィートも掘ると水が出るところで、納骨堂やら何やらが点在していた。そこに、イタリア風の大きな彫像があった。楯と槍を持って座っている女の像だった。デニスが突然「さあ、その像に登って、君のおふくろに〝なぜ僕を見捨てたんだ〟と尋ねるんだ!」と言った。僕は「何だって? 冗談じゃないぞ。そんなこと、この映画には関係ないじゃないか! いいかい、僕はこの映画の中で実存主義的なヒーローでありたいんだ。何も言いたくはないんだよ。わかってると思うけれど、僕の言うべきセリフは、すべてが終わった後で言う、たった一言〝俺たちは負けたんだ〟だけなんだよ。わかるかい? そいつをこの映画の中の僕の唯一のセリフにしたいんだよ」。すると彼は「いやダメだ! そこに登ってしがみついて、君のおふくろになぜ君を置き去りにしたのかを問い続けるんだ!」。デニスは、話しながら泣き始めた。「こいつは俺たちのチャンスなんだ、わかるか? 俺たちにとって唯一のチャンスなんだよ!」僕もまた泣きながらこう応えた。「君の言うとおりだ」ってね。それで僕はその彫像に登って二時間もの間泣き叫び続けた。スタッフがフィルムを入れ替えたりしている間もね。僕は本当に入り込んでしまっていた。結果的にはそのシーンはほんの数分しか使えなかった。デニスがそのシーンの間中ずっとしゃべり続けていたものだから、ほんの断片しか使えなかったんだ。つまり、そのシーンの間ずっと、彼が「いいぞメン! そうだ！」と言っているのが録音されてしまっていたんだ。これは技術面でのちょっとした失敗だったんだが、ともかく何とか使える部分を用いて編集したわけだ。で、後になってから僕は思い切ってデニスにこう言った。「なあ、メン……あれじゃあ誰が見てもわかっちまうだろ。つまり僕は観客に対して自分自身の人生をさらけだしてしまっている。僕は自分の人生に起こった出来事をすべて語っているし、その中には精神病院で自殺した僕の母親のことも入っている。つまり、僕が彫像の上に登ってそいつを抱き締めて〝ママ、なぜ僕を置き去りにしたんだ〟と言うのを見た観客は、僕がキャプテン・アメリカであることを放棄して、ピーター・フォンダとしてしゃべっていると思ってしまうだろう？」。僕は実際にそういう疑問を持ち続けていたんだ。だけど、デニスは「いやいや、そんなことはない。カットしちゃダメだ。残すべきだ。そいつは君をあそこに導いてくれたことのひとつなんだからな」と言い張ってきかなかった。（＊13）

デニス・ホッパーは、妻ブルック・ヘイワードを通じてピーターの過去について知りつくしていた。キャプテン・アメリカがＬＳＤのバッド・トリップによって心の底にあった感情を曝け出すシーンを演出するに当たって、ピーター自身の心の底に閉じこめられているはずの感情を呼び起こそうとしたことは間違いないだろう。そういう役柄へのアプローチ法は、彼が学んでいたアクターズ・スタジオでのメソッド・アクティング（＊14）においてごく当たり前に行なわれていたことだったからだ。ともかく、ホッパーやピーターが目指していた映画は、美男美女が汚れひとつないセットで現実の生活とはかけ離れた絵空事を演じるばかりの、それまでのハリウッド映画の対極に位置する、自分たち、あるいは観客たちと等身大の主人公たちにとっての現実を反映したものだったはずだった。だから、ホッパーによる演出にピーターが充分に応えられるかどうかは、この映画にとっての最初の関門だったと言えるだろう。

ホッパーの、プレッシャーによる常軌を逸した振る舞いと、その一方で観客をハッとさせるようなリアリティに溢れた演出の冴えという、イチかバチか的な状況の中でスタートした『イージー★ライダー』の撮影だが、16ミリ・キャメラによって謝肉祭を背景としたシーンを撮り終えたあとは前述したとおりに二手に別れ、ピーターは脚本を仕上げにニューヨークへ、ホッパーは残りのシーンのロケハンを開始するためにロサンゼルスへと飛んだ。

ここで、録音テープと二人の頭の中ではすでに出来上がっていて、ピーターが脚本として書き起こす予定となっていた（ホッパーに言わせるとピーターとテリー・サザーンが結局一行たりとも書かなかったために彼一人で仕上げることになった）この映画のストーリーの概略を紹介しておこう。

キャプテン・アメリカと相棒のバッキーは、コカインを密輸して得た大金で改造型のオートバイを手に入れると、腕時計を捨ててニューオリンズのマルディグラを目指す旅に出る。長髪にサングラスの彼らを泊めてくれる宿はなく、二人は野宿をするはめに。それでも途中、農夫の家でパンクしたタイヤの修理をさせてもらい食事をご馳走になたりもする。二人は行きがかり上、ジーザスという名のヒッチハイカーを拾い彼をヒッピー・コミューンへ送り届けることになる。行き着いたコミューンではヒッピーたちが自給自足の生活を目指しており、マリファナ、フリー・セックス、東洋思想などが自由の象徴として謳歌されていたが、現実には不毛の砂地に種を播いて雨ごいしているだけの「自由の真似事」でしかなかった。居心地の悪さを感じた二人はヒッピーの娘二人と小川でつかのまの楽しいひとときを過ごしたものの、彼女たちと別れて旅を続ける。

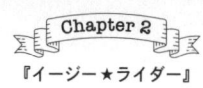

とある町の目抜き通りでパレードが行なわれているのに出くわした二人はオートバイでパレードの列に加わるが、無許可でパレードに参加した廉で留置所に入れられてしまう。留置所の中にいた酔っ払いの弁護士ジョージ・ハンソンの口利きで釈放された二人は、一緒に行きたいというジョージを仲間に加えて出発する。すでに三人は保守的な地域である南部のかなり奥の方まで来ており、食事しようと立ち寄ったレストランでは、よそ者として追い出されてしまう。

その夜、野宿しながら「自由」について語る三人。長髪だというだけで目の敵にされると息巻くバッキーに、ジョージはこの国の人々がこわがっているのは二人が代表するもの、すなわち「自由」なのだと言う。深夜、寝静まった三人を棍棒を持った男たちが襲った。血まみれになったキャプテン・アメリカとバッキーはジョージが死んでいるのを発見する。

ジョージから聞いていた娼館「青灯亭」を訪れようと決めた二人はニューオリンズに到着する。二人の娼婦マリーとカレンを伴ってマルディグラに沸く町中へ繰り出しても、墓地へ行ってＬＳＤとセックスの快楽に救いを求めてもむなしいだけだった。再び出発した二人。夜、火を囲みながら「フロリダで引退生活を送ろうじゃないか」と言うバッキーに対して、キャプテン・アメリカはただ一言「俺たちは負けたんだ」と呟く。

翌日、二人は一台のトラックを追い抜く。トラックの男たちは「髪を刈りやがれ！」といきなりバッキーに向かって発砲する。血まみれになった相棒のもとに駆け寄ったキャプテン・アメリカは助けを呼びに行こうとするが、彼もまた引き返してきたトラックのショットガンに吹き飛ばされてしまう……。

映画をご覧になった人ならば気がついたと思うが、完成した映画では主人公二人の名前はワイアットとビリーに変えられている。

「キャプテン・アメリカとバッキー」とは、実はピーター・フォンダお気に入りのコミックスの主人公たちの名前で、名前すら名乗る必要のない二人が自分たちを冗談めかして使っている愛称として付けられたものだ。いわゆる「アメコミ」の熱烈なファンだったピーターにとって、コミックスをくだらないものと決めつける体制側の人間たちに対して「自分たちの世代は自分の価値観を自分たち自身で決めるのだ」と主張したい気持ちもあって、自分たちの映画の主人公二人の名前としてこれを用いたのだろう。この「キャプテン・アメリカ」のイメージに合わせて、ピーターの乗るオートバイのタンク、そして彼の着る革ジャン、彼のかぶるヘルメットには星条旗の柄が描かれている。

だが、撮影も終盤に差しかかった頃になって問題が発生してしまった。主人公が単独で「キャプテン・アメリカ」と名乗るだけであれば問題はないのだが、「キャプテン・アメリカとバッキー」というコンビ名にするなら版権をクリアーしなければならないことが判明したのだ。結局、デニス・ホッパー演じるキャプテン・アメリカの相棒は、彼が実際に以前演じたこともある人物ビリー・ザ・キッドからとって「ビリー」という名前が付けられ、これに納得しなかったデニスをなだめるためにピーターの方もビリー・ザ・キッドとつり合うようにとワイアット・アープからとった「ワイアット」という名前になった。ただし、ピーターの方は映画の中で実際に「ワイアット」と呼ばれることはなく、デニス・ホッパーはお得意の「メン」と呼びかけているだけだ。それでも完成した映画の中には二か所、デニス・ホッパーが「俺たちはキャプテン・アメリカとバッキー様だ」と名乗るシーンがあった。ひとつは留置所で監守に対して、もうひとつは娼館「青灯亭」のマダムとのシーンだ。しかし、このふたつのシーンは後からアフレコによって「バッキー」の部分が「ビリー」に修正されている。

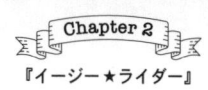

二人に西部開拓史上名高い人物たちの名前がつけられた意味は、この映画全体のテーマとも関わってくる部分なので後に考察してみることにして、ここでは実際にどのような過程を経て映画『イージー★ライダー』が撮影されていったのかをもう少し整理しつつ、撮影中の出来事についての証言なども紹介しておこう。

ロサンゼルスに戻ったデニス・ホッパーは、プロダクション・マネージャーのポール・リュイスとともに、ニューオリンズでのトラブルが原因で降板してしまったバリー・ファインスティンに代わる新たな撮影監督を早急に見つけなければならなかった。この映画の予算からいっても正式にユニオンに加盟しているヴェテランのキャメラマンを雇える見込みはなかったので、自分たちと近い境遇にあり、しかも経験を積んでいるユニオン未加入のキャメラマンを探すしかなく、ロジャー・コーマン組で仕事をしていた者たちに的を絞ろうと考えていた。結局、彼らが白羽の矢をたてたのは『白昼の幻想』の二番煎じ企画としてブルース・ダーン、ディーン・ストックウェル、スーザン・ストラスバーグ、そしてジャック・ニコルソンが出演したＡＩＰ映画『嵐の青春』で素晴らしいキャメラ・ワークを見せたハンガリー出身のキャメラマン、ラズロ・コヴァックスだった。彼の『嵐の青春』におけるキャメラ・テクニックが素晴らしいという評判は業界全体に伝わっていたようで、ＭＧＭの大ヴェテラン監督ヴィンセント・ミネリも、翌七〇年に新作ミュージカル『晴れた日に永遠が見える』を撮る際、最近の映画のライティングを学ぶために評判の『嵐の青春』を試写で観て研究したという。ちなみにミネリは『嵐の青春』に出演していたジャック・ニコルソンをたいそう気に入り、『晴れた日に永遠が見える』に彼のための役柄をわざわざ新たに書き加えて出演を依頼することになる。もちろん、まだ『イージー★ライダー』が公開される前の、ニコルソンがまったく注目されていない頃の話だ。

ラズロ・コヴァックスはまた、『イージー★ライダー』に先立つＡＩＰ製のバイク映画――『爆走！ヘルス・エンジェルス』や『ダーティ・ライダー』（どちらもジャック・ニコルソン主演）といった作品――の撮影を担当していたので、ホッパーとポール・リュイスはまさに適任と思ったはずだ。ここで、ラズロ・コヴァックスが『イージー★ライダー』の撮影監督を引き受けることになった経緯について、彼自身の証言を紹介しておこう。

LK 予算ゼロとか、あっても低予算でオートバイ映画やらのエクスプロイテーション・フィルム（＊15）ばかり撮っていてウンザリしていた頃だった。もうあの手の映画はやりつくしたと思っていたし、もっと上の映画作りを目指していたんだ。バイク映画はもうごめんだ、あと一回でも、あの（エンジンが）うなる音を聞いたら気が狂うとまで感じていた。最初は、その手の映画を一緒に何本も作ったプロダクション・マネージャーのポール・リュイスから話が来た。「映画が一本あるんだ。オートバイ映画（この言葉を私に向かって言ったのは間違いだった）で、デニス・ホッパーとピーター・フォンダが主演だ。これまで君とやってきたようなありきたりのオートバイ映画じゃなくて特別なやつだ」。私は答えた。「特別だろうがどうだろうが関係ないよ。バイクが出てくるんだろう？　やりたくないね」とね。まだユニオンには入ってなかったけれど、独立系の映画が盛んな頃で、探せばもっといい仕事があると思っていたんだ。でもポールは納得しなかった。「いいからデニス・ホッパーの話を一度聞いてみてくれ。『嵐の青春』を見て、撮影はどうしても君にやってもらいたいと言っているんだ」。そこで話を聞くことにして、ポールとプロダクション・オフィスで落ち合い、出来上がったシナリオを持って空港から来ることになっているデニスの到着を待っていたんだ。そしたら、バーンと大きな音がして突然オフィスのドアが開くと、あとでスクリーンで見る『イージー★ライダー』の扮装そのままで丸めた紙の束をわきに挟んだビリー・ザ・キッドのデニスが入ってきて、「これがシナリオだ！」と叫ぶと、部屋いっぱいに紙をまき散らしたんだ。本当にびっくりして、いったい何が起こったかと思ったよ。そしてら、デニスがこう言ったんだ。「シナリオなんてどうでもいいんだ。シナリオなんか読んでもらいたくない。みんな座ってくれ。どんなストーリーか、俺が話す！」

デニスの話が進むにつれてどんどん引き込まれていった。彼が語り終わると、「いつから始める？　どういうふうにやるんだ？」とデニスに訊いたよ。そしてとるものもとりあえず、美術監督とプロダクション・マネージャーとデニスと私は車に乗り込み、ロサンゼルスからニューオリンズに向かい、そこで映画に使えそうな場所とか物を探しまわった。それからまた急いでロサンゼルスに戻り、本格的に準備にかかった。それからあとのことは突然、歴史と化してしまったよ……。（＊16）

デニス・ホッパーがバリー・ファインスティンとトラブルを起こした結果として、撮影監督に才能溢れるラズロ・コヴァックスを獲得できたことは『イージー★ライダー』にとって実に大きな「嬉しい誤算」となった。それと同じくらい大きく有益に働いた「誤算」は、この映画の核心となるセリフをしゃべることになる第三の男ジョージ・ハンソン役が、当初予定していたリップ・トーンからジャック・ニコルソンに変更になったことだろう。この変更もまたホッパーとリップ・トーンのトラブルが原因だったが、代役としてニコルソンが起用されることになったのはまったくの偶然で、ホッパーはジャック・ニコルソンの起用に初めは難色を示していたようだ。この件に関するデニス・ホッパー

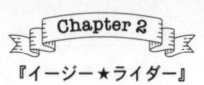

の証言は、映画製作後五年目の一九七三年時点でのインタヴューと、筆者による一九九一年のインタヴューとでは若干ニュアンスが異なるのだが、とりあえず七三年のものを紹介しよう。

DH 俺は彼（ジャック）を使いたくなかった。ピーターはその件に関して特に意見など持っていなかったけど、俺は実際にテキサスで生まれた野郎を使いたかったんだよ。だけど、テキサス生まれのリップと俺は大喧嘩になっちまった。彼が脚本の手直しを要求したもんでね。で、俺は「失せやがれ！」と言ったわけさ。まあそんなところさ。そうしたら、資金提供をしてくれていたバート・シュナイダーがやってきて言ったんだ。「俺に何の相談もなかったじゃないか」ってね。たしかにそのとおりだった。それから彼は「俺はその役にジャック・ニコルソンを起用したい」と言い出した。俺はテキサス出身の奴を使いたいからダメだ、と断ったんだが……まあジャックがやってくれてよかったよ。彼は最高だったからね。俺にとっては最初の監督作だったから、テキサス訛りでしゃべれる奴を使うって考えに固執していたんだな。俺はそれまでジャックがあんな演技をするのを見たことがなかったしね。彼のことを田舎者とは思っていなかったけれど、（東部から）ハリウッドにやってきたポッと出とみなしていたんだよ。

――リップ・トーンだったとしても同じだったと思いますか？

DH いいや。リップ・トーンだったらきっと喧嘩のしどおしだっただろうね。ジャックと俺とはまったく言い争いなんかしなかった。ジャックとはバッチリで、まったく問題はなかったよ。（＊17）

これに対して九一年の時点ではこんな具合だ。

DH バート・シュナイダーは基本的に俺の意向を尊重してくれていた。ジャック・ニコルソンの役にテキサスからやって来たフットボール選手を使いたいと言ってきたんだ。バートは俺を事務所に呼んで、この件に関してだけは好きにさせるわけにはいかない、と言ったんだが、俺はジャックのことを気に入っていたんだ。

――ちょっと待って下さい。ジャック・ニコルソンが演じた弁護士の役は、もともとリップ・トーンが演じるはずだったんではないですか?

DH いや違う。名前は思い出せないけど……後で監督になった奴なんだ。(秘書を呼んで電話をかけさせる)

(電話で)やあ、ポール、どうしてる? ところで『イージー★ライダー』のジャック・ニコルソンの役を、俺が最初に演じてほしいと思っていたのは誰だったっけ? いや、リップ・トーンの後で……ジャック・スターレット! 彼はその後監督になったよな? ジャック・スターレットだ!

――今のはポール・リュイスさん?

DH ああ、そうだよ。たしかにリップ・トーンがもともとの候補だった。だけど彼とは大喧嘩になった。その頃、ジャック・ニコルソンはまだ製作や脚本執筆をしていて、ボブ・ラフェルソンと『ザ・モンキーズ/恋の合言葉HEAD!』で共同脚本、共同製作をこなしたりしていた。それで、バートには、ジャックにその役を演じさせたい理由が山ほどあった――バートは俺たちがお金を盗んでいないかどうか確かめるために、監視人としてジャックを送り込んできたんだ(笑)。(*18)

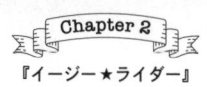

デニス・ホッパーという人は頭の回転がとても早くて、話していると、時として自分の考えに言葉が追いつかないためか、話の内容がどんどん飛躍していってしまうことがある。わかりやすく整理すると、初めジョージ・ハンソン役に決まっていたリップ・トーンとは大喧嘩となり、彼は降りてしまった（一説によると単にギャラが折り合わなかっただけだともいう）。ホッパーはテキサス訛りのある者を起用したかったのでジャック・スターレットという俳優を推したが受け入れられず、製作資金を出していたことで優位に立っていたバート・シュナイダーは当初はテキサス出身のフットボール選手云々と言っていたけれども、結局はレイバート・プロとしてバックアップしたいジャック・ニコルソンを押しつける形でニコルソンをロケ現場に送り込んだ。ニコルソンは、同時に、製作現場の監視人という役とラズロ・コヴァックスを連れていく役割も兼ねていたというわけだ。

なお、ホッパーがこだわっていたジャック・スターレットはテキサス出身の俳優で、『爆走！ヘルス・エンジェルス』ほかのＡＩＰのバイク映画に出ていたが、のちには映画監督になり、ピーター・フォンダ主演の『悪魔の追跡』を監督している。

さて、度重なるトラブルによって、バート・シュナイダーは真剣にデニス・ホッパーをクビにすることを検討していたとさえいわれているが、ともかくジャック・ニコルソンが到着したことでデニス・ホッパーは落ち着きを取り戻し、撮影がスムースに進むようになったと見てよさそうだ。

一方、ジャック・ニコルソンにとって『イージー★ライダー』でこの役を得たことは、俳優としてのキャリアを完全にあきらめ、脚本執筆に専念しながら、いずれは監督をめざしてやっていこうかと考えていた矢先のことで、棚ぼた式に転がり込んできた最後のチャンスにほかならなかった。『卒業』でも『ローズマリーの赤ちゃん』でもオーディションで役を得られずにいた彼の、役者としての実力を世に問う絶好のチャンスであったはずだといえるだろう。しかし、ニコルソンは実にのびのび

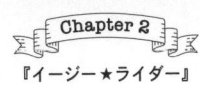

とこの役を演じている。たとえばウイスキーの瓶を口にして「ニック、ニック、ニック、ニック、ンーーッ　インディアン！」と意味不明のフレーズを唱えて観客の眼を釘づけにするなど、もとは理想に燃える弁護士だったが今ではすっかり堕落し、田舎町に埋もれてしまっている酔っ払いのジョージ・ハンソンという男に生命を吹き込んだのだ。彼がデニス・ホッパーの才能を空回りさせないための平穏さを撮影現場にもたらし、主演の二人を凌ぐほどの存在感でこの映画の魅力をさらに高いレベルにまで引き上げたことは、翌年のアカデミー賞で彼が最優秀助演男優賞候補に選ばれた事実が雄弁に物語っている。

演技という面において三人のうち誰が一番優れていたかということは別にして、演出面におけるデニス・ホッパーの才能は全編を通じて随所に見受けられる。アドリブのように見えるシーンでも実際は事前に綿密に計算されて書かれたシナリオに基づいていた。撮影現場でクルーを驚嘆させた演出の冴えは、たとえば地元の普通の人々をキャスティングする際にも見られた。レストランのシーンで、あからさまに彼らを敵意に充ちた眼差しで迎える地元の若者たちは、実はキャスティング担当者が事前に面接して選んでおいた者たちではなく、現場入りしたホッパーたちを映画撮影の一行だとは知らずに、長髪が「臭い」などと言って敵意をむき出しにした現地の若者たちをホッパーが起用したのだという。

ジャック・ニコルソンを加えての最初の夜のキャンプ・ファイヤーのシーンは、ニコルソン扮するジョージが初めてマリファナを試し、ＵＦＯの話をしているうちにラリってきてしまうシーンだった。何十テイクと撮影を続ける間、ずっと本物のマリファナを吸い続けていたニコルソンは実際に恍惚状態に陥ってしまったのだが、すっかり意気投合していたホッパーとニコルソンは二人でアシッド・トリップを試み、忘れられない体験を共有する。

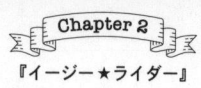

DH 撮影がオフのある日、俺とジャックはD・H・ロレンスの墓に行って、そこでLSDをキメたんだ。俺たちは墓石の前で横になって話していた。しばらくすると俺は、たくさんの虫たちが太陽の動きに合わせて俺たちのまわりを囲っているのに気がついた。そう伝えると、ジャックは「それこそ俺たちそのものじゃないか、俺たちはまさしく虫なんだ」と言った。それから俺たちは車で温泉に行った。そこでジャックが俺に、インディアンの娘と結婚しろよとけしかけた。酔っ払ったチカーノの男がやってきて、「お前たちヒッピーを見ていたい」と言ったので、俺は（警戒して）ナイフを取り出したんだが、いつの間にかその男も俺たちと一緒にトリップしていた。それから全員で車に戻り、ジャックと俺は夜中だというのにトラックの前を裸で走ったんだ。ジャックは叫んでいたよ。「俺たちは天才だ！　俺たちは二人とも天才なんだぜ、なあホッピー！」（＊19）ってね。

次の日、俺たちは一睡もしないまま、ニュー・メキシコ州のラス・ヴェガスに到着した。そこで留置所から出るシーンを撮ったんだ。だからニコルソンが登場したときのセリフは「さあ今日を記念して、D・H・ロレンスに乾杯！」だったというわけさ。（＊20）

乾杯してウイスキー瓶を口にしたニコルソンは、前述の有名な「ニック、ニック、ニック、ニック、ン〜〜ッ　インディアン！」をやるわけだが、この唐突な「インディアン」というアドリブが前夜ホッパーとともにインディアン娘たちとハチャメチャな時を過ごしていたことによるものだと考えると楽しい。ニコルソンは、これまで数多く経験してきたアシッド・トリップの中でもこのときが最高だったと後々まで語っているが、それはデニス・ホッパーにとっても同じことだったのだろう。のちに『イージー★ライダー』の収益がケタ外れのものとなり、それまで手にしたこともなかったほどの富を手にしたとき、デニス・ホッパーはこの思い出の地ニュー・メキシコ州タオスにあった、D・H・ロレンスが晩年、メイベル・ドッジ・ルーハンとともに住んだ（その後は一時ジョージア・オキーフも住んでいた）屋敷を購入し、同地に住むことになる。

さて、ホッパーとジャック・ニコルソンが撮影期間を通じて急速に親しくなっていった頃、ピーター・フォンダは何をしていたのだろう。

不遇の時代をともに過ごし、何年もの間一緒に自分たちの映画を作ろうと努力を重ねてきたピーターとホッパーの関係は、皮肉なことに二人がようやくつかんだチャンスであった『イージー・ライダー』の撮影期間中に明らかに悪化していた。もちろんそれには撮影準備段階で脚本化作業を巡って生じた軋轢（あつれき）やら、ニューオリンズでの最初の週の撮影でホッパーが手がつけられないくらいの錯乱状態に陥ったことだけでなく、本人たちにしかわからない心の葛藤があったのだろう。それでも、ここでたしかに言えることは、ホッパーはジャック・ニコルソンと羽目を外す一方、映画製作中に生じる諸問題を解決するためにプロダクション・マネージャーのポール・リュイスを頼るようになり、ピーターの方は共同プロデューサーとしてロサンゼルスでラッシュを観てはその出来栄えを報告してくれていた〝義兄弟〟ビル・ヘイワードと電話で話してばかりいたということだ。それでも撮影中にホッパーがいくら「監督は俺なんだから俺の言うとおりにしろ！」と高飛車な態度をとろうとも、ホッパーのクリエイティヴな才能を完全に認めていたピーターは、いつも一歩引いて指示に従っていた。

ピーターによれば、「演出上でデニスと僕との意見の食い違いはいろいろとあったけど、たいていは監督であるデニスをたてて僕は引き下がって済ませていた。だけど、初日の大騒ぎ以外にも、一回だけ口論となったことがあった」という。それはまさしく『イージー★ライダー』の撮影最終日のことで、ワイアットとビリーにとっても最後の夜となるキャンプ・ファイヤーのシーンだった。「フロリダへ行って引退だ！」とはしゃぐビリーに対して、ワイアットが「いいや、ビリー。俺たちは負けたんだ」と一言つぶやく。このシーンは作品で作り手が何を言おうとしていたのかを最終的に物語る大事なシーンで、いわば映画の根幹に関わる部分だ。

ピーターは次のように振り返る。

PH 二週間半の撮影日程を終えて、ロサンゼルスに戻ったところだった。デニスと僕は最後のキャンプ・ファイヤーのシーンを撮り忘れていたことに気がついた。忘れていたんだよ！　そのシーンがないと作品全体がとてもアンバランスになってしまう。それでわれわれは、そのシーンを撮るためにサンタモニカの山の中に行った。コオロギやら何やら虫がいっぱいいたよ。そのシーンにオートバイが映っていないことに気がついたかい？　実は僕たちのオートバイは盗まれてしまっていたんだ（＊21）。だけど、まあ「オートバイが画面に映ってなければならないってことはないさ」と考えたわけだ。デニスと僕は「牧師さんの小屋」と呼んでいたキャンピング・カーの中にいた。そいつはとても速くて良い設備が整ってはいたが、とにかく狭かった。そこで、デニスがまたわめき始めた。「俺たちはな……俺たちはこう言わなきゃならないんだ。俺たちは負けたんだ！　とな。なぜなら……」。僕は「そうだね。同感だよ。俺たちは負けたんだ、と言わなくちゃいけないね。それがすべてだよ」と言った。彼は「違うぞ、おい！　俺たちはヤクを売ったことで失敗したんだ、とか、俺たちは田舎に留まれずに失敗した、とか、大金に夢中になっているうちに失敗したんだ、とか、俺たちがすべてに失敗した理由、負けた理由を言わなけりゃならないんだ」と言うんだ。僕が「いいや、デニスそうじゃない」と言うと、

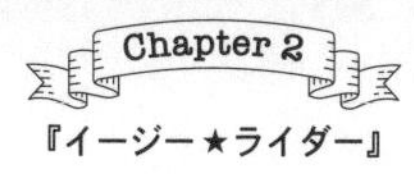

彼は「ちくしょう！」とまた叫んだ。僕が「いいや、デニス。そういう風にはしたくない」と言っても、彼は「理由を言わなきゃダメだ！」の一点張りさ。それでも、僕は「いいや、デニス。そうはしたくない。僕はただ単純に、俺たちは負けたんだ、と言いたいんだよ」と主張した。彼がなおも「もっとくわしく言わなけりゃダメだ！　なぜ言いたくないんだ！」とわめくので、僕は「疑問というものが必要だと思うのさ。どういう意味なんだろう？　……なぜ彼は〝俺たちは負けたんだ〟って言ったんだろうってね」と答えた。彼は「ダメだぞ、おい！　そんな風にはさせないぞ！」と行きつ戻りつ叫んでこうも言った。「なぜそんな風に演技したいんだ！」。僕は答えた。「ウォーレン・ベイティのように演技したいからさ。彼はいい役者だからね」。するとデニスは「ウォーレン・ベイティだと！　何だそりゃ！　くたばりやがれ！　なにがウォーレン・ベイティだ!?　そんな風には絶対させないぞ！」ときたよ（笑）。

「いいや、デニス。ウォーレン・ベイティはどんなセリフでも半分に省略してしまうんだよ。彼にセリフを渡すだろ？　すると彼はそれを半分に縮めてモゴモゴごもるというわけさ」

「くたばりやがれ！　そんな風にはさせないぞ！　俺たちは映画を作っているのに、貴様はウォーレン・ベイティがセリフを縮めるだの何だの言いやがって！」

「聞けよ、デニス。僕はただシンプルに行きたいだけなんだよ」。それで、結局どちらも譲らなかったんだ。彼も引かなかったし、僕も引かなかった。それで僕は答えを見つけてこう言った。

「デニス、二通りやってみよう」。それは監督にとってみりゃ恐ろしい言い方だよね。「二通りやってみようじゃないか。最初は君の言うやり方で、そして次に僕のやり方でだ。いいね？」。可哀相に彼は「俺にはスピードと酒が必要だ」と言い出した。気違い沙汰だよ。僕は「わかったよ。聞き入れてくれよな。さあ、外でスタッフがみんな待っているんだ。ラズロ・コヴァック

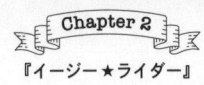

スや録音技師や他の誰もがだ。さあ、外へ出て僕らが一緒にやるっていうことを見せてやろう。僕らが反目し合っているわけにはいかないんだよ」。ようやくデニスは「わかったよ。外へ出てマスター・ショット（＊22）を撮ろう」と言ってくれた。僕は「デニス、僕は平気だ。炎を見て演技するから。こっち側から話しかけるのを忘れないでくれよ」と伝えて、炎を見ていた。（そのシーンの）僕の表情には何か困惑が見て取れると思うんだが、僕の困惑とはデニスのことだったのさ。僕は心の中でこう言っていたんだ。「デニス、とちるなよ！」とね。炎が揺れ、足を投げ出したデニスはこう切り出す。「よう、俺たちは金持ちだぜ！　フロリダで引退だ！」。僕はこういう風に（と再現しながら）炎を見ていた。デニスは「わかってんのか？　俺たちは金持ちなんだぜ！」と言い、僕は「ビリー……俺たちは負けたんだ」と言った。「どういう意味なんだ？　俺たちは大金を手に入れて自由になったんだ。俺たちは自由なんだろ？」。「いいや、ビリー。……俺たちは負けたんだ。おやすみ、ビリー」。僕はくるっと寝返って、背中のアメリカ国旗をキャメラに向けた。僕はデニスの顔を見ることができなかった。……これがご存知のシーンとなったんだ。「カット！」の声がかかったので向き直ると、デニスは僕の眼を見てこう言った。「オーケイ！　ラズリー（ラズロ・コヴァックスのこと）来てくれ」。そしてさらに僕をそのままにして彼の側に立ち「集中してくれ、ピーター！　集中して！　素晴らしかったぞ、おい！　素晴らしかった。本当にだ！　オーケイ、キャメラを百ミリのレンズに替えて、ピーターが〝俺たちは負けたんだ〟と言うのをあと十六回撮ろう！　さあ言ってくれ。もう少し間をとって！　もう一度！　考え続けて！　君の想いに集中し続けて！」。僕は炎を見つめながらこう考えていた。「俺たちは負けたんだよ……『イージー★ライダー』は失敗したんだ」僕は自分のチャンスを、独立した製作者としてやっていけるかどうかを考えていたんだ。「ダメだ。ハリウッドは正

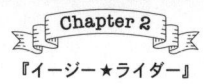

しくない。ハリウッドは何もわかっていない。製作費をいくらかけたかなんてことは映画の価値とは何の関係もない。大事なのは映画製作において、どれだけありのままでいられるか……どれだけ最後までやりとおせるかなんだ」。そんなことをずっと考えていた。ところが、僕が一緒に仕事をしているのは狂った男なんだよ。いつも酒を飲み、覚醒剤を常用している奴なんだ。俳優という立場に立てば、僕もそのことには寛容だった。表情が豊かになるしね。僕もある時期は使っていたわけだし、そいつを用いる俳優は別に珍しくない。僕がデニスに感じていた問題点は、僕には映画が本当にできあがるのかどうかがわからなかったということで、それが僕をひどく苦しめていた。一日に撮った分のラッシュ(現像された映像)を見ることができなかったので、まるで当てずっぽうに撮っているようなものだった。まあそういうことは当時はよくあることだったんだけどね。いちいちラッシュを見るほどのお金はなかったんだ。ロサンゼルスにいたビル・ヘイワードがラッシュを見ては、僕に電話をかけてきて「素晴らしいぞ!」と教えてくれていたんだけどね。ともかく、その一シーン——われわれの撮った最後のシーンのことだけど——のために、僕は十六回も「いいや、ビリー。俺たちは負けたんだよ」と言い続けた。何度も何度もね。心の中で「デニス、俺たちは負けたんだよ」と想いながらね(笑)。心の中ではそう思いながら、口では「いいや、ビリー。俺たちは負けたんだよ」と言っていたわけさ。「どういう意味なんだ? すべて手に入れたじゃないか?」「いいや、俺たちは負けたんだ。おやすみ、ビリー」

まあ、そんなところさ(笑)。(＊23)

この発言は、ある意味では『イージー★ライダー』が世に問おうとしていたテーマについてのイニ

シアティヴはあくまでも自分が握っていたというピーター側の主張であり、後に見るホッパー側の証言とはまったく相容れないものではある。だがそれにしても（ホッパーとて同じことだが）インタヴュー実施時点で二十三年も前に作った映画のことなのに、セリフや情景、そしてそのときの感情まで何とまあ鮮やかに再現してみせていることだろう。これはすなわち、二人ともが『イージー★ライダー』にそれだけ強い思い入れを持っていることの現れなのだろうが、思い入れ、こだわりが強い分だけ、のちに表面化してくる二人の間の溝も深くなっていく。

『イージー★ライダー』は撮影日程をすべて終了した後、編集作業、プロモーション、カンヌ国際映画祭での勝利、そして究極の商業的大成功へと一気に駆け抜けていくわけだが、その過程においてデニス・ホッパーとピーター・フォンダの人生は大きく離れ、それぞれ別々の方向へと進んでいくことになる。

©CPC-ER-54

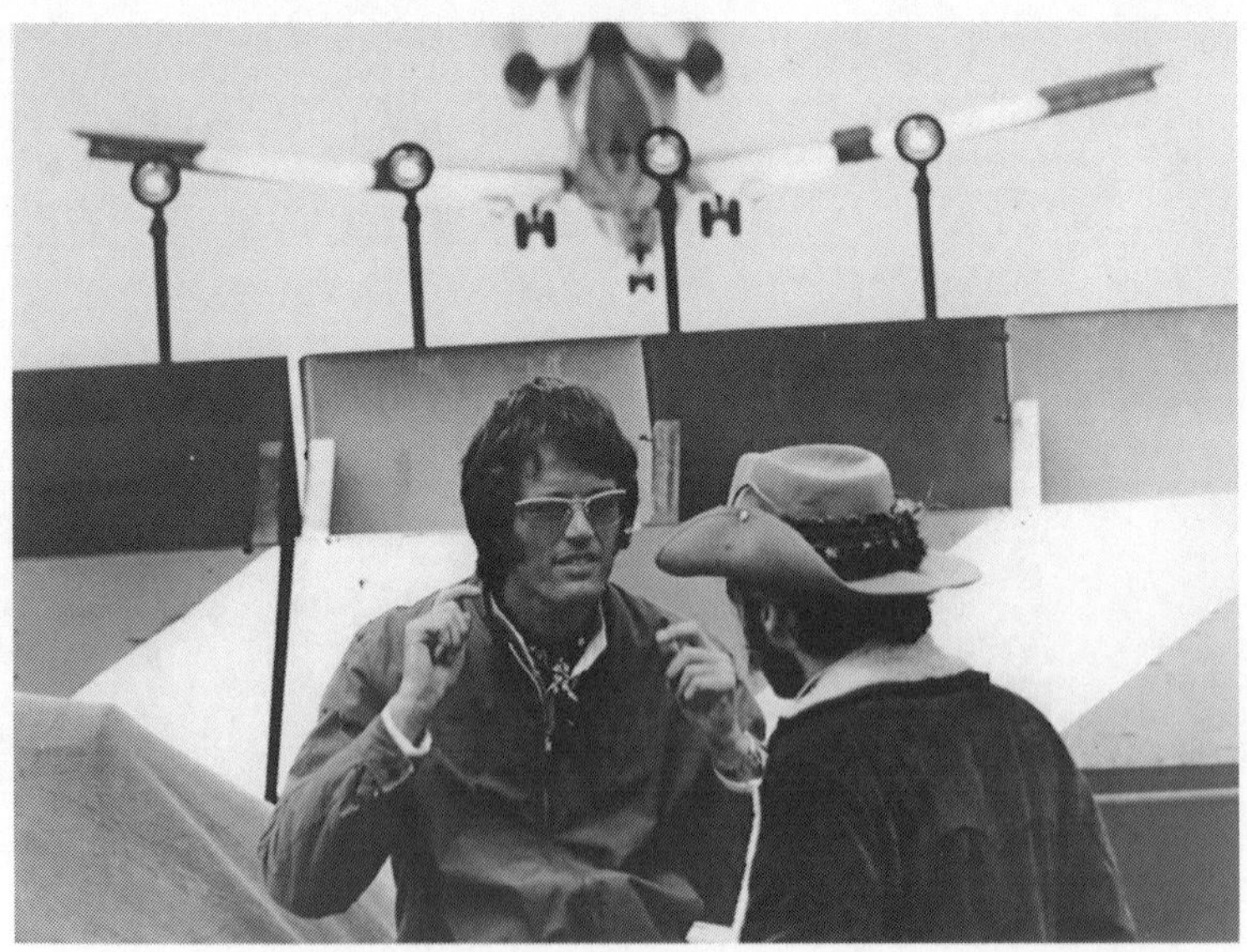

STANTON

Chapter 2

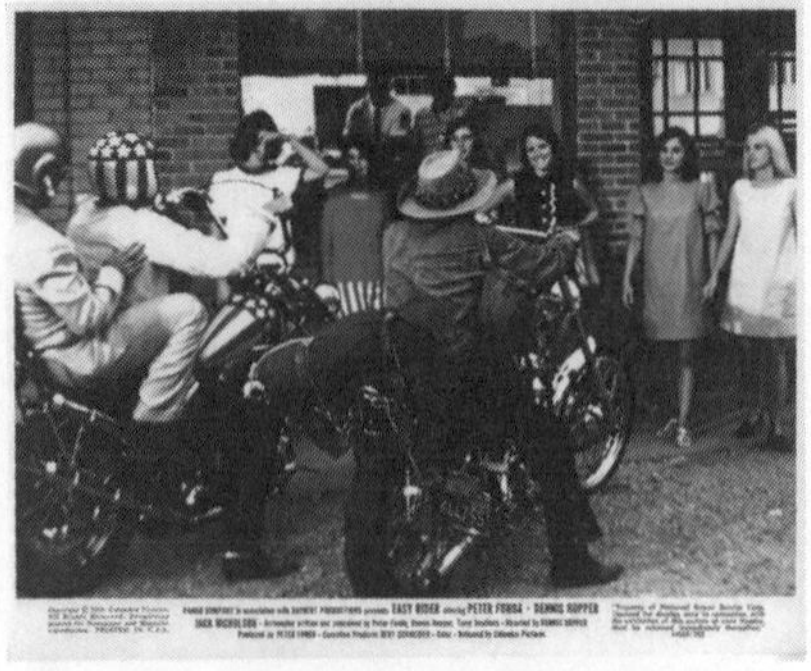
EASY RIDER
PETER FONDA • DENNIS HOPPER
JACK NICHOLSON

EASY RIDER
PETER FONDA-DENNIS HOPPER
JACK NICHOLSON

EASY RIDER
PETER FONDA-DENNIS HOPPER
JACK NICHOLSON

EASY RIDER
PETER FONDA-DENNIS HOPPER
JACK NICHOLSON

EASY RIDER
PETER FONDA-DENNIS HOPPER
JACK NICHOLSON
ENCO
GASOLINE

カンヌ映画祭でラインダンスを踊るデニス・ホッパー、ピーター・フォンダ、ジャック・ニコルソン。1969年
©Bettmann/Getty Images

03 名声

一九六七年三月――『イージー★ライダー』の撮影が開始される一年前――、ブルック・ヘイワードは夫デニス・ホッパーの暴力的な気質とドラッグの常用、そして幾度かの具体的な暴行の事実を理由に離婚を求める訴訟を起こした。六年前に二人が結婚したとき、すでにホッパーは十代の終わり頃につかんだ成功から滑り落ち、映画監督になる夢の実現のために悪戦苦闘していたわけで、ブルックにしても彼のその志をよしとし、才能を信じて一緒になったはずだった。

だが、彼女の両親の強力なコネを利用してでも地道にキャリアを積み重ねてほしいという願いもむなしく、ホッパーはパーティの席などで破壊的な言動を繰り返してはブルックのお膳立てを台なしにしてきたのだった。そんなデニスにブルックは疲れ果てていたし、彼がまともな仕事を探そうともせずにドラッグ仲間たちと「オートバイのクズ映画」を作ることばかりにうつつを抜かしていたことも彼女のいらだちに拍車をかけていた。

彼女が娘マリーンを連れて出ていった後も、ホッパーはたかをくくっていた。俺がいまやろうとしている仕事が一本の映画を監督するという長年夢見てきたことだとブルックだってわかっているはずだし、一緒にやっている連中だって彼女の弟たちなんだから、彼女にしたって無視するわけにもいかないだろう。

だが、ブルックはあくまでも離婚を求めた。彼女の父リーランド・ヘイワードは娘のこの決断を喜び、結婚以来初めて賢明な選択をした、と電話をかけてきたという。彼女に同情的だった裁判所はその訴えを認め、娘マリーンの養育権、家、美術品のコレクションなど財産すべてを彼女のものと認定した。離婚が確定した一九六九年春の時点ではホッパーがほぼ丸二年かけて完成させた映画『イージー★ライダー』はまだ公開前の段階で、ほとんど丸裸同然となったホッパーにはこの映画から生まれる収入だけが分与されるべき財産として認められた。ブルックにはそんな「オートバイのクズ映画」の一本でしかない作品から莫大な――ブルックが手にした財産よりはるかに多い――収益が生まれるとは想像もつかなかっただろう。

『イージー★ライダー』は一九六九年のサマー・シーズンに公開され、デニス・ホッパー、ピーター・フォンダ、そしてジャック・ニコルソンの三人に莫大な富とそれを上回る名声とをもたらすことになるが、「結果」について述べる前にこの作品をぶっちぎりの勝利へと導いた「要因」としての社会に対するメッセージ性や、そのスタイルの新しさを最終的に形作ったポスト・プロダクション（編集・仕上げ）作業についての彼らの証言、そしてこの映画で述べようとした内容そのものについての発言を整理しておこう。

実は、編集作業に関してデニス・ホッパーとピーター・フォンダの証言は大きく食い違っている。最終的に映画で提示されたクレジットでは編集担当としてドン・キャンバーンという名前が記されているが、ピーターは自分も含めてこの作品に関わった者みんなで編集作業を行ったと主張し、ホッパーの方はある一シーンを除けばすべて自分が編集をしたのだと述べているのだ。

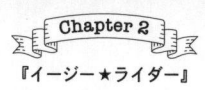

PF 僕たちはみんな、この映画の編集作業に加わった。デニス、ジャック、僕自身、バート・シュナイダー、ボブ・ラフェルソン、ビル・ヘイワードもね。誰もが編集室にやってきて、フィルムをカットした。そしてこの映画はみんなのものになったんだ。スタートの時点では「こいつは俺の映画なんだぞ！　誰も俺からこいつを奪い取ることはできないぞ！」だったわけだけ

れどもね（笑）。（＊24）

一方、デニス・ホッパーの方から見れば、事態は次のようなことだった。

DH 撮影を終えて戻ってくると俺は一年かけてそいつを編集した。で、編集作業の終わり頃には俺の映画は二時間の長さがあり、俺はそいつをまた——俺が一番気に入っていたのは二時間二十分版だったんだが——最終的にはだいたい一時間四十五分くらいにまでカットした。バートがそれでもまだ長すぎて、もう少しカットしなければならないと言うので、ボブ・ラフェルソン、ジャック・ニコルソン、ピーター、そしてヘンリー・ジャグロムが（編集室に）入ってきて、たった一シーン——レストランのシーンだけを編集した。ジャックとピーターと俺が道から外れて、ブーツを履いていることの意味についてのやりとりがあって、その晩、やつらが襲ってきてジャックが殺される、という展開の発端のところだ。あのシーンはもともとは、今、映画の中にあるシーンよりも二十分長かったんだ。それで、俺はもうそれ以上カットするに忍びなかったんで、彼らが二十分縮めたというわけだ。俺が戻ってきてその編集された版を観たら、そいつはもうまるでテレビショーのように（レベルの低い姿に）なっちまっていたよ。だがまあ、そいつはまた別の話なんでね。ともかく、これが編集に関する話のすべてでね。レストランのシーンに関しては彼ら全員が編集をして、俺はまったく関わらなかったということさ。（＊25）

このホッパーの発言は、九一年時点でのものであり多少の記憶の風化が見られる。七五年に受けたインタヴューでは、彼はこのレストランのシーン以外にも「さまざまなドラマチックなシーンが変え

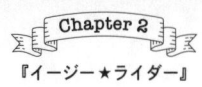

られた」と発言している。いずれにしても問題となっていたのは「長さ」という部分についてのみであり、興行的な効率という観点からこれを短くする必要があり（通常、一時間四十五分程度の長さであれば一日につき五回の興行が打てるが、二時間を越える作品の場合は四回しか上映できず、その分だけ興行収入が目減りするとみなされていた）、最終編集権を持っていたプロデューサーとしての立場からバート・シュナイダーらが手を加えたと見て良さそうだ。二人の証言に名前の上がった者たち、すなわちシュナイダー、ボブ・ラフェルソン、ピーター、ジャック・ニコルソン、ヘンリー・ジャグロム、それにビル・ヘイワードという面々を考えるとたしかに人数が多く、「みんなで協力して編集した」という感じに近い。ラフェルソンとヘンリー・ジャグロム（クレジット上ではコンサルタントとなっている。のちに映画監督になる）はレイバート・プロにおけるバート・シュナイダーのビジネス・パートナーであったから、事実上エグゼクティヴ・プロデューサーと同格の存在だったはずだし、ビル・ヘイワードにしても共同プロデューサーだったわけだから、本来編集に関われる筋合いでなかったのはジャック・ニコルソンただ一人だったということになる。だがホッパーはこの際何人で切り刻もうが一緒だと考えたのか、素晴らしい演技を披露してくれたジャックが「自分の出ているシーンを少し編集させてくれないか？」と尋ねたとき、これを快く聞き入れている。（＊26）

確実に言えることは、最後にもう十分ほど削ればいいというところまで編集をした——最終的には上映時間は一時間三十四分となった——のは間違いなくデニス・ホッパーであり、ラズロ・コヴァックスによって撮影された美しいアメリカの風景をバックに二台のオートバイが疾走するこの映画のイメージ的なシーンは、すべてホッパーの手によってバックに流れる既成のロック・ミュージックに合うように編集されたということだ。ロック・ミュージックの使用は今の映画界ではごくあたりまえのことになっているが、『イージー★ライダー』が初めて行なった試みであり、それまでの映画音楽は必ずその映画のために作曲されるのが常識だった。たとえば一九五五年の『暴力教室』ではビル・ヘイリーの名曲「ロック・アラウンド・ザ・クロック」がタイトル・バックに流されたりはした。だが、『イージー★ライダー』のように、あるドラマチックなシーンと次のシーンとの間に必ずイメージ・ショット的なバイクの疾走シーンが挿入され、そのバックにそれぞれ若い観客にとっては馴染みの深いロック系の（いわゆるハード・ロックではなく、当時アシッド・ロックまたはニュー・ロックと呼ばれていた）曲が挿入されるというスタイルはまったくもって新しかった。しかもそれぞれの曲の歌詞が映画の中で行なわれている主人公たちの行動と密接に結びつけられており、画面自体も音楽に合うように編集されていたのだから効果抜群。音楽と映像とが見事に相乗効果をもたらし互いを高めあっていた。もっとも、曲とその歌詞がシーンとシーンのつなぎ的な役割を果たすというスタイル自体は、たとえばホッパーが十代の終わり頃（ビリーという役で）出演した名作西部劇『OK牧場の決斗』などでも見られるわけで、ここで言う新しさとは、それをロック・ミュージックで行なったということだ。ともあれ、『イージー★ライダー』がその頃のハリウッド映画に飽き飽きしていた若者たちの圧倒的な支持を受けた理由のひとつは、間違いなくこの「既成ロック・ミュージックの使用とそれに合わせた編集」と見ていいだろう。このことに関して、ホッパーは次のように述べている。

DH あの頃は国中の若者がマリファナを吸うことに夢中になっていたから、映画の画面なんぞろくに観ないで、音楽ばかり聞いている状態だったんだ。だけど、当時の映画音楽ってのは昔ながらの古くさいものばかりで、ロック・ミュージックはまだ映画の中では誰も演奏したことがなかった。ところが『イージー★ライダー』がロック・ミュージックとともに彼らの前に現われたから、観客はそこに彼ら自身の姿を、彼ら自身の文化を、そして何よりも「時代の現象」を見いだしたのさ。俺は観客が音楽そのものを聞くことができるように編集し、あの時代の音楽のタイム・カプセルを作ったわけだよ。(＊27)

いくらピーターが「みんなが編集に関わったのだから、その功績も平等に分かち合うべきだ」と主張しようとも、デニス・ホッパーの感性こそが『イージー★ライダー』に時代に適合した感覚を与えたことは否定できないところだろう。ちなみにホッパーはその後の監督作品『ラストムービー』(七一年)でもカントリー・ミュージック界からクリス・クリストファーソンを引っ張ってきたし、『アウト・オブ・ブルー』(八二年)では親友の一人ニール・ヤングの同名の曲をモチーフに構成し、『カラーズ／天使の消えた街』(八八年)ではラップ・ミュージックを全面的にフィーチャーするなど、常にそのときどきの音楽的感性を取り入れた映画作りをしている。ピーターも、みなで作った作品だという基本的な考えは譲らないとしても、『イージー★ライダー』が監督デニス・ホッパーの類い稀なる才能によって生命を与えられたこと自体は、はっきりと認めている。

PF 撮影中、デニスが僕に「こうしてくれ」とか言って、僕が「いいや、そのやり方がいいとは思えない」と答えるようなことは何度かあった。プロデューサーとしてじゃなくて俳優としての立場からね。自分で本当に正しいと思えば僕は自分の考えを主張をした。だけどデニスはこう言うのさ。「(俺の意見に従うべき)ひとつの良い理由を教えてやろう。俺は監督なんだ！」ってね。だから僕は「わかったよ」と言うしかなかった(笑)。理屈からすると監督は監督をし、俳優は監督の言うとおりに演技するべきものだからね。そう理解したよ。だけどデニスは、たとえ僕が彼のことを狂っていたと思っていたとしても、ご存知のように、絶対に並みの奴じゃない。僕は彼がキャメラをどう扱えばいいかわかっていることを知っていたし、彼にはヴィジョンがあることもわかっていた。それは必要なことだった。僕はこの映画の発案者なわけだし、登場人物に対する考え方を持ってはいたが、映画そのもののヴィジョンは持っていなかった。だが彼にはそれがあった。彼はもっと深くまで理解していたんだ。僕に監督は務まらなかっただろう。僕はデニスからとても多くのことを学んだ。彼の仕事ぶりを見ていてね。だから僕自身ものちに監督をやれるようになったんだ。（＊28）

これはかなり核心をついた言葉だと思う。ただしデニス・ホッパーは、のちに見ていくように歳月を経るにしたがってピーターの果たした役割を過小評価するようになっていく。ここで公正さを期すための判断材料として、映画製作直後（公開の二週間前）に行なわれたインタヴューでピーター自身が語った彼の「アイディアの原型」について紹介しておこう。

PF（『ワイルド・エンジェル』でチョッパーにまたがったブルース・ダーンと自分の写真を見ていて浮かんだイメージは）ジョン・ウェインとワード・ボンド、あるいはモンゴメリー・クリフトの二人組だった。彼らは捜索者――いや、もしかしたらただの臆病者かもしれない、ってね。それはぶっ飛んだイメージだったよ。それから僕は、しばらくギターを弾いて、ドノヴァンの「太った天使」（＊29）を歌った。歌詞の最初の数行はこうだ。「彼はパイプに幸せを詰めて運んできてくれるだろう／そして彼は銀色のバイクで走り去るだろう／だけども彼はとても優しくて／君の心の中に吹く風のようだ／愛を運ぶ飛行機で飛び去ろう／今ならまだ間に合う……」。僕は思ったよ。「おい、そうだよ、これこそイメージじゃないか。銀色のバイクに乗った都会者が誰も彼も振り向

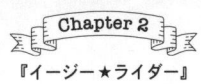

かせ、ただ走り去っていく……。まさにこれだ！」それで僕は考えた。「二人の男がドラッグで大儲けした後、すべてを売り払ってロサンゼルスからフロリダを目指すんだ。フロリダで引退するってことは、偉大なるアメリカン・ドリームそのものだからね。この国を横断し、その途中でいろいろなことが起こり、さまざまな状況の中で、さまざまな人たち、ヒッピーや南部の保守的な人たちなんかに出会って、彼らは自分たちを取り巻く現実と直面する」このときは実際のところまだヒッピーとか南部の人々といった考えは浮かんでいなくて、単に彼らがバイクで旅をするという考えしか持っていなかったんだけれどね。『二十日鼠と人間』のように片方の奴が主人公で、その相棒の男は引き立て役がいい。この相棒は自由を求め、それを手に入れたと信じ切っているが、主人公の方はいつもそれに確信を持てずにいる。そして最後には彼らは殺されてしまうんだ。僕は心の中でこう思った。『ワイルド・エンジェル』とか『白昼の幻想』を観てくれた反体制的な僕のファンの人たちはこう言うだろう。〝今回のフォンダはいろいろなことから逃れようとしているんだな。彼は逃げようとしているんだ〟とね。

僕たちが過去から持ち出してきてこの映画の原型としたもののひとつは、たとえば『黄金』だ。あれは三人の登場人物による物語だ。二人が三人になり、また二人に戻る。僕の役は、あの映画だと魅力溢れる若者ティム・ホルトが演じたパートの要素を持っている。ホッパーはボガートの役回りさ。だからニコルソンは、ウォルター・ヒューストンを若くした役柄を演じたわけさ。これはずいぶん変えているけどね。ウォルター・ヒューストンもまた厄介な飲酒問題を抱えていたんだが、まあいずれにしてもあの三人の男たちはうまく当てはまった。僕たちは三つの役柄がどれも等しく重要になるようにうまく変更をほどこしたように思う。『黄金』のヒューストンは素晴らしいけれども、あれはまさしくボガートの映画だった。だけど僕らの映画では、ニコルソンの役柄は三番目の男よりは小さいけれど、それでもなお最終的には、彼の役柄もまた、この映画の中心的部分の一部となっていくんだ。(＊30)

一九四八年製作の名作『黄金』はハンフリー・ボガート、ウォルター・ヒューストンそれぞれの代表作であるとともに、ウォルターの実の息子ジョン・ヒューストンが映画監督として不朽の地位を築いたアカデミー監督・脚本・助演男優賞受賞作だ。ついでに言うならば、ジャック・ニコルソンは映画界入りする前からこのウォルターとジョンのヒューストン親子を偶像視し続けていて、のちに『チャイナタウン』で俳優としてのジョンと共演してからは、彼と年齢差を越えた個人的な友情を育み、さらに彼の娘アンジェリカ・ヒューストンと結ばれることとなる。ニコルソンの出世作となった『イージー★ライダー』のジョージ・ハンソン役が『黄金』でのウォルター・ヒューストンの役どころを基にしていたのは奇妙な偶然の一致だと言えるだろう。

実は『黄金』は、デニス・ホッパーが「生涯のベスト5」の一本に数えている大のお気に入りの作品で、『ラストムービー』でもサブ・プロットとしてこの作品を引用しているほどなので、『イージー★ライダー』の原型のひとつとして『黄金』を持ち出してきたのは、もしかするとデニスの方だったのではないか。だが、ジョン・ウェインとワード・ボンド、モンゴメリー・クリフトというイメージは、やはりピーターの頭の中に最初に浮かんだものだったはずだ。彼らの演じた西部劇のヒーローたちは、ジョン・フォード、ハワード・ホークス、ヘンリー・ハサウェイといった名監督たちの手によって黄金期ハリウッドで繰り返し繰り返し映画化されてきた。もちろん、そこにはピーターの実父ヘンリー・フォンダの演じてきたヒーロー、『荒野の決闘』でのワイアット・アープ役も含まれる。ピーターがまだ幼かった頃、フォンダ家にはジョン・ウェインやジェームズ・スチュアートといったスクリーンのヒーローたちがやってきて父親とポーカーを楽しんでいたわけだし、俳優を志してからはピーターの心の底にはいつでも「父に認められたい」という気持ちがあったと想像できるからだ。強く頼もしかった父親の世代のヒーロー像についていけないものを感じ、反発しつつも自分にだってやれるのだと示したい。そのためには父親の世代におけるヒーロー像の象徴であった「西部劇」の型を借りて、これをある意味、模倣しながらも自分たちの世代に合うように換骨奪胎してみればいいのではないか……。

ピーター自身の心情に基づいたこういったアイディアを、デニス・ホッパーほど深く理解できる者はいなかっただろう。ホッパーは、黄金期ハリウッドの最後の数年間ともいえる1950年代後半に俳優としてデビューし、何度も「偉大な父親の影に押しつぶされそうになる弱い息子」という役柄を演じてきた。『ジャイアンツ』でも、『OK牧場の決斗』でも……。ホッパーは、実際に「父の世代」の監督ヘンリー・ハサウェイと衝突してハリウッドを追放され、のちに許されて彼が監督した二本のジョン・ウェイン主演の西部劇に出演したときは、偉大なウェインの前で命乞いをしつつ死んでいく役を演じているのだ。負け犬ホッパー……。

ピーターの屈折は、ある意味でその時代の若者全体に共通したものだったともいえるだろう。強い軍人だったアイゼンハワー大統領の時代は過ぎ去り、理想に燃えていた若きジョン・F・ケネディ大統領は凶弾によって無残に死んでいった。ヴェトナム戦争はどんどん泥沼化していき、「強いアメリカ」という誇りそのものが失われつつあった。そんな時代にあって、古き良き時代、アメリカが強かった時代の象徴である「西部劇」のヒーローを模した主人公たちが自由を求めてアメリカを旅し、結局は敗北していくという物語のアイディアは、それ自体で若い世代に受け入れられる可能性を十二分

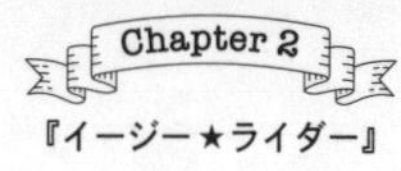

に持っていたといえるだろう。そしてこのピーターのアイディアの潜在的な可能性をより確固たるものにしたのが、デニス・ホッパーの持っていた「ヴィジョン」だったのではないだろうか。

DH 俺には、あの時期の映画作家として、とても崇拝する二人の人物がいた。一人はジョン・フォード、彼は西部劇を創った。もう一人はルイス・ブニュエル。彼は社会を批判する目を持っていたし、リアリズム的演出と、あるシーンに何かを象徴させるような演出のどちらも併せ持って荘厳な作品を作り上げていた。彼らの作品には多くの隠喩——たとえばインディアンの魂の暗黒面に関する言及とか、白人キリスト教徒対アメリカ・インディアンの文化的摩擦とか、純真なカウボーイ（笑）とアウトローの対比といったもの——が隠されている。奇妙なことにアメリカではアウトローはいつでも認められていたんだ。子供にとってのヒーローは、無法者ビリー・ザ・キッドだったり、ジェシー・ジェームズとフランク・ジェームズだったり、貧しい者に施しをする悪人ロビン・フッドだったりするわけだ。映画という〝神話〟においては、奇妙なことに犯罪者（アウトロー）っていうのはオーケイなんだ。その方がより刺激的だからね。だけど、俺には大多数のアメリカ人の精神は混乱しているように思える。ゴッドファーザーだろうが、マフィアだろうが、映画の主人公になってしまう。彼らは闇の世界の犯罪者であるにも関わらず世間の人々に認められてしまうんだ。人々がそれを認めてしまうってことは恐ろしくもあり、驚くべきことでもある。（『イージー★ライダー』も）主人公たちは犯罪者なんだ。彼らは同時にカウボーイでもある。馬の代わりにオートバイにまたがってはいるが、同じことさ。彼らは道端でキャンプしたりヒッピーのコミューンを訪れたりする。ヒッピーたちはある意味インディアンなんだよ（笑）。そして、どこに行っても階層があって、混乱していて、カソリックだろうが

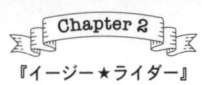

プロテスタントだろうが、アフリカや一種のヒスパニック的な原始的な感情も持っている。それに長髪というのも、ある意味象徴的だ。独立戦争当時、アメリカとイギリスは敵味方を髪の形でお互いに見分けていたんだ。髪が長くてリボンや蝶ネクタイで結んでいれば、それは革命軍（つまりアメリカ側）の兵士だった。俺がコミューンのシーンに入れた唄があるだろ。〝（節を付けて）How would wear your hair does your hair hung low, do you tie in the ribbon or tied in bow?……〟あの唄をコミューンのシーンに入れたことで、俺はこう言いたかったんだ。「ヴェトナム戦争に反対しているなら髪を伸ばせよ！」とね。わかるかい？　それで登場人物たちの立場がわかるわけだ。髪が短かければ戦争肯定ととれるわけさ。こういった伏線は『イージー★ライダー』全体を通じて、二重の意味として込められている。映画を通して、目立ってはいなくても実際に存在しているんだ。

――それであなたは自分の役、ビリーをビリー・ザ・キッドの、そしてピーターの役キャプテン・アメリカことワイアットをワイアット・アープの象徴としたわけですね。

DH　そのとおり。ビリー・ザ・キッドは犯罪者さ。彼は西部開拓時代の有名なアウトローだ。ワイアット・アープは保安官として知られているけど、実は彼もまた犯罪者なんだ。二人とも犯罪者なのさ。たんに法律にはもうひとつの側面があるということなんだよ。それだけじゃない。ヴェトナム戦争に従軍した若い中尉かなんかが故郷へ帰って、若者たちに「のちに続きたまえ！」とか言って鼓舞するだろ。ビリーだって、戦争が正義だなんて信じちゃいないが、結局はワイアットについていくわけさ。このふたつの異なる層があることにも言及したかったんだ。

それから俺は「マザー・グースの唄」の詩のことも考えていた。「マザー・グースの唄」は親が子供に語って聞かせるもので、大昔の英国で書かれたものだ。革命の時代にね。それは子供

用のお伽話という形を借りて、その実、革命的なメッセージを伝えるものだった。「(暗記している詩を口ずさむ) Little Jack Horner sat in the corner, Eating a Christmas pie (ジャック・ホーナーはちびっこ　座ってる　隅っこ　食べているのはクリスマース・ケーキ)」とか「Jack be nimble, Jack be quick, Jack jump over, The candle stick (ジャックはすばしっこい　ジャックははやい　ジャックはとびこえる　ろうそくを)」とかね(＊31)。すべてのことが他のすべてのことへの言及になっているんだ。ジャックは王子で、ろうそくは王様を象徴しているとかね。それで、俺は「マザー・グースの唄」の詩のような二重の意味を持つ言葉を使って映画を作ってみたかったんだ。

音楽についていえば、音楽には聴く者の気持ちをひとつにする効果がある。若い観客たちはすでに音楽を通じてサブカルチャーの洗礼を受けていた。なぜなら音楽は、新しい価値観が受け入れられるよりずっと早く、真っ先に受け入れられるからね。それでまあ、すべてがうまくいったわけだ。それは今までに誰もやっていなかった、最高の、そして真実の方法だったんだ。(＊32)

ブルック・ヘイワードが「オートバイのクズ映画」と考えていたものには、実際にはこれだけの深い意味が込められていたのだ。そして、遂に映画が完成し、初号プリントが内々で上映されたとき、関係者の誰もがこの作品の勝利を確信した。バート・シュナイダーとボブ・ラフェルソンはすぐに、一九六九年の五月に開催される予定の第二十二回カンヌ国際映画祭に出品する準備を始めた。撮影最終日に「デニス、俺たちは負けたんだ。『イージー★ライダー』は失敗したんだ」と心の中で呟いていたピーターは、その三週間後にそのシーンのラッシュ・フィルムを観て考えを改めていた。そして、完成した初号プリントを見た彼は、自分が父や姉に負けない素晴らしい映画を作ったのだと自信を持ち始めていた。やがて、コロムビア映画の試写室で業界向けの試写が行なわれるようになると、

じわりじわりと「デニス・ホッパーとピーター・フォンダがとてもいい出来の映画を作ったらしい」という評判が広がっていった。

とはいえ、マスコミの、それも大手のお堅い新聞・雑誌による『イージー★ライダー』に対する評価は当初さほど芳しいものではなかった。たとえば「ニューズウィーク」誌のジョゼフ・モーゲンスターンが、フォンダとホッパーに対して嫌悪感を抱いていたのは明らかだ。だが、それでもなお、この作品は彼にこう書かせるだけのインパクトを持っていた。

映画を見ながら、何度ピーター・フォンダとデニス・ホッパーの肩をつかんで揺さぶり、わが道を行く勇者ぶりに酔いしれた愚劣な演技をやめさせたい衝動にかられたことか。

そもそも俳優としてのフォンダを、評者はあまり好きになれない。ユーモアのなさ、繊細さを気取るいやらしさ、何か厳粛な使命を帯びているとでも言いたげな深刻ぶった顔つき……。

改造オートバイに乗った二人の放浪者が、州間ハイウェーを疾走する詩人だとはとても思えなかったし、彼らを汚れなき時代の終焉に向ってひた走る現代の神話の主人公とみなす気も毛頭なかった。だが自分でも驚いたことに、評者はこの映画にすっかり魅了され、深く心を揺り動かされてしまったのだ。（「ニューズウィーク」一九六九年七月二十一日号）

もっと作り手たちの立場に近い、つまり一般の観客と同様に反体制的な立場に立っていた人々はより好意的な感想を持った。たとえば、当時自主映画製作を続けるかたわら映画批評を手がけていたドイツの若者ヴィム・ヴェンダースは、コロムビア映画ドイツ支社の試写室でこの作品に接してこう述べている。

この映画の物語は、そこに流れる音楽の物語でもある。映画が封切られる前にレコードが出てすでにお馴染みになっていたロックとフォークが十曲。それらは映像を引き立てるための添え物ではない。その逆だ。映像が曲について語っているのだ。（中略）『イージー★ライダー』は単なる政治的な映画ではない。なぜなら映画は、冒頭で、ピーター・フォンダとデニス・ホッパーがどのようにしてコカインの取引をするのか見せるし、彼らがどのようにして濡衣を着せられて留置所に放りこまれるか、彼らがどのようにしていとも簡単に撃ち殺されるか、ジャック・ニコルソンがどのようにして自警団に殴り殺されるか、シェリフにどれくらい権限があるかを見せるからだ。この映画は、それが美しいという理由によってのみ政治的だ。二台の大型バイクがロサンゼルスからニューオリンズへ向かう間に通り過ぎて行くアメリカの大地と風景が美しいから。この土地から映画が切り取ってみせる映像が美しく静謐（せいひつ）だから。映画の中に流れる音楽が美しいから。ピーター・フォンダの身のこなしが美しいから。デニス・ホッパーがただ芝居をしているだけでなく、同時に一本の映画を撮りつつあるのだということが見てとれるから。（中略）

映写が終り、気を滅入らせた二、三人の友人と泣きじゃくっていた一人の娘と一緒に、厚い絨毯が敷かれ、座り心地のいい肘掛け椅子と灰皿が置かれ、赤いカーテンと防音壁に囲まれたコロムビアの試写室から出てきたとき、私は、一種異様な感じで、まるで映画の中にいるみたいだと思った。もしこれが西部劇なら、見終って映画館から出るとすぐに煙草に火をつけ、深呼吸して、酒場から厩舎へと道を横切っていくような気分で車まで歩いていくのだが、そういう感じでもない。むしろ、前に何度も観たことがある映画で、今回は上映中に何度も眠りこんでしまい、目を覚ましたわずかな隙に、よく知っているセリフのやりとりやクロース・アップ

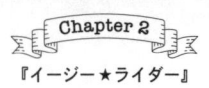

が飛びこんできて、カーテンが閉まってみんなが押しあいへしあいして出口に向かうのではっとわれに返り、それでもまだ完全に目が覚めず、映画の夢の中にどっぷり浸かったまま外の通りに出てきたような……そんな気分だ。ヘッドフォンでレコードを聴いていて、ヘッドフォンを外したとき、スピーカーからも音が出ていたのを知ってどきりとする……そんなときみたいな。

コロムビア映画のビルの前に立って、自分が映画に出ていた人間たちにそっくりなこと、自分もジミ・ヘンドリックスが好きで、いくつものカフェで客扱いしてもらえず、些細なことで留置所に放りこまれた経験がある……そんなことを改めて確認した。

いつか、まわりにいる大人の男たちも、自分に向かって発砲するのかもしれない、と私は思った。(＊33)

ヴェンダースのこの鋭い分析は、多くの若い観客が無意識のうちに感じ取っていたものを代表する意見だったのだろう、ほどなく全世界の若者たちがこの映画を熱狂的に迎え入れることになる。

一九六九年のサマー・シーズン、劇場で一般公開されるのに先立つ同年五月、カンヌ映画祭ではルキノ・ヴィスコンティ審査委員長らによる審査の結果『イージー★ライダー』に「新人監督による作品賞」と、「国際エバンジェリ委員会映画賞」という賞が与えられた。グランプリ（一九七五年以降は「パルムドール」と名称が変更された）こそイギリスのリンゼイ・アンダーソン監督による『Ｉｆ　もしも…』に譲ったものの、アメリカ映画のカンヌ映画祭での受賞は一九五七年の『友情ある説得』以来の快挙だったから、これはどこに出しても恥ずかしくない立派な勲章と言っていいだろう。自分の才能を世に問うチャンスを探していたデニス・ホッパーにとっても満足すべき成果だと言えた。だが、ホッパーは「どんな映画作家だって処女作を発表するときには同じことを考えるものだろうが」と前置きした上で、「絶対にカンヌでグランプリを取ると思っていたので、それを逃して残念だった」と語ってくれたことがある。

そして『イージー★ライダー』のカンヌでの成功は、デビュー以来十二年間もの間「売れない俳優」の悲哀を味わい続けてきたジャック・ニコルソンの人生をも変えた。

JN カンヌに行くまでもなく、この映画が世界中の観客に巻き起こすであろうパワフルな影響力を感じていたよ。実をいえば、この直前まで、(俳優はやめて)監督としてやっていこうと考えていて、ボブ・ラフェルソンとバートと一緒にいくつかの企画を進めてもいた。しかし、カンヌ映画祭の上映に立ちあって、俺の考えは変わった。カンヌの観客が相対的に、一般の映画館の観客より大きな反応を示すと知らなかったわけじゃない。しかし、俺は、あそこで起きたこと、あの大反響、拍手喝采の真の意味を理解した数少ない人間の一人だったと思う。「これだ! 演技にもう一度戻るぞ、俺は映画スターだ!」と自分に言いきかせた。本当に口に出してそう言った。「俺は映画スターだぞ!」ってね。

しかし、映画を観る目の肥えたカンヌの観客に受けたとはいっても、しょせん『イージー★ライダー』は低予算の小品に過ぎない。興行マーケットにおいては、大スターが出演した大作映画——バーブラ・ストライサンドの『ファニー・ガール』、御大ジョン・ウェイン主演の『勇気ある追跡』といった本命の足元にも及ばないだろうという意見が業界では一般的だった。だが、七月十四日にニューヨーク、マンハッタンの「ビークマン劇場」において『イージー★ライダー』が先行公開されるやいなや、ハリウッドのお偉方たちもこの作品を無視できなくなった。同劇場では初日から大勢の観客が列を連ね、あっという間に同劇場の興行収入の記録を塗り替え、最終的には何と二〇万八三二八ドル、つまり一劇場だけでこの映画の製作費の半額以上もの額を稼ぎだしたのだ。さらに公開規模が拡大していくにつれて、下馬評の高かった何百万ドルもの予算をかけた大作群が次々と惨敗していくのを尻目に、『イージー★ライダー』は最終的に六〇〇〇万ドル以上もの収益を上げ、コロムビア映画にも同社の六〇年代の全配給作品の中でもトップ・クラスの興行収益をもたらすこととなった。何より特筆すべきことは『イージー★ライダー』がわずか三七万五〇〇〇ドルの予算で作られたことだ。長いハリウッドの歴史の中でも、これほどまでに利益率の高い作品は存在しなかったのだ。極端な言い方をすれば、『イージー★ライダー』はハリウッドの経済を根底から覆した。ハリウッドの映画製作のあり方そのものを変えてしまったのだ。

その頃のハリウッドでは、〝スタジオ・システム〟と呼ばれる長年の映画作りのスタイルが機能不全に陥っていた。それまで、大手の映画スタジオは、俳優や監督、スタッフなどをすべて自分たちの契約下に置いて、企画を定め、製作スケジュールをすべてコントロールしていた。工場から製品がベルトコンベアーで自動的に送り出されてくるように映画を次々と製作し、公開し、安定した収益を上げて行くというビジネス・モデルが当たり前だったのだ。しかし、テレビの普及とともに、そのシステムは次第に破たんし始め、この頃には巨額の製作費を投じて公開した大作映画の数々が若い映画観客からはもはや見向きもされないという現実に直面していた。

もちろん、新しい血を入れて活性化するという手法はいつの時代にもとられていて、その中から『卒業』のマイク・ニコルズ監督、『明日に向って撃て!』のジョージ・ロイ・ヒル監督、『俺たちに

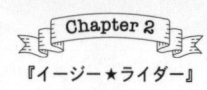

明日はない』のアーサー・ペン監督、『真夜中のカーボーイ』のジョン・シュレジンジャー監督のような舞台演出家やテレビ演出家が映画界に進出し、活躍していたわけだが、それらの作品や外部人材の活用は既存の映画産業界の枠組みの中で試みられた、いわば対処療法にすぎなかった。

『イージー★ライダー』がそれらのいわゆる〝アメリカン・ニューシネマ〟の作品群と根本的に違っていた点は、映画以外の領域ですでに確固たる成果を出していた人材を招き入れたのではなく、演出の経験もプロデュースの経験もないまったくの新人二人による企画であったこと。にも関わらず予想をはるかに上回る結果を出してしまったことにある。つまり、過去の実績などから推し量れるようなクオリティの保証がまったくない未知の新人であっても、チャンスを与えれば大きな収益を生み出す可能性があるということを実証して見せたのだ。

『イージー★ライダー』が圧倒的な成功をつかみとったことにより、ハリウッドではそれ以降、経験はさほどなくても才能がありそうだと判断された若いクリエイターたちに投資するという道がひらかれることになった。それはまさしくハリウッドに新しいルールが作られたことにほかならず、その新しいルールの中でチャンスをつかんで成功を勝ちとっていったのが、スティーヴン・スピルバーグ、ジョージ・ルーカスといった、その後のハリウッドの中心的立場に立っていく者たちだった。

古い世代の保守的な映画人の一人であったヘンリー・フォンダは、彼の息子の偉業について感慨深げにこう語っている。

あの子には畏敬の念をおぼえる。この仕事の技術的な側面に関する彼の知識は、わたしの及ぶところではない。彼は俳優とプロデューサーを兼ねていたんだから。それにしても、ピータ

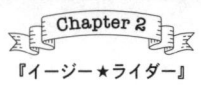

ーとジャック・ニコルソンとホッパーが、マリファナを吸いながら「ヘイ、メーン……」なんて言いながら、大金ばかりか批評までかっさらってしまうなんて想像できただろうか？『イージー★ライダー』は、はした金でひと財産かせぎだしたわけだが、ピーターは馬に乗る必要すらなかったんだ。（＊35）

何年か前、ジェーン・フォンダとロジェ・ヴァディムが借りていたマリブの別荘で、長髪になったピーターがホッパーやボビー・ウォーカー（彼もまた『イージー・ライダー』にヒッピーの一人として出演した）といった仲間たちとアルコールやドラッグに浸っているのを苦々しい思いで見ていたヘンリー・フォンダも、今度ばかりは自分の先見の明のなさを素直に認めざるをえなかった。

ピーター・フォンダは彼が欲してやまなかった父親からの称賛をとうとう手に入れた。デニス・ホッパーもジャック・ニコルソンも彼らが一番欲していたものをそれぞれ手に入れた。――『イージー★ライダー』は、製作に関わったすべての者の人生を変えたのみならず、大勢の観客たちの人生にさえも影響を与えた。自らもこの作品によって一躍メジャーな存在となった撮影監督ラズロ・コヴァックスは、この作品の果たした役割についてこう分析している。

LK 幸運だっただけだとか、キャメラを回したらたまたま俳優が理想的に撮れただけだとか言われたりしたよ。なるほどたしかにツキはあったけれど、自分たちにとっての幸運は、公開されたときに観客があの映画を受け入れてくれたことだ。タイミングがずれていたら、いまだにお蔵入りになったままだったかもしれない。しかし幸運なことに、公開はどんぴしゃのタイミングだった。多くの若者が、自分たちの悩みをあの映画の中に描かれていた自由の探究と結びつ

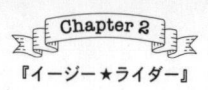

けたんだ。あの時代、若者たちがそれぞれに抱えていたいくつもの問題の核心を、あの映画は突いていたんだよ。

今じゃ常識だけど、『イージー★ライダー』は映画作りの方法を根底から変えてしまった。なにも『イージー★ライダー』がその最初の作品だと言っているわけじゃない。そういう動きは何年も前にすでにはじまっていたからね。その運動に加わったのは僕だけじゃない。他の撮影者やフィルムメーカーも同じように関わっていた。初めの頃はサウンドステージ（撮影スタジオ）を借りる余裕がなくて、ロケ撮影をするよりほかに手がなかった。だからスタジオから外に出て、本物をスクリーンに映しだした。それがドラマに今までにない新鮮さと現実味を与えることになった。

（中略）繰り返すようだが、あの企画に参加できて、そしてあの瞬間、あの場に居合わせることができて本当に幸運だったと思っている。あのときをきっかけにして、映画製作のあり方だけでなく、興行を通じての観客との意志疎通という面からも、大勢の人間の進路が変わってしまったからね。『イージー★ライダー』で人生が変わったと言う人と、今でもときどき出くわすよ。（＊36）

『イージー★ライダー』の成功は一九六一年から十年間に及んだデニス・ホッパーとピーター・フォンダの協力関係の頂点であったと同時に、その後の確執の出発点でもあったのだが、それが明らかになるのはまだ先の話だ。一九六九年後半の時点では、二人は成功の余韻の中で協力関係を維持しつつ、それぞれが次に世に問うべき作品を模索し始めていた。

Chapter 2

『イージー★ライダー』

＊1 ピーター・コリアー「フォンダ／ヘンリー、ジェーンそしてピーター」（キネマ旬報社、一九九一年、拙訳）、一七〇頁

＊2 インタヴューB

＊3 インタヴューA

＊4 Peter Fonda interview by Tony Reif & Iain Ewing, June 26,1969. "Take One" Vol.2, No.2, 1969. p.6

＊5 親しい間柄で呼びかける際に用いる言葉。ニュアンスとしては「よぉ！」とか「お前さん」に近い。

＊6 Peter Fonda interview by Tony Reif & Iain Ewing, June 26,1969. "Take One" Vol.2, No.2, 1969. p.9

＊7 リンドン・B・ジョンソンはケネディ大統領暗殺の後を受けて大統領に就任した（63～69年）、ロバート・マクナマラは国防長官、ディーン・ラスクは国務長官だった。

＊8 インタヴューA

＊9 同上

＊10 九四年三月、筆者は来日したロジェ・ヴァディム監督とデニス・ホッパーと共に日光・京都へ旅行する機会を得たが、その間ヴァディム氏から当時の経緯について折りにふれ話してもらった。『世にも怪奇な物語』撮影中のテリー・サザーンとピーターの件についても、彼は自伝「我が妻バルドー、ドヌーヴ、J・フォンダ」（中央公論社、一九八七年刊。吉田暁子訳）に記したとおりだった、と述べている。

＊11 マルディグラとは謝肉祭の最終日、灰水曜日の前日のことで、ニューオーリンズ・マルディグラは、リオのカーニバルなどとともに世界の主要カーニバルのひとつに数えられる。例年二月から三月の間に、マルディグラの日を最終日とする十一日間にわたって祭りが続き、マルディグラ・カラーと呼ばれる紫・金・緑の三色（それぞれ正義・権力・運命を意味する）に町中が染まる。

＊12 インタヴューB

＊13 Peter Fonda interview by Tony Reif & Iain Ewing, June 26, 1969. "Take One" Vol.2, No.2, 1969. p.7-p.8

＊14 メソッド・アクティングとは、ロシアの演出家スタニスラフスキーの影響を受けたリー・ストラスバーグらアメリカの演劇人が、一九四〇年代にニューヨークで確立・体系化させた演技法・演劇理論。役柄の内面を注視し、キャラクターの感情を追体験することで、より自然でリアルな演技表現を目指す。アクターズ・スタジオ出身のマーロン・ブランドやジェームズ・ディーン、モンゴメリー・クリフト、ポール・ニューマンらによってハリウッドにも浸透し、その後、ダスティン・ホフマン、ロバート・デニーロ、アル・パチーノらが続いた。

＊15 エクスプロイテーションとは「搾取」の意味で、「エクスプロイテーション・フィルム」とは、観客から入場料をまきあげるべく安手に作られた映画やヒット作の二番煎じ映画などのこと。

＊16 デニス・シェファー&ラリー・サルヴァート「マスターズ・オブ・ライト」（フィルム・アート社、一九八八年。高間賢治、宮本高晴訳）に収録されたラズロ・コヴァックスのインタヴュー。一九二頁

＊17 Dennis Hopper interview. Robert David Crane & Christopher Fryer "Jack Nicholson: Face to Face", M Evans and Company Inc., NY. 1975. p.72

＊18 インタヴューA

＊19 「ホッピー」とは、ジャック・ニコルソンらがよく使っていたデニス・ホッパーの愛称。

＊20 インタヴューA

＊21 撮影用に用意されたバイクは合計で四台あったが、ピーター・フォンダの証言の通り、そのうちの三台までは撮影終了前にすべて盗まれてしまったという。残ったのはラスト・シーンで破壊されたキャプテン・アメリカのバイク一台のみで、これはのちに俳優ダン・ハガーティによって修理され、二〇一四年にオークション会社の手で、百万ドル以上の推定落札価格を見積もられてオークションに出品された（落札金額は不詳）。

＊22 あるシーンの基盤となる映像のことで、基本となる位置から登場人物を全員画面フレームに入れて関係がわかるように撮影するショット。

＊23 インタヴューB

＊24 同上
＊25 インタヴューA
＊26 インタヴュー時ではないが、筆者はこの話を直接デニス・ホッパーより聞いたことがある。
＊27 インタヴューA
＊28 インタヴューB
＊29 「太った天使」が収録されているドノヴァンのアルバム「サンシャイン・スーパーマン」のジャケットを撮影したのは、ホッパーとの対立から『イージー・ライダー』の撮影担当を辞したバリー・ファインスティンだった。
＊30 Peter Fonda interview by Tony Reif & Iain Ewing, June 26, 1969. "Take One" Vol.2, No.2, 1969. p.8-p.9
＊31 和田誠訳「オフ・オフ・マザーグース」（筑摩書房、一九八九年）、鳥山淳子「映画の中のマザーグース」（スクリーンプレイ出版、一九九六年）より
＊32 インタヴューA
＊33 ヴィム・ヴェンダース「エモーション・ピクチャーズ」（河出書房新社、一九九二年刊。松浦寿輝訳）。（初出はミュンヘンの「フィルムクリティック」誌、一九六九年十一月号）
＊34 ジャック・ニコルソン／インタヴュー［顔のない顔］ON SCREEN ／インタヴュー＝ビバリー・ウォルカー／構成＝川口敦子（「Ｓｗｉｔｃｈ」一九八八年十月号＝Vol. 6, No. 5）十二頁
＊35 ハワード・タイクマン「ヘンリー・フォンダ マイ・ライフ」（文藝春秋、一九八二年刊。鈴木主税訳）二七六〜二七七頁
＊36 前掲「マスターズ・オブ・ライト」に収録されたラズロ・コヴァックスのインタヴュー。一九四頁

Chapter 3

それぞれの道

1971年1月21日、ピーター・フォンダ、アレハンドロ・ホドロフスキー、デニス・ホッパー（ロンドン空港にて）
©George Stroud/Daily Express/Getty Images

01 『ラストムービー』の挫折。そしてタオスへ

一九六九年十月十二日、「ニューヨーク・タイムズ」紙は「デニス・ホッパーが『イージー★ライダー』の成功に伴う大騒ぎの真っ只中で、早くも監督第二作目となる作品『ラストムービー』の準備に取りかかった」と報じた。記事は「新作は彼がメキシコでヘンリー・ハサウェイ監督、ジョン・ウエインとともに『エルダー兄弟』を作っていたときの経験をもとにしており、劇中で描かれる映画撮影のシーンを撮影するにあたって当のハサウェイとウェインに出演を要請した」「ユニヴァーサル映画が製作費を負担し、撮影は来月からペルーにて行なわれる予定である」、そして、「この作品の後には再びピーター・フォンダと組んで『セカンド・チャンス』という作品——二人が『イージー★ライダー』の製作資金を調達しようと奔走した日々をドラマ化したもの——に取りかかる予定だ」と伝えている。

『イージー★ライダー』公開からわずか三か月後の時点の、この記事から読み取れることは、いかにデニス・ホッパーが一度は頓挫した『ラストムービー』を作りたいと望んでいたか、いかにユニヴァーサル映画が、ひいては映画産業全体がデニス・ホッパーの才能——お金を稼ぐ才能——に大きな期待を寄せていたか、そしてこうした記事が書かれること自体、いかにデニス・ホッパーの動向がマスコミから注目されていたかということだろう。ついでに言えば、この記事が、『セカンド・チャンス』について「ジャック・ニコルソンが登場してほしいものだ」という記者の意見でまとめられていることから、この時点ですでにニコルソンの存在が大きくクロース・アップされ始めていたことも表している。

実際のところ、デニス・ホッパーは一九六九年の後半から一九七〇年にかけて世界中で最も注目されている人物の一人だった。「ショウ」誌の伝えるところによれば、ヴェテラン映画監督ハワード・ホークスは彼に次回作の主役をオファーしていたし、「ライフ」誌はステットソン帽をかぶったホッパーを表紙にするほどだった。ニューヨークでは、一流モデルやアンディ・ウォーホル一派の「スーパー・スター」たちをはじめとした「ヒップ」な人種がこぞって彼のもとに集まってきた。アメリカの熱気はもちろん日本にも伝わっていて、たとえば若者向けの雑誌として人気の高かった「平凡パンチ」誌は六九年十二月八日号で「《イージー★ライダー》とは何んだ」と見開き二ページで特集を組んだのを皮切りに、七〇年一月二十四日の日本公開日の前後には、グラビアや作品紹介などで合計四回もこの作品を取り上げている。

それはさておき、『イージー★ライダー』の監督兼主演スターがどんな次回作に取り組むのかという話題は、映画業界の外でも関心の的となっていたようだが、当のホッパーの方は、初めから『ラストムービー』以外の可能性など考えもしなかったようで、『イージー★ライダー』は『ラストムービー』を撮るための予行演習に過ぎなかったのだ、などと発言している。

ホッパーの『ラストムービー』に対する執着ぶりはこれまでの経緯を思い返してみれば納得できる。『ラストムービー』はジェームズ・ディーンと夢を語り合って以来ただ漠然と「映画を監督したい」と考えていたホッパーが初めて具体的に映画化したいと願ったテーマだった。ディーンゆかりの人物である『理由なき反抗』の脚本を手がけたスチュアート・スターンとともに脚本を仕上げ、苦しい生活の中で二年の歳月を費やして映画化実現のために奔走し、撮影開始の直前まで行きながら中止やむなきに追い込まれてしまった企画だったのだ。

このオリジナルの『ラストムービー』の構想とその顛末（てんまつ）はすでにChapter 1でも触れているが、念のため事実関係をかいつまんで説明しておこう。

一九六五年、メキシコ北部デュランゴ州で『エルダー兄弟』の撮影に参加していたホッパーは、映画撮影のために建てられた西部の町全体が撮影終了後に町へ寄贈されることになっていたことから『ラストムービー』の着想を得た。初めピーター・フォンダらと出資者を探したがうまくいかず、結局友人の一人で音楽界の風雲児だったフィル・スペクターがプロデュースすることとなり、メキシコ西部マサトランでのロケハンもすませ、撮影監督としてハスケル・ウェクスラーと契約し、主演にジェイソン・ロバーズを得て撮影開始寸前までいったものの、土壇場になってスペクターが手を引いてしまったために頓挫（とんざ）。ホッパーとスチュアート・スターンはスペクターに対して訴訟を起こすが示談となり、ホッパーとスペクターの友情はその後も続いた……。けれども、その後ホッパーは『イージー★ライダー』を監督することになったとき、この能弁家の友人に一言もセリフのないコカインの売人役を演じさせて溜飲を下げた。スペクター登場シーンの直後に流れる音楽はステッペンウルフの「ザ・プッシャー」で、その歌詞は「いまいましいプッシャー（売人）め！」といった内容なのだ。これもデニス・ホッパー言うところの「すべてに二重の意味を込めた」一例だったかもしれない。

話を一九六九年に戻そう。

今や時の人となったホッパーの次回作は、かつて見向きもしてくれなかったメジャー・スタジオのひとつユニヴァーサル映画の関心をひき、同社はホッパーに対して次のような条件で製作資金を出すことに同意した。予算はホッパー側の見積もりどおり八十五万ドル以内に収めること。ただし予算が超過した場合には、ユニヴァーサルとホッパーとで折半される収益のうちホッパーの取り分から差し引くこと。また撮影がスケジュールどおりに完了しない場合にはユニヴァーサルが代わりの監督を送り込むことができること。厳しい条件ではあったが、逆にホッパーにしてみれば、決められた予算とスケジュールさえ守れば自分の思いどおりの作品を作らせてもらえるということでもあった。さらにホッパーは、『イージー★ライダー』での編集を巡る苦い経験から、ユニヴァーサル側の条件を受け入れる代わりに、映画の〝最終編集権〟を手に入れることができた。つまり、彼の同意なしには誰も編集に口を出すことはできないのだ。

撮影は海抜三千八百メートルの高地にあるペルーはクスコ郊外の村、チンチェロで一九七〇年の初頭に行なわれることとなった。もともとホッパーは『エルダー兄弟』と同じメキシコで撮りたかったのだが、なかなか調整がつかず、その頃メキシコに住んでいた映画監督アレハンドロ・ホドロフスキーの勧めでペルーをロケハンし、結局、チンチェロに白羽の矢をたてたのだった。

チンチェロでのロケ撮影のために、ホッパーは自分と同年代の名の知れた俳優たちを大勢呼び集めた。その中にはディーン・ストックウェル、ジム・ミッチャム、ラス・タンブリン、ジョン・フィリップ・ロー、トーマス・ミリアン、ピーター・フォンダ、そして元ママス・アンド・パパスのミシェル・フィリップスが含まれていた。また、劇中映画の監督役として依頼したヘンリー・ハサウェイの出演は叶わなかったため、サミュエル・フラー監督が本人役で出演することになった。特筆すべき点は、これらのスターたちがみな、週あたり五百ドルプラス必要経費という破格の安いギャラでの出演に同意した点だ。映画が相応の収益を生み出した場合には各人に三万ドル程度の上乗せが約束されていたとはいえ、それは何の保証もない約束であったわけだから、彼ら若手スターたちの間でデニス・ホッパーこそが自分たちの世代のチャンピオンだとみなされていた証といえるかもしれない。

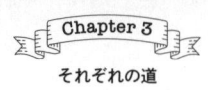

さて、ここで『ラストムービー』のストーリーのアウトラインを紹介しておこう。ただし、一年間の編集作業を経て最終的に出来上がった作品は、このストーリーに沿って撮られた素材を再構成することによって「映画とは何か?」と問う複雑な二重構造となっていて、実際にはドラマの流れは絶え

間なく挿入されるイメージの断片によって寸断され、時間さえも一定方向には流れていない。

冒頭の約三十分間、映画はペルーでビリー・ザ・キッド（ディーン・ストックウェル）の映画を撮るサミュエル・フラー監督一行を描く。スタントマンとして撮影に参加していたカンザス（ホッパー）は毎夜繰り広げられる乱痴気騒ぎに強い嫌悪感を抱いており、撮影クルーの中で唯一正常な人間に見える。撮影終了後も村に残った彼は、知り合ったペルー女性マリア（ステラ・ガルシア）との静かな暮らしに心の平穏を見いだそうとするが、彼もまた美しい自然に囲まれたその土地に大きな観光ホテルを建てるとか、雪など降らないのにスキー・ゲレンデを作るなどというリアリティのない妄想に取りつかれていた。

金鉱探しでひともうけを夢見る友人ネヴィル（ドン・ゴードン）を通じて知り合った裕福なアメリカ人夫婦一行との酒とドラッグに溺れる日々の中、カンザスは次第にアイデンティティを失っていき、腐敗の象徴ともいうべきこのアメリカ人の妻（ジュリー・アダムス）からさえも侮辱され、遂には精神の均衡を失っていく。

気がつくと彼はインディオたちの「儀式」に加わっていた。それは彼らが畏怖の眼で見つめてきた映画撮影の再現だった。木の枝でキャメラや集音マイクを作り、松明（たいまつ）を照明にして行なわれるこの「儀式」にはひとつだけハリウッド式の撮影と違う点があった。彼らにとっての映画撮影は「虚構」ではなく、まぎれもない「現実」であり、決闘シーンは実弾で行なわれるのだ。カンザスは縛り首になる役をあてがわれて牢屋に閉じ込められる。脱獄した彼は肩を撃ち抜かれ、現実とも幻覚ともつかない恍惚状態の中で死と向き合うことになる……。

前述の若手スターたちは、冒頭のサミュエル・フラー組のスタッフ、キャストとして登場する。このフラー監督による「ビリー・ザ・キッド」の映画撮影場面は三十分ほど続くのだが、ようやく一段落したところでおもむろに『ラストムービー』というタイトルが映し出され、すべてはとても長いプロローグだったのだとわかる。普通の映画なら一人一人のスターに見せ場を作るところなのだろうが、ホッパーは彼らをあえて「映画撮影のクルー」という集合体でしかフィルムに定着させず、セリフらしいセリフがあるのはサミュエル・フラーとクリス・クリストファーソンくらいという、ある意味、大変贅沢な使い方をしている。ビリー・ザ・キッド役のディーン・ストックウェルや保安官役のピーター・フォンダですら、うっかりしていると見落としてしまうし、ジョン・フィリップ・ローなどは死体としてチラッと映る程度なのだ（＊1）。

『ラストムービー』撮影中のさまざまなエピソード、なかでもクルーの必需品だったマリファナやＬＳＤによる大騒ぎの類については書き出せばきりがないし、それだけで一冊の本になってしまうくらいなのだが、残念ながらそれは本書の意図するところではない。（＊2）

ここではこのデニス・ホッパー入魂の作品に、その他大勢の有名スターたちとともにピーター・フォンダが出演している意味を整理しておこう。

何度も述べているとおり、『ラストムービー』を最初に構想したとき、ピーター・フォンダはこれをホッパーと協同で世に問う作品の第一弾としてプロデュースしたがっていた。その後、さまざまな企画が生まれては消え、最終的に資金繰りのメドがたった作品が『イージー★ライダー』であった。『イージー★ライダー』は当初からの二人の約束に基づいて、ピーターのプロデュース、ホッパーの監督という役割分担でスタートしたのだが、『ラストムービー』は、いったんフィル・スペクターがプロデュースすると決まった時点でピーターは出演するだけということになっていた。だが、結局このときは企画そのものが流れてしまったのだから、『イージー★ライダー』を手がけた後に再び『ラストムービー』に取り組む決心をしたとき、ホッパーは話をもとに戻して再びピーターにプロデュースを頼むことだってできたはずだ。少なくとも世間的に見れば『イージー★ライダー』はピーターとホッパーのチームによる勝利だったわけだし、もともと同じチームで製作することを模索していた『ラストムービー』でピーターが製作にまったく関わらなかったことはどこか不自然ではないだろうか？　しかも、ピーターは時間のやり繰りがつかなかったわけではない。なぜならピーターは一俳優としてホッパーに雇われてチンチェロでの撮影に参加しているのだ。奇妙と言えば奇妙である。これはホッパーにとって何を意味していたのだろうか。

デニス・ホッパーにとってピーター・フォンダの存在は『イージー★ライダー』の撮影期間を通じて明らかに小さなものになっていったようだ。今や、「ピーター以外に誰もデニス・ホッパーを雇おうとする者はいなかった」時代は過ぎ去り、映画業界の誰もが彼の前にひれ伏し、札束をちらつかせながら『イージー★ライダー』の奇跡を再現してほしいと願い出ていた。もはやホッパーは、ピーターの力――彼のネームヴァリュー、資金調達の交渉力――に頼る必要はなくなったのだ。そうであるならば『イージー★ライダー』がピーターと自分のチームとしての勝利とみなされていようが、それを続けなければならない理由はない。むしろ、実際には『イージー★ライダー』はまぎれもなく自分の作品だったのだと世間に知らしめるためにも、自分にとってピーターが一俳優以上の存在ではないことをはっきりさせるべきだ。そんな気持ちがこの時期のデニス・ホッパーにあったとしても不思議はない。

――『イージー★ライダー』では、あなたは長髪に口髭、それにサングラスとカウボーイ・ハットという出で

立ちでした。思うに、そのことがピーターを主役と位置づけ、あなた自身は……

DH 相棒だね。

――ええ、あなたはその格好に隠れて敢えて目立たないように演技をしていたと思うのですが、あなたはピーターを主役として目立たせ、あなた自身は演技よりも監督の役割に集中したかったのですか？　つまり演技はピーターにまかせ、自分は監督に撤したかったわけですか？

DH 両方ともしたかったさ。だが、俺が演じたあの役は気難しい奴で、映画のペースを保つ役どころだった。「おい、どうした！　行こうぜ、行こうぜ！」ってね。しゃべり過ぎなわけさ。ピーターの役は超然として静かでほとんどしゃべらない。それで奴は神秘的なヒーローになって、俺はもっと平凡でおしゃべりな進行係になったというわけだよ。だが、監督の立場に立てば、あのとき大袈裟に演技したことは役に立った。というのも、俺が映画の中で演じていたビリーという役のおかげで、俺は自分一人が動いただけで映画のペースを保つことができたんだ。なぜなら俺の役はキャプテン・アメリカが動きだすときに「さあ、行こうぜ、行こうぜ、動こうや、さあ！」と叫んでいるわけで、こういったエネルギッシュな元気さが映画を計画通りのペースに保つ上で必要だったと思う。それが監督兼俳優としての俺の仕事をやりやすくさせていたんだ。

――『イージー★ライダー』のポスターの絵柄はピーター一人でした。そのことも『イージー★ライダー』という映画をピーター一人のイメージとともに思い出させる要因になったと思うのですが。

DH あの時点ではピーターだけがスターだったという事実を忘れちゃいけない。ピーターはあの時点で、すでに人気スターだったんだ。ジャック・ニコルソンと俺は全然違った。まあ俺は映画スターの一種ではあったが本当の意味では違う。ジャックにいたってはまったく違った。ピ

ーターは『ワイルド・エンジェル』で大スターになっていた。彼はあの作品で「ライフ」誌のカバーを飾っていたし、人々はみな彼の登場を「若者の爆発」と評して話題にしていたんだ。もっとも本当の「若者の爆発」は『イージー★ライダー』だったんだけどね。

　ピーターは俺にとって、映画製作資金を集めることに対して責任がある奴だった。彼はいわば〝ラインに乗っかった勝利者〟で、俺に映画を作らせた奴だ。だけど、たしかに言えることがある。彼は〝ひとりの俳優〟になったってことだ。俺がそれを支えたんだけどね。そう、映画を作る過程では何もすることがなくて、彼は〝ひとりの一俳優〟となった。ピーターは編集に関しても一年後の最後の最後まで関わりはしなかった。

　バート・シュナイダーはボブ・ラフェルソンとともにお金を管理していたんだけど、バートが俺にふたつの提案——ひとつはテリー・サザーンの名前を使うこと、もうひとつはジャック・ニコルソンを起用すること——を持ってきたこと以外は、誰もあの映画に関しては何もしていない。ラフェルソンは仕上げ作業の最後の頃にやってきて、レストランのシーンを編集した。ヘンリー・ジャグロムと一緒にね。ラフェルソンは資本面であの会社（レイバート・プロ）の共同経営者の一人だったからさ。ジャック・ニコルソンも編集室にやってきた。彼は俺たちが映画を作っている間、監視役として数週間、セットで俺たちを見ていた。ビル・ヘイワードは俺の義理の兄弟だ。ブルック・ヘイワードの弟だからね。彼は、あの映画でピーターのパートナーになった。それで撮影中も一緒だったんだ。だけど、以降の俺のすべての映画を一緒に作ったのは基本的には俺のプロダクション・マネージャーのポール・リュイスだ。彼と俺と二人で映画を作ったんだ。彼は『ラストムービー』のプロデューサーを務め、『アウト・オブ・ブルー』でも、『カラーズ／天使の消えた街』でも、プロデューサーだ。——つまり、俺のすべての

映画は俺がクリエイティヴな面を担当し、彼がビジネス面を担当しているというわけさ。（＊3）

やや長い引用になったが、これが製作から二十三年を経た一九九一年時点でのデニス・ホッパーの『イージー★ライダー』についての総括であり、ピーター・フォンダに対する彼の評価でもある。この考えの根拠となっているのは、ホッパーが基本的に映画を「監督のメディア」だと考えているということだ。これは彼が繰り返し述べているポリシーで、舞台俳優としてスタートした彼が映画界に入り、舞台同様に自分の演技こそが絶対だと思い上がっていたためにヘンリー・ハサウェイ監督から追放されてしまった経験から学んだ考え方だった。

話を『ラストムービー』に戻そう。監督デニス・ホッパーが俳優ピーター・フォンダをどう見ていたのか、撮影終了後にあるインタヴュアーから尋ねられた彼はこう答えている。

DH ピーターのふるまいはゴキゲンだったぜ。『イージー★ライダー』のときよりは良くなったってことだけどね。彼が必要だったのはアタマの短い場面だけでたいした役じゃなかったけど、あいつは見事だったよ。時間どおりにセットに来ないとか、自分の来た場所について不平を言うとか、昼飯を食った食わないで文句をたれたあげくに、まだ食ってないからって撮影を中止したりはしなかったってことさ（笑）。（＊4）

この皮肉っぽいコメントには自信と余裕が感じられる。なぜなら彼は、ペルーの山奥に何十人ものスタッフ、キャストを連れていき、毎日クスコのホテルとロケ現場の間のぬかるんだ道を一時間以上かけて往復する厳しい条件の中で、きっちりと予定のスケジュール、予算の範囲内で撮影を終えたのだ。もちろん、撮り終えた四十時間以上に及ぶフィルムに関しても揺るがぬ自信を持っていた。

一九七〇年四月七日、『ラストムービー』の撮影を終えてハリウッドへ戻っていたデニス・ホッパーは、ドロシー・チャンドラー・パビリオンで催された第四十二回アカデミー賞授賞式に、ステットソン帽にブーツ姿でミシェル・フィリップスを伴って参加した。彼女は前夫ジョン・フィリップスとの離婚後、一時ピーター・フォンダと付き合っていたが、初めて映画の撮影に参加した『ラストムービー』の現場で、監督と主演を兼ねるホッパーの才能に参ってしまい、いまや彼と同棲生活を始めていたのだ。『イージー★ライダー』はこの年のアカデミー賞で最優秀脚本賞（ホッパー／フォンダ／テリー・サザーン）と最優秀助演男優賞（ジャック・ニコルソン）にノミネートされていたが、それぞれ『明日に向って撃て！』（ウィリアム・ゴールドマン）、ギグ・ヤング（『ひとりぼっちの青春』）に破れ、受賞にはいたらなかった。だが、主演男優賞には『勇気ある追跡』での演技によって、御大ジョン・ウェインがデビュー以来四十五年目にして涙の初受賞を果たし、華やかな祭典となった。ホッパーは『イージー★ライダー』の撮影を終えた直後の一九六八年の秋に、ヘンリー・ハサウェイ監督の三度目の指名で『勇気ある追跡』に端役出演していたこともあって、ウェインの受賞を素直に祝福した。自身は受賞を逃したものの、デニス・ホッパーが式典の当日最も注目されている人物である事実に変わりはなかった。

しばらくして、デニス・ホッパーは『ラストムービー』の編集作業に取りかかるためにハリウッドの地を去る。彼がひきこもったのはニューメキシコ州タオス。そこは『イージー★ライダー』の撮影中にジャック・ニコルソンと忘れられないアシッド・トリップを体験した思い出の地であるだけでなく、そこで彼が購入した煉瓦作りの邸宅は、作家D・H・ロレンスがメイベル・ドッジ・ルーハンと

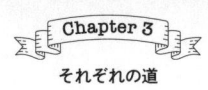

ともに最晩年を過ごし、その後は女流画家ジョージア・オキーフが住んでいた由緒ある建物だった。これから自身のクリエイティヴな才能のすべてを注ぎ込んで編集作業にあたろうとしているホッパーにとって、まさにうってつけの場所だったと言える。三つの建物を含む一万三千平方メートル近くもある土地と、町にあった小さな映画館を買い取ったホッパーは、さらに二万八〇〇〇エーカーもの土地を政府から一五〇年間の賃借契約で借り受けた。ホッパーはそこを一種の芸術家のためのコミューンにすることを夢想しており、十月には二百名もの友人を招いてミシェル・フィリップスとの結婚式を挙げた。

だが、『ラストムービー』のたどった苦難の道の不吉なまえぶれのように、式からわずか八日後に、ミシェルは仕事で訪れていたナッシュビルから電話をかけてきて、タオスで自分の若く可能性のある日々を浪費したくないと告げて結婚を解消してしまった。一人取り残されたホッパーはアルコールとドラッグにどっぷり浸かりながら編集作業を続けたが、一年四か月という気の遠くなるような時間をかけて最終的に彼が仕上げた一時間四十八分の作品は、明らかに常人の理解を越えた難解な代物となっていた。実際にお金を払って映画館に足を運ぶ観客に対してだけでなく、プロの映画批評家に対してさえも説明を要するような作品だったのだ。ポーリーン・ケイル(*5)は「ニューヨーカー」誌にこう書いている。

> 率直なのか風刺なのか不明瞭な点がある。ホッパーがジェームズ・ディーンになり代わってしまうのは、冗談なのか？　筆者にはわからないし、彼がわかっているのかも判然としない。(中略)結局、ホッパーはテーマとして残したものをことごとく打ち砕いてしまう。彼はストーリーの要素を組み立てたうえで故意に崩壊させ、あんたらを楽しませるなんてご免だ、と世に

も恐ろしい叫びをあげている。（中略）ホッパーにも（多分一本以上の）映画を作る素質は備わっているのだろうが、彼はそれを編集室で吹っ飛ばしてしまった。（＊6）

デニス・ホッパーの名誉のためにあえて言っておくが、『ラストムービー』はたしかに複雑な構造を持ち、観客にはとうてい受け入れられないような代物だったにしても、ドラッグでふらふらになった狂人がわけもわからずにフィルムをつなぎ合わせた支離滅裂な作品などでは決してない。アメリカ国内でも世界中のどの国でも『イージー★ライダー』と比べれば観た人の絶対数は少ないとはいえ、この作品は八〇年代の後半になってホッパー自身の復活とともに再評価されるようになり、一九八八年に初公開された日本においても「いまこれを見れば少しも難解ではない。入れ子構造も夢と現実の混合も現代ではもう理解可能なものだ。《十年早過ぎた》といってもいい。しかしそれでもなおこの映画は、わけのわからない魔力を持っている。傑作というより怪作というにふさわしい。おそらくこの映画は十年後にも《十年早過ぎた》といわれるだろう」（川本三郎／同作品のビデオ・パッケージ掲載のコメント）と評価された。

だが、一九七一年当時、この作品がたどった道はあまりに不運で、無残なものだった。

八月、デニス・ホッパーは『ラストムービー』を携えてヴェネチア国際映画祭に出席する。この年のヴェネチアには世界中から名だたる有名映画監督の新作が出品されていた。イングマール・ベルイマンは『THE TOUCH』（『愛のさすらい』のタイトルでDVD発売）を、黒澤明は『どですかでん』を、ケン・ラッセルは『肉体の悪魔』をエントリーしていた。その中で『ラストムービー』は堂々と作品賞（CIDALC賞）を勝ちとったのだ。しかし、コンペティション部門そのものが中止となっていたため、この受賞は広くアナウンスされることすらなく終わってしまった（＊7）。ロサンゼルスに戻ったホッパーは、アメリカ国内での公開用に再編集しなければオクラ入りさせると言ってきたユニヴァーサル映画に対して、最終編集権をたてにとって断固として抵抗する。結果、ユニヴァーサルはニューヨークとロサンゼルスで一週間、サンフランシスコで三日間という最小限の公開のみに限定し、以後はこの作品を完全に封印してしまった。

すべては、かつてホッパーがヘンリー・ハサウェイ監督によってハリウッドを追放された十三年前の繰り返しだった。トラブル・メイカーとしてのホッパーに新たな勲章が加わったのだ。ついこの間まで彼に映画を撮って欲しいと頭を下げて来ていたハリウッドの大手スタジオの人々は、手のひらを返したように彼をのけ者にするようになる。天国から再び地獄へと突き落とされたデニス・ホッパーは、タオスの地で自らの運命を呪いつつ、酒とドラッグに溺れる日々に埋もれていくことになる。

ヴェネチア映画祭で受賞したデニス・ホッパー

『ラストムービー』撮影中のデニス・ホッパーとピーター・フォンダ
©Mary Evans/amanaimages

1988年10月21日 日本公開（PARCO劇場）
2019年12月20日 リバイバル公開（シネマカリテ）

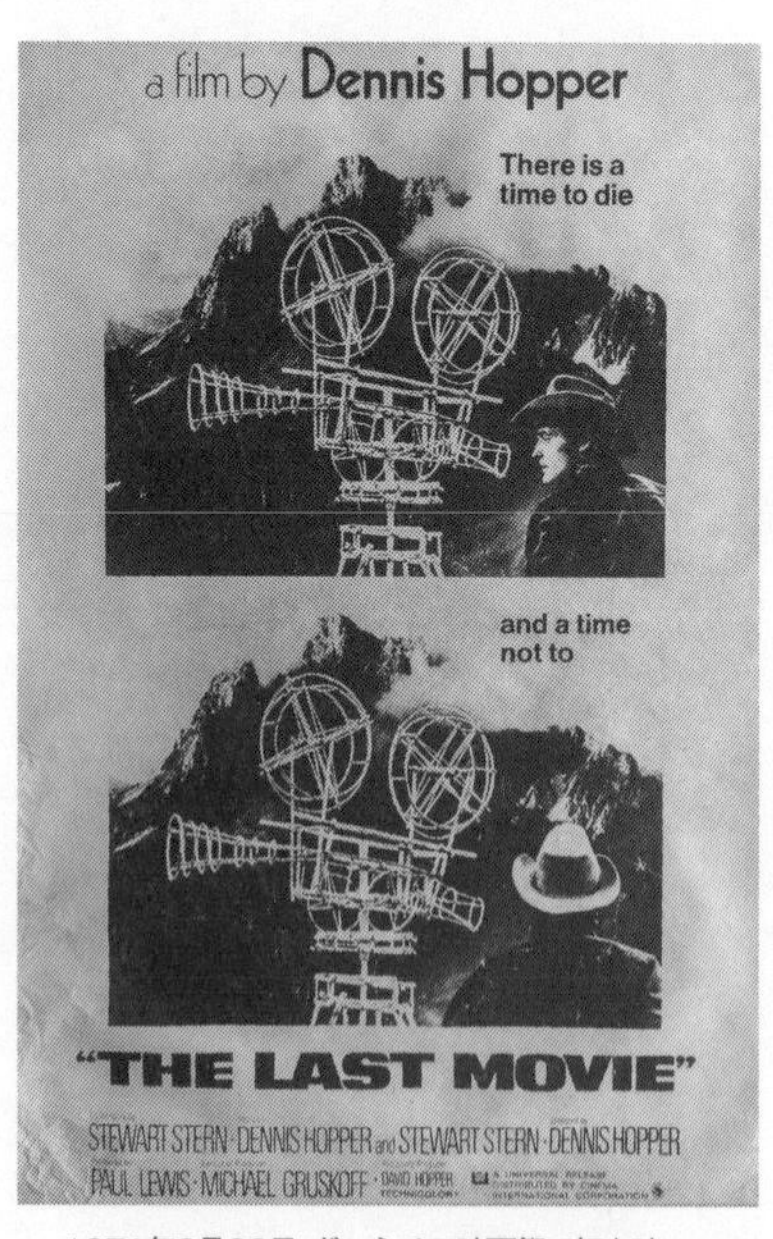

1971年8月29日 ヴェネチア映画祭で初上映
同年9月29日 ニューヨークでロードショー公開

デニス・ホッパーとミッシェル・フィリップスの結婚は8日間しか続かなかった
©ZUMA Press/amanaimages

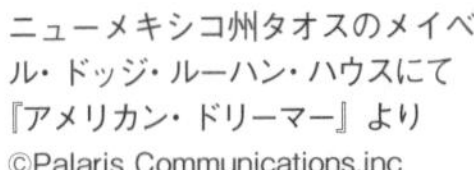

ニューメキシコ州タオスのメイベル・ドッジ・ルーハン・ハウスにて『アメリカン・ドリーマー』より
©Palaris Communications.inc

02 『さすらいのカウボーイ』

ペルーでデニス・ホッパーの『ラストムービー』に出演して戻ってきた後、ピーター・フォンダはそろそろ自分自身の次回作を何にするか結論を出さねばならないと考えていた。一九七〇年の初めごろのことである。

実は、すでに一年近く前から彼にはあるプランがあった。それはアメリカ独立戦争におけるバレーフォージの戦いを描いたハワード・ファストの小説「コンシーヴド・イン・リバティ」の映画化である。原作の映画化第一選択権を買い取っていた彼は、父ヘンリー、姉ジェーンとともにフォンダ一家総出で映画にしたいと考えていたのだ。父と同世代の巨匠の一人で『シェーン』、『ジャイアンツ』といった名作を手がけたジョージ・スティーヴンス監督がこの企画に興味を示してくれており、ピーターは何とかこれをものにしたいと考えていた。

だが、膨大な数のコスチュームからはじまって『イージー★ライダー』とは比べものにならないくらい製作費のかかる企画であることは目に見えていた。ピーターとしては、細部にわたるまで、とことんリアルに再現することができなければ手をつけるつもりはなかったので、実現の可能性は高くなかった。

彼とホッパーとで、息抜き的に比較的お金のかからない小品『セカンド・チャンス』を作る案もあったが、これは『イージー★ライダー』の製作資金を得ようと奔走していた彼ら自身の姿を描く映画業界内幕物で、かつて『YING YANG』というタイトルだった企画を発展させただけのものであり、いかにも直球勝負を避けて時間稼ぎしているかのような印象をまぬがれないものだった。

結局、たくさんあった候補の中からピーターとビル・ヘイワードが選んだのはアラン・シャープが書き下ろした西部開拓時代の放浪する男のドラマ『さすらいのカウボーイ』だった。これでピーターは主演と同時に初監督に挑み、ビル・ヘイワードがプロデュースを担当することになった。すでに西部劇というジャンルそのものが興行的に難しいとみなされるようになって久しいこの時期に、あえてこれに挑戦しようとした彼は、周囲から「どうして西部劇なんか作るんだ？　どうしてホッパーみたいにやらないんだ？」と質問されることとなる。もちろん、『ラストムービー』にしたってある種の西部劇ではあるのだが、ホッパーの場合はハリウッド流の映画製作のひな型として西部劇を流用しているだけで、本格的な西部劇を作ろうというわけではなかった。それなのになぜ、あえて本格的な西部劇なのか。実はこの選択にこそ、ピーター・フォンダという人間の本質が垣間見えるのだ。

西部劇――それは明らかに彼の父親の世代のジャンルだ。それどころか、ヘンリー・フォンダこそ、西部劇というジャンルの持つ普遍的なイメージを形づくってきたスターの一人だといってもいいだろう。その息子ピーターは、正統派青春スターとしての立ち位置を嫌ってドロップ・アウトして以来、常に名門フォンダ家の落ちこぼれとして厄介者扱いされてきた。その後、彼は『ワイルド・エンジェル』で「人気」をつかみ、『イージー★ライダー』で「富と名声」をも手にしたわけだが、父ヘンリー・フォンダは、ピーターが『イージー★ライダー』一本で自分が全人生をかけて稼いできたよりも多くの収入を得た事実に感服こそすれ、その内容そのものに感心していたわけではなかった。ましてやそれを、自身の『荒野の決闘』や『怒りの葡萄』のような古典となり得る作品だともみなしていなかった。ピーターにしてみれば、『イージー★ライダー』で自らワイアット（・アープ）を名乗り、ホッパーにビリー（・ザ・キッド）と名乗らせることで、間接的に父の世代が体現していたアメリカのイメージやアイコンに言及したわけだが、今度はもっと直接的に父と同じ土俵に上がって、より

完全なかたちで父親に認めてもらいたいと考えていたに違いない。

アメリカ独立戦争の企画にしても、若き日の父ヘンリーが主演したこの時代を背景にしたジョン・フォード監督の名作『モホークの太鼓』が念頭にあってのことだろうし、父と同じ世代のジョージ・スティーヴンス監督に話を持ちかけたりしているのも、正統派西部劇を作ろうという考えと根は同じだ。つまり、ピーター・フォンダは『さすらいのカウボーイ』を、彼自身の『荒野の決闘』に、あるいは彼自身の『怒りの葡萄』にしたかったのだ。

このピーターの基本的な考え方について証言している者の一人に、撮影監督を務めたヴィルモス・ジグモンドがいる。彼はラズロ・コヴァックスと同郷にあたるハンガリー出身の新鋭キャメラマンで、コヴァックスにとって『イージー★ライダー』がそうだったように、『さすらいのカウボーイ』と同年のロバート・アルトマン監督の『ギャンブラー』によって第一線に躍り出て、やがて『未知との遭遇』（七七年）でアカデミー撮影賞を受賞するなど、その後のハリウッドを代表する撮影監督となっていった。その彼がピーターとの『さすらいのカウボーイ』の仕事について、のちに次のように述べている。

VZ ピーターは、自分がどんな映画を作りたいか、かなりのところまでつかんでいた。父親のヘンリー・フォンダが出ている『荒野の決闘』を私に見せて――それは白黒映画なんだが――こう言ってきた。「ヴィルモス、作ってみたいのはこういう映画なんだ。この映画に似たものをカラーで作ることができたら、それでいいんだがな。古くさいかもしれないが、役者が座って会話を交わしているだけでもかまわない。『イージー★ライダー』のような映画にはしたくないん

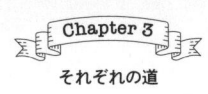

だ。人物の性格を描き込んだストレートなドラマにしてみたい」とね。そしてまさにそのとおりに映画を作った。できる限りリアルにしようと努力したんだ。(＊8)

『さすらいのカウボーイ』は正統派西部劇といってもいわゆる「活劇」ではない。撃ち合いのシーンはあるものの、決して格好良く描かれているわけではなく、主人公が七年ぶりに再会する年上の妻にしても決して美しい女性ではない。『イージー★ライダー』でジャック・ニコルソンは「この国はかつては美しかった……」と語っていたが、ジグモンドの手によってフィルムに写し取られた風景はそれはそれは美しいもので、繊細でリリカルで、この映画の目指したものそのものを語っているといってもよい。ピーター扮する主人公は時代こそ違うけれども『イージー★ライダー』のキャプテン・アメリカと同一人物と見てよく、やはり人生を模索するさすらい人だ。今回のピーターの相棒役は年長のウォーレン・オーツが演じたが、彼は実生活の上でもピーターの親友となり、その後ともにモンタナ州に住むことになる。撮影はおもにニューメキシコ州サンタ・フェの近くで行なわれた。ここは『イージー★ライダー』でジャック・ニコルソンが仲間に加わるシーンを撮影した同州のラス・ヴェガスにほど近く、ホッパーが『ラストムービー』の編集作業をするべくひきこもったタオスも目と鼻の先だった。

『さすらいのカウボーイ』のストーリーと、ピーターが描こうとしたものについて語る彼自身のコメントを紹介しておこう。

PF 『さすらいのカウボーイ』が前提としていたのは、僕たちはみんな、人間として義務があるってことだ。誰かと関係を持ったとき、義務が生まれてくる。気が変わって、義務から逃げ出すともあるけれど、ちょっと経つとまた戻りたくなる。だけどそのとき地獄がぱっくりと口を開けるんだ。戻れるわけがないからさ。

つまりこういう論理になる。取り戻せないものは捨てるな。一度捨てたら取り戻そうとするな。

ストーリーは三十女と結婚する十九の男の話だ。今じゃ、ぴんとこないけど、当時、一八九〇年頃ならごく普通だった。

最初はうまくいきそうに見える。男は農作業に精を出したりしてね。でも女が妊娠すると男の方はやっていけなくなっちまう。それで別れるんだ。

放浪の旅。……（中略）彼はなんとか七年やっていく。でも結局、これじゃダメだって気づく。それで戻っていくんだ。

映画は彼と二人の仲間、友だちで雇い人の十歳年上の男と、もう一人の若い奴が一緒に海へ向かうところから始まる。でも僕の演じるキャラクターは途中で行かないと言い出す。

それで酒を飲みながらどうするか話していると、若い方が殺されてしまう。僕は自分に責任があるような気がして、復讐の旅に出る。でも相手を殺せずに脚を撃っただけで終わり、農場へ戻っていく。すると女房が言うんだ、いったい何のつもりよ？　……それで僕は、チャンスをくれ、どうなるか見てくれって頼むのさ。

ゆっくりと、だが確実に、僕たちはもう一度結びついていく。でも、お互いに無理があるとわかる。……本当の愛じゃないんだ。

うまくいきそうに見えたとき、男が布切れに包まれた指を届けに来る。お前の仲間が捕まってる、お前が来ないとそいつの残りの手足の指は全部切り取られてしまうぞと言いに来たんだ。

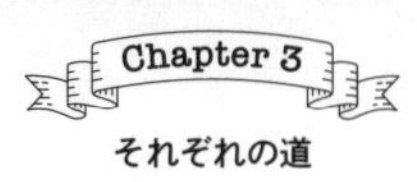

そのとき僕はどうするか？　仲間が指を斬られたのは僕が復讐したからだ。僕は女房よりそいつの方をよく知っている。じゃあ僕の責任はどこにある？　僕は行くべきなのか、とどまるべきなのか……。

そこが僕には面白かった。ストリートでギター弾いてる奴にはわからないだろうさ。女は行くなと言う。男は言う。ダメだ仲間を助けに行くべきだと。

とにかくまあ僕は、あの古いキリスト教映画『真昼の決闘』――みたいに敵地へ乗り込んでいく……そして、殺られちまうんだ！

僕が撃たれると、仲間が閉じ込められていたところから飛び出してくる。僕がすぐに行ったおかげで、指は一本しか詰められてなかったんだ。やつが僕を抱きとめる。そして僕は死ぬ。

最後のシーンは女房が豆をむいているところだ。彼女がちょっと顔を上げる。キャメラがずうっと、三六〇度近く水平に回って僕の馬が戻ってくるのが見える。まだら馬（アパルーサ）だからすぐにわかるんだ。乗ってるのは僕の仲間、友だちの雇い人なんだ。奴は僕の家で、僕の女房とうまくやっていくんだろうとみんなにはわかる。奴の方がちゃんとやっていけるだろうって……（＊9）

たしかに瑞々しい感性で描かれた物語であったし、テーマ的にも『イージー★ライダー』で描かれた〝人生探求の旅〟を再検証し、より深く掘り下げようとはしていた。だが、西部劇というハンディキャップのある題材であることに加え、ストーリーに起伏がなく、地味な内容であり、興行的に苦戦が予想されることは誰の眼にも明らかだった。しかしながら『イージー★ライダー』で巨額の富を得ていたピーターには、自らのプロダクションである（『イージー★ライダー』のために設立し、今やピーターの個人会社としてビル・ヘイワードをパートナーに迎え入れていた）パンド・カンパニーが多少の痛手を受け

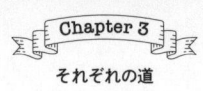

たとしても揺るがないだけの余裕があった。加えて、彼が勝ちとった名声は、ユニヴァーサル映画から、百万ドル近い製作費の提供と、作品の内容は問わずに配給を引き受けるという決定を引き出してもいた。デニス・ホッパーの『ラストムービー』がどんな作品に仕上がるのかが判明するのはまだ先だったし、ユニヴァーサル映画としては、この『イージー★ライダー』を作った二人の男の才能が同社にコロムビア映画同様の収益をもたらしてくれるだろうと期待していたのだ。

今日、この『さすらいのカウボーイ』を観直してみると、配給がともにユニヴァーサル映画だったこと以外にも、デニス・ホッパーの『ラストムービー』との共通点に気がつく。それは『さすらいのカウボーイ』で主人公たちと対立する悪役一味を演じたセヴァーン・ダーデン、その手下テッド・マークランド、オーウェン・オール、グレイ・ジョンソンの四人組の存在で、実は彼らはそっくりそのまま『ラストムービー』にも出演していたのだ。みなピーターとともに冒頭のサミュエル・フラー組の映画撮影場面に登場していたのだが、特にダーデンなどは両作品でほとんど同じ衣装に特徴のある帽子をかぶっているので容易に見分けがつく。これはもともとピーターが自作に起用するつもりでいた俳優たちを『ラストムービー』の撮影にも同行させたのか、あるいはペルーでの撮影で気に入った脇役たちをピーターが自分の初監督作品に起用したのか、まあそのどちらかなのだろう。これは一見たいしたことではないようにも思える共通点だが、デニス・ホッパーとピーター・フォンダがそれぞれ描こうとしていた世界は、実はさほど違いがなかったということを表しているともとれる。

ホッパーはサミュエル・フラーの撮る派手なアクションの〝西部劇〟をキャメラの後ろ側から観客に見せることで、〝映画〟における「現実」と「虚構」について第三者的な立場から考えさせ、それによって彼の考えるところの「真実」を描こうとした。一方ピーターの方は同じ登場人物たちを使って、撃たれればのたうち回って痛がり、相手を狙い撃ちしてもなかなか弾が当たらないというリアリ

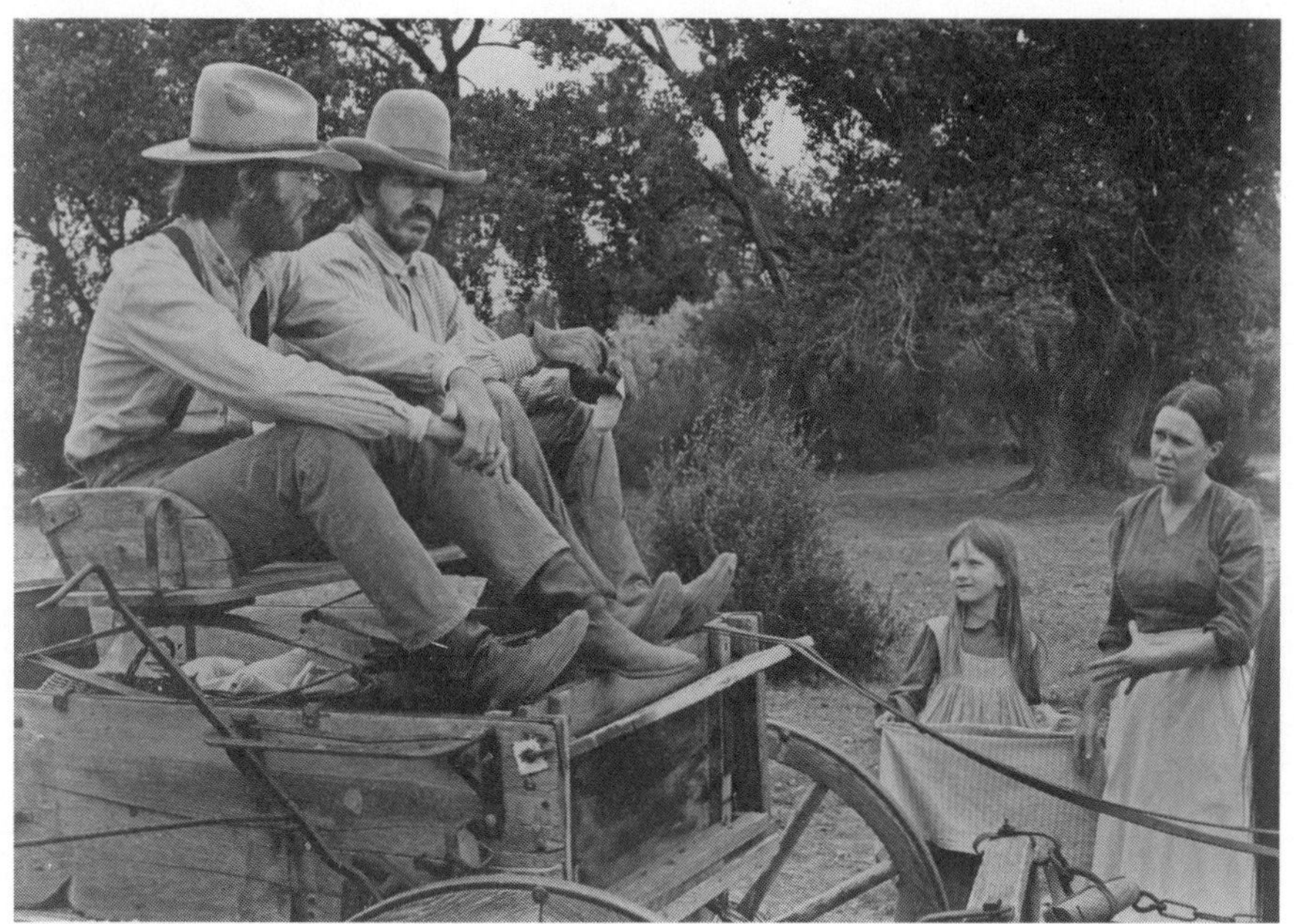

『さすらいのカウボーイ』のピーター・フォンダ、ウォーレン・オーツ、ミーガン・デンヴァー、ヴェルナ・ブルーム
©2001 Universal Studios and The Pando Company, Inc.

1972年3月11日 日本公開（日劇文化）
2002年8月3日 リバイバル公開(シネセゾン渋谷)

1971年7月16日 アイオワ州デモインでプレミア上映
同年7月17日 アメリカ一般公開

ズムによって「真実」を描こうとした。つまり、アプローチの仕方はまったく異なるけれども、〝映画〟が偽りの価値観を押しつけるものではなく、真実を反映したものでなければならないということにおいて、二人は同じ考えを持っていたのではないだろうか？

ともあれ、真実の西部をリアルに描いた『さすらいのカウボーイ』は、その美しい西部の風景とともに瑞々しい輝きを持つ佳作として仕上がった。批評の中には「初のスローモーション・ウエスタン」などと揶揄するものもないではなかったが、おおむね好意的なものが多かった。だが、案の定、内容的に起伏に乏しいことが災いし、興行的には大惨敗に終わってしまう。ピーターは興業成績の良し悪しなどは映画の価値そのものとは何の関わりもないと考えていたのだろうが、現実問題として興行的な成否は、次回作を作るチャンスがすぐに訪れるかどうかと直結していた。ピーターが自分にとっての『荒野の決闘』、自分にとっての『怒りの葡萄』を作り得たと判断したかどうかはわからないが、彼にごく近い立場にいた者の一人であり、劇中でピーターの年上の妻を演じた女優ヴェルナ・ブルームは、ピーターが心の奥底で無意識のうちに「失敗すること」を望んでいたのではないかと考え、こんなコメントを残している。

あの映画にはすべてがありました。素晴らしい脚本、撮影監督のヴィルモス・ジグモンド、それにピーターには『イージー★ライダー』の大成功のおかげで、当時、ほとんど前例がない最終編集権まで与えられていたのです。彼には偉大な西部劇を作ることができたはずなのに、彼はそうしなかったのです。（＊10）

ピーターの心の中には、偉大な父に今度こそ内容的にも文句の付けようのない作品を示してみせた

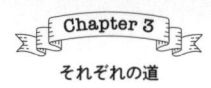

いという思いと、すべてが成就されてしまったら偉大な父という幻影を失い、結果として自分の生きる目標を見失ってしまうことを恐れる気持ちが同居していたということなのだろうか？

批評は良かったが興行的には今ひとつだったというだけであれば、まあ良しとすべきだったろう。何といってもこれはピーター・フォンダにとって生まれて初めての演出経験だったわけだし、デニス・ホッパーの仕事ぶりを見て感触はつかんでいたとはいえ、ヴィルモス・ジグモンドによれば、ピーターは基本的な映画の文法である「画(え)のつながりのことをあまり知らない」くらいの新人監督にすぎなかったのだ。『イージー★ライダー』ではプロデューサー兼主演スターとして興行的大成功を勝ち取り、今度は監督兼主演スターとして少なくとも良い批評だけは勝ち取ったのだから、興行面で失敗したとはいっても大目に見ても良かったはずだ。だが、ピーターは他にも問題を起こしていた。彼は完成した映画をユニヴァーサル映画のお偉方たちに初めて観せる試写会の日に遅刻して行ったり、ユニヴァーサル映画が出した広告の出来に腹を立てて同社の親会社のトップであった実力者ルー・ワッサーマンに抗議の電報を送りつけたりしたのだ。こうした振る舞いは、まだまだ力を持っていたハリウッドの旧体制側の者たちにとっては明らかに目障りだった。そのためピーターは、デニス・ホッパーほど劇的にパージされることこそなかったものの、「問題児」のレッテルを貼られ、次第にメイン・ストリームから外れていくことになる。

ほんの二年ほど前まで王様のような立場だったのに、あっという間に、腫れ物には触らないでおこうとでもいうような扱いを受ける立場になったことに加え、ピーターは妻スーザンとの結婚生活でもバランスを失いかけていた。それはトニ・ベイジルとの火遊び（彼女とは『ラストムービー』でも一緒だった）をはじめとする彼自身の乱れた生活が原因だったのだが、彼はともかく厄介事のすべてから逃

れようと考え、何年も前からの望みを叶えて購入した全長二四メートルの大型ヨット「タトゥーシュ」号（女性の胸の意味）でハワイへの航海を繰り返すようになる。このヨットを彼は二二万五〇〇〇ドルのキャッシュで購入したと伝えられているが、『イージー★ライダー』から得た収入はそれほど莫大なものだったのだ。当時のハリウッドには、一作品で一〇〇万ドル稼げるスターはまだほんの一握りしかおらず、ヘンリー・フォンダやジェーン・フォンダなどは三〇万ドルも得られれば運がいいほうだった。だが、ピーターが手にした収入はこの時点ですでに五〇〇万ドルに達していたし、プロデューサー兼主演スターとして総収益の二二パーセントをもらうことになっていたから、最終的に映画が六〇〇〇万ドルもの配収に達したため、結果的に取り分七二〇〇万ドルにもなった計算だ。監督兼準主役であったデニス・ホッパーの取り分は七パーセントだったから、二人が手にした取り分の差額は最終的に三〇〇〇万ドルにのぼる。ホッパーはジャック・ニコルソンには寛大で、彼の存在が映画を成功へと導いてくれた事実を素直に認め、当初、固定給の安い出演料しか払わない契約となっていたのに(＊11)、彼にも興行収益からパーセンテージで支払うように取り計らっていた。だが、ピーターとの利益配分の差額が明らかになっていくにつれて、ホッパーはあからさまにピーターを罵る発言を繰り返すようになる。ホッパーにしてみれば、先に述べたように、ピーターは『イージー★ライダー』のスタート時点ではパートナーとして製作資金の捻出に責任を持つ役割だったが、実際の映画作りに際してはまったくといっていいほど役に立たず、貢献と言えるようなものはほとんどないと考えていたからなおさらのことだったろう。

十年間にもわたって、自分たちの世代による映画を自分たちだけの手で作るという共通の目標に向かって、支えあいながら歩んできたデニス・ホッパーとピーター・フォンダだったが、『イージー★ライダー』が予想をはるかに上回る大成功を収めてしまったことでその友情に亀裂が生じ、結果的に

それぞれが別々の道へと進んでいくことになってしまったのはまったく皮肉な巡り合わせであった。一九七〇年の初めにホッパーの『ラストムービー』にピーターが出演して以降、二人が仕事の上で接点を持つことは遂になかったのである。

『イージー★ライダー』の後、デニス・ホッパーはポール・リュイスをパートナーに『ラストムービー』を発表し、ピーター・フォンダはビル・ヘイワードと一緒に『さすらいのカウボーイ』を生みだした。そして『イージー★ライダー』の製作チームからこの四人を除いた残りの者たちは、もう一本別の作品を作ることになる。それが『ファイブ・イージー・ピーセス』である。そして皮肉なことにピーターとホッパーがともにまったく関わっていないこの作品こそが『イージー★ライダー』の栄光を受け継いだ作品とみなされ、それに関わった者たちが新しい世代のハリウッドのメイン・ストリームへと躍り出ていく。すなわち、製作のバート・シュナイダー、監督のボブ・ラフェルソン、主演のジャック・ニコルソン、そして助演のカレン・ブラックである。とりわけジャック・ニコルソンは『イージー・ライダー』に引き続き、この作品でもアカデミー賞にノミネートされ、その後『カッコーの巣の上で』でアカデミー主演男優賞を受賞するなど、厳しい鑑賞眼を持った批評家たちと若い観客たち双方から圧倒的な支持を得て、究極のトップ・スターへと成長していく。

『さすらいのカウボーイ』で家庭を顧みることなく放浪の旅に出て七年ぶりに帰ってきた主人公は、自分が不在の間に妻が働き手の男たちの何人かと関係を持っていたことを知って傷つき、混乱する。実は、ピーター・フォンダ自身の実生活においても映画の中の出来事と同じことが起こっていた。家庭を顧みずに仕事に没頭したり、家族を置いて航海に出ていたために、妻スーザンは寂しさのあまりピーターの仕事仲間の一人と深い関係に陥っていたのだ。ピーターは怒り、傷つき、そして離

婚を求めた。二人の子供、ブリジットとジャスティンの存在も離婚の妨げとはならなかった。

三十代に突入していたピーター・フォンダは、自らが映画の中で演じてきた主人公同様に「人生の模索」を続ける〝さすらい人〟となったのである。

＊1　ジョン・フィリップ・ローは、『バーバレラ』でピーター・フォンダの姉ジェーンと共演、イタリアでマカロニ・ウエスタンなどに主演していたが、もともとは女優の息子でハリウッド育ち。

＊2　ロサンゼルスからペルーへ向かうチャーター機の中では、俳優やスタッフたちが大っぴらにマリファナを吸い、フライト・アテンダントの女性にも強要してフラフラにさせ、機長がペルー警察に通報したとか、クスコのホテルにペルー警察が摘発に来るという情報が入って、あわてて各部屋からドラッグ類を回収した、といったエピソードが伝えられている。詳しくはトム・ファルソムによる伝記「ホッパー」（itbooks　二〇一三年）などを参照されたい。

＊3　インタヴューA

＊4　エレナ・ロドリゲス「デニス・ホッパー／狂気からの帰還」（白夜書房、一九八九年刊、綾部修訳）一〇九頁

＊5　ポーリーン・ケイルは「ザ・ニューヨーカー」誌の映画評を一九六八年から九一年まで書き続け、その歯に衣着せぬ明快な批評文からアメリカで最も影響力のある評論家として知られていた。日本でも「映画辛口案内 私の批評に手加減はない」など、評論集が数冊翻訳出版されている。

＊6　エレナ・ロドリゲス「デニス・ホッパー／狂気からの帰還」一三一〜一三三頁

＊7　ヴェネチア映画祭は一九六九年から一九七九年までコンペティションが行われなかったため最高賞（金獅子賞）を選出していない。ちなみに、この年はイングマール・ベルイマンがキャリア金獅子賞、黒澤明『どですかでん』がOCIC賞、ケン・ラッセル『肉体の悪魔』がPASINETTI賞（外国映画）を受賞した。

＊8　前掲「マスターズ・オブ・ライト」に収録されたヴィルモス・ジグモンドのインタヴュー。三四〇〜三四一頁

＊9　Peter Fonda interview by Howard Junker, 1971（「CUT」一九九三年九月号に翻訳収録）

＊10　ピーター・コリアー「フォンダ／ヘンリー、ジェーンそしてピーター」二二〇頁

＊11　二五八〜二五九頁、アメリカ映画協会（AFI）生涯功労賞におけるピーター・フォンダの挨拶を参照されたし。

Chapter 4

逆　転

左から、カレン・ブラック、デニス・ホッパー、トニ・ベイジル、ピーター・フォンダ

01 デニス・ホッパー奇跡の復活

一九七〇年代を通して、デニス・ホッパーはタオスの地で『ラストムービー』の不運を呪いつつ世捨て人のような生活を続けていた。『ラストムービー』は映画作家としてのデニス・ホッパーにとって文字どおり「最後の映画（ラストムービー）」となり、ハリウッドでホッパーの名が取り沙汰されるのは彼がタオスの警察当局とトラブルを起こしたときくらいという状況になっていた。実際、彼は要注意人物として地元警察にマークされ、何度か逮捕されている。その報せを伝え聞いたピーター★フォンダが保釈金を送ってよこすことさえあった。

ごくたまに、一時はカウンター・カルチャーの寵児であった彼への忠誠心から、演技の仕事を持ちかけてくれる者もいたが、たいていは『イージー★ライダー』の洗礼を受けたヨーロッパの若手映画製作者による小品でしかなく、ハリウッドにデニス・ホッパーの健在ぶりを示すことはできなかった。『イージー★ライダー』の製作に間接的に関わり、のちにレストランのシーンの編集にも立ち合ったヘンリー・ジャグロムが映画作家として独り立ちし、第2作『トラックス』（＊1）の主役をオファーしてくれたりもしたが、これとて実は初めに主役をオファーしたジャック・ニコルソンに断られたためにホッパーにお鉢が回ってきたのが真相だった。しかも映画ができあがってからアメリカ国内の主要都市で公開されるまでに何年も要したのだった。

映画を監督するどころか、映画俳優としてもたまに仕事をみつけられれば御の字であり、役柄に構っている余裕などない状況にありながら、デニス・ホッパーは一九七六年の後半、続けざまに二本の映画で対照的な役柄をそれぞれ見事に演じきる。かつてハリウッドの「将来を約束されたスター」として華々しくデビューし、ジョージ・スティーヴンス監督をして「十年に一人の逸材」と言わしめ、「お前の演技をエドマンド・キーンやジョン・バリモア（＊2）に見せてやりたかったよ」とジェームズ・ディーンを感嘆させた若き日の才能は、枯れることなく充分に成熟していたことを示したのだ。

最初の作品に出演するチャンスを与えてくれたのは、ホッパー同様にロジャー・コーマンのもとで監督になる修業を積んだフランシス・フォード・コッポラ。彼にとっても最大の賭けともいうべき超大作『地獄の黙示録』だ。ロケ地はフィリピンのジャングルだった。コッポラはこの十年ほどの間に、まず脚本家として『パットン大戦車軍団』（七〇年）でアカデミー賞を受賞。次いで世界的な大ヒットを記録した『ゴッドファーザー』（七二年）でトップ・ディレクターとなり、二年後の『カンバセーション…盗聴…』と『ゴッドファーザーPARTⅡ』でそれぞれカンヌ映画祭グランプリ（＊3）とアカデミー最優秀監督賞を受賞するなど、まさに新世代ハリウッドのリーダーとして君臨していた。ホッパーにしてみれば、このときのコッポラの立ち位置こそ、本来自分が就いているべきものだったはずとの思いもあっただろう。だが、そんな気持ちを上回る魅力がこの作品にはあった。それは、彼が子供の頃から憧れてきた俳優の一人、マーロン・ブランドと共演できるチャンスであった。役どころはヴェトナム戦争に従軍していた報道カメラマンで、ホッパー自身が六〇年代にプロの写真家として活躍していたこともあったがゆえの配役だった。この報道カメラマンはブランド扮するカーツ大佐——ジャングルの奥地に自らの帝国を築いた謎の男——を崇拝し、彼にまとわりついている人物で、物語の中では小さな役に過ぎなかったが、カーツ大佐を暗殺するために派遣されてきたウィラード大尉（マーティン・シーン）にそこで何が起きているかを伝える重要な役である。ある意味では、ヴェトナム戦争の狂ったありさまを、戦場とアメリカ本国、あるいは戦場と観客席とを結びつけることができる狂言回し的存在と位置付けられる。ホッパーは、この狂気に片足を突っ込んで混乱している男の

役を見事に演じきった。当時のデニス・ホッパー自身が映画の中で演じた役と同様に狂気と混乱に苛まれて極限状態にあったことは、のちに公開されたドキュメンタリー『ハート・オブ・ダークネス／コッポラの黙示録』で示されたとおりだが、それでも彼はただのジャンキーがキャメラの前で自分自身ともいえる役を演じているだけという以上の存在感を示している。

デニス・ホッパーが俳優としてかなり高いレヴェルに到達していたことは、続く『アメリカの友人』でより明確になる。彼は『地獄の黙示録』の出番を終えたその足でジャングルから一気に厳しい寒さのドイツ・ハンブルグへ飛び、ヴィム・ヴェンダース監督によるパトリシア・ハイスミス原作のサスペンス映画に出演した。ここでのホッパーは、かつてアラン・ドロンが『太陽がいっぱい』で演じてスターダムを確立した知的犯罪者トム・リプリー役に、孤独に怯え、切ないまでに純粋な友情を求めている男の陰影を与え、今日にいたるまで自らのベストと語る演技をものにした。ヴェンダースは『イージー★ライダー』に少なからざる影響を受けた者の一人だったので、『理由なき反抗』のニコラス・レイ監督、『ラストムービー』に出演したサミュエル・フラー監督を俳優として登場させるなど、デニス・ホッパーへのオマージュを捧げている。それどころかホッパー演じる犯罪者トム・リプリーは『ラストムービー』での彼を思わせるカウボーイの姿で登場するのだ。ホッパーによると、これは『アメリカの友人』撮影中に彼が『ラストムービー』の映像をヴェンダース監督に見せたことに由来する。のちに、ドキュメンタリー映画『デニス・ホッパー／狂気の旅路』でヴェンダースは、当初トム・リプリー役としてジョン・カサヴェテスにオファーしたものの、カサヴェテス自身から「この役にはデニス・ホッパーの方が相応しい」と推薦され、そのアドヴァイスに従ったのだと語っている（＊4）。ジョン・カサヴェテスもまた、個性派俳優として映画出演を続けながら、自主映画の映画作家として『アメリカの影』（五九年）などの作品を発表し、インディペンデント映画の先駆者として高い評価を得ていた。自らの後を追うように俳優から映画製作へと歩を進めたホッパーが、『イージー★ライダー』で成功をつかみながらも『ラストムービー』で挫折を味わっているのを、先輩インディペンデント映画作家カサヴェテスはどんな気持ちで見ていたのだろうか。

ドイツ映画である『アメリカの友人』がアメリカ国内で広く観客の眼に触れる可能性が低いことは当然としても、『地獄の黙示録』の方は何といっても世界中が注目しているコッポラ監督の五年ぶりの新作である。ホッパーはおそらく、自らの才能を再認識させるいいチャンスだと考えていただろう。だが、好事魔多し。『地獄の黙示録』はコッポラにとっての『ラストムービー』ともいえるような結果となる。条件の悪いジャングルでの長期間の撮影と台風の襲来などによって製作費が膨大な額に膨れ上がったことに加え、コッポラは編集作業にも苦しみ抜き、再びカンヌ映画祭最高賞パルムドールを獲得したにもかかわらずアメリカ国内での批評は賛否両論、出演者の演技が話題になることもなかった。映画業界の人々や一般観客が興味を示したのは、コッポラが莫大な負債を抱えてしまったという下世話な話題だけだった。

もはや運命の女神は自分を完全に見放してしまったのだろうか。なすすべもなくそうつぶやくホッパーは、より一層アルコールとドラッグに頼るようになり、その心身は日を追うごとに消耗していった。

そんな最中の一九八〇年初め、思いもかけない幸運により、デニス・ホッパーは『ラストムービー』の撮影から十年ぶりに第三作目となる監督兼主演作品に取り組むチャンスにありつく。幸運の女神はポール・リュイスだった。

ホッパーのキャリアが下降線をたどるにつれ、かつてのパートナーだったポール・リュイスもまたハリウッドのメイン・ストリームからは外れた存在となっていた。それでも、自己破壊的な状態に陥っていたホッパーのことをいつも気にかけていた彼は、製作総指揮として手がけていたカナダのテレビ用映画に、主人公の少女の父親役としてホッパーを雇い入れるだけの裁量があった。その作品——当初『シンディ・バーンズのケース』というタイトルが付けられていた——は、児童心理学者役のレイモンド・バーが素行に問題のある少女シンディ（リンダ・マンツ）を救うだけの、あまり面白みのない物語だった。脚本を書いたレナード・ヤキールが初めて監督を務めることになっていたが、撮影開始後二週間経った時点で仕事を投げ出してしまい、結果的に出演者の一人でしかなかったホッパーが過去の実績をかわれて急きょピンチ・ヒッターに選ばれたのだ。彼は、この降ってわいたようなチャンスに舞い上がることなく、実にしたたかに作品自体を彼らしさのにじみ出る鋭いものに変えてしまった。主人公の少女はエルヴィス・プレスリーを崇拝するパンク少女となり、ストーリーからは児童心理学者の存在がほとんど消えてしまう。少女の両親もジャンキーの母親とムショ帰りで性的に歪んだ父親に変えられ、ラストも少女が両親を道連れにして爆死するという過激なものとなった。実は、この内容はホッパーの友人の一人ニール・ヤングのある曲の歌詞にインスパイアされたもので、映画のタイトルも曲名の一部からとって『アウト・オブ・ブルー』に変更された（＊5）。

いち早くパンク・ロックに注目し、その精神を見事なまでに体現する作品を仕上げたデニス・ホッパーの感性は『イージー★ライダー』のとき同様に鋭く、まさに時代の先端の文化を支持し続けるホッパーの面目躍如といったところだ。しかし、この作品もまたアメリカでの公開までに二年もの月日を要し、ようやく公開に漕ぎつけた際にも、かなり好意的な批評を勝ち取っていたにもかかわらず小規模な興行であっという間に劇場から姿を消す運命となった。ホッパーにとっての唯一の慰めは、映画を見たジャック・ニコルソンが作品を絶賛し、公開時のラジオCM用に「私は出ていないのですが、デニス・ホッパーの映画『アウト・オブ・ブルー』を推薦します。私は自分自身の作品ですら人に対して保証などしたことはありませんが、これは『イージー★ライダー』がまさに六〇年代から七〇年代へと移り変わっていく時代を描いていたように、八〇年代を描いています。大人は拒絶するかもしれませんが、これは傑作です。誰もが見るべき映画です」とコメントを提供してくれたことだったろう。（＊6）

一九八三年になると、デニス・ホッパーのアルコール及びドラッグの過剰摂取がもはやのっぴきならぬところまで来ていることは明らかだった。アルコール中毒から幻覚を見るようになっていた彼は、友人たちの手によってとうとうハリウッドの映画人のために設立されていたアルコール及びドラッグ中毒患者のためのリハビリ施設スタジオ12に入院させられてしまう。そこで彼は、死ぬ思いの禁断症状に耐えてアルコールを絶つ治療を受けるが、やめることができたのはアルコールだけで、その分、前にも増してドラッグの摂取量が増えてしまう。結局、コカイン中毒治療のためロサンゼルスのセンチュリー・シティ病院に入院するが、医師たちは抗精神病の処置を施しただけで彼をシーダーズ・サイナイ病院に移送してしまう。もはや自分の意志で退院することすらできなくなったホッパーは、まさに落ちるところまで落ちたのである。当時の彼についてピーター・フォンダとジャック・ニコルソンはそれぞれ次のように語っているが、その発言は八〇年代を通じての彼らとホッパーとの心理的距離を表しているようである。

PF 僕はタオスに住んでいる従弟に会いに行ったときにはデニスを訪ねたし、ロサンゼルスでも会った。何度かは、デニスが留置場から出られるように助けたこともある。つまり彼が出所できるようにとお金を送ったわけさ。彼とはいい関係を保っていたが、それほどひどいドラッグ漬け状態だとは知らなかった。そんな状態だとは気が付かなかったし、知るよしもなかったたんだ。僕は彼が問題を抱えていること……酒に溺れ、ドラッグを多用し過ぎていることは知っていたが、どれほど重症かは知らなかった。僕はただ留置所にいれられた狂ってしまった友人の出所を助けていると思っていたんだ（笑）。（＊7）

JN デニスはどん底にいた。面会も禁止されていた。サニー・ブルック・ファームみたいな金持ちの保養所なんかとは違うところでね。ふらっと立ち寄れるわけじゃなかった。厳しい現実と直面していたっていうわけさ。（＊8）

デニス・ホッパーがそこまでドラッグにのめり込んでしまったのは、感性を鋭く保てると考えてのことだったのだろうか？『イージー★ライダー』や『ラストムービー』、『アウト・オブ・ブルー』で見せた演出の冴え、あるいは『地獄の黙示録』や『アメリカの友人』で示した素晴らしい演技は、彼自身の生まれついての資質がもたらしたものではなく、ドラッグの力が寄与した部分が大きかったのだろうか？　のちに、どん底の時期について笑って話せるようになった彼は、筆者とのやりとりの中でこう語っている。

――映画を作ることに関して自分を「天才」だと思っていましたか？　あるいは今でもそう思っていますか？

DH うーん、「天才」というのがどういうことなのかよくわからないな。もし「天才」が、ある種の才能を持っている人のことだとしたら、それが習ったものでなく、神から与えられたもので、教育も受けていない人が「驚くべき閃き」を持っていたとすれば、それが本当の「天才」なんだろうな。よくはわからないが……。俺は自分をとても感覚的な人間だと思っている。感受性はとても豊かだ。それが「天才」なのかどうかはわからない。俺は目に見えない物の形をとらえることに長けている。それが天才ということなのだろうか……。やっぱり俺にはわからないな。だけど、あのとき（『イージー★ライダー』製作当時）ジャック・ニコルソンと俺は、お互いに自分たちは天才だと思っていたよ（笑）。

——ジャック・ニコルソンによれば、彼とあなたは撮影半ばにドラッグ・パーティのようなことをして、深夜に二人で服を脱いで道を走りながら「俺たちは天才だ！」と叫んだとか……本当の話ですか？（笑）

DH たしかに（笑）。本当だよ。まさしくね。たぶん天才である以上にドラッグのせいだと思うけどね（笑）。

——俳優や監督がその感覚を保つためにドラッグを用いることは許されると思いますか？

DH そうだな……俺は、ご承知のとおりドラッグ中毒になった。人生の中で、芸術家だという理由で酒とドラッグを正当化していた時期があったことは間違いない。俺は芸術家なんだからドラッグを使ったってオーケーさ、というわけだ。なぜって、多くの芸術家がアルコールとドラッグの中毒になって、それでもその仕事は認められてきたんだからね。W・C・フィールズ、ジョン・バリモア、ピーター・オトゥールやリチャード・バートンもそう。エドガー・アラン・ポーもテリー・サザーンも、マイルス・デイヴィス、チャーリー・パーカーもそうだ。彼らがアル中だったりドラッグ中毒であっても人々は彼らを認めたんだよ。ボードレール、ランボー、ヴェルレーヌなんかもね。だが重大な事実として、中毒状態から本当に立ち直った者の多くは、その後二度と再びドラッグにのめりこんだりはしていないってことだ。これはとてもはっきりしている。だけど、ドラッグの経験がなくても偉大な俳優や女優がいるのも事実だ。メリル・ストリープや、ダスティン・ホフマンなんかさ。ほんの一握りだけどね。たとえば、アルコールやドラッグの中毒患者を演じるには、それを実際に試してみなければならないだろうか？いいや、その必要はない。リサーチすればいいんだ。アル中を擬似体験する方法などいくらでもある。『勝利への旅立ち』のとき、俺はその（酔っ払った）シーンを撮る前に目を閉じてとても速く体を回転させ、平衡感覚をなくさせた。そんなふうに、さまざまなテクニックを使って、本当に酔っ払っているように酔っ払いを演じることができる。それと、俺は人は酔っ払うとどうなるかを知っているし——経験があるからその演じ方もわかる。だけど、たとえば『レインマン』のダスティン・ホフマンを見てみろよ。彼はあの芸術的な人物を演じ、成りきるために心を喪失しなければならなかったが、リサーチを続けたことであの人物に成りきることができたわけだ。だから、ドラッグやアルコールの経験がその人物を演じたり、映画を監督したりする上で必要だとは思わない。事実、そういった経験がなくたってはっきりした視点を持つことはできるはずだ。現実を疑似体験するような経験によってね。俺の場合は本当の経験と知識があったわけだし、もう一度演じようと思えばその経験をいつでも利用できるわけさ。

——ドラッグから何か役に立つ、つまりポジティブな影響を受けましたか？

DH 最初の頃……初めてアルコールを飲んだり、ドラッグを試したりしたときはとてもいい時を過ごし、神の声を聞くような経験をした。だが、それは束の間で、突然、ペナルティが課せられたように中毒状態となり、それまでのキャリアも、本当にやりたかったことも、すべて破壊するような、とても非生産的な生活に陥ってしまった。おかげで仕事はなくなり、創造性もすべて奪い取られた。俺にとって創造的であることこそが生きがいだったわけだから、俺の生活はとても非生産的で否定的なものになってしまった。

——どうやってアルコールやドラッグを断ち切ることができたのですか？

DH なぜなら俺は正気だったからさ。誰もいないのに声が聞こえたり、何もないのに物が見えたり、そういう偏執狂的な錯覚が起こるようになっていることを自覚できていたんだ。

——このままドラッグを使用し続けていたらいつか死ぬだろうと思いましたか?

DH ああ、きっと死んでいただろう。やめるのだって命がけだったんだからね。もし君がアル中になったとしたら、アルコールを断つにはまさに死ぬ思いをするってことさ。俺は中毒状態がひどい頃には、毎日ラム酒を二リットル飲んでいたんだ。レモン五十切れを添えてね。あと二十七本のビールと三グラムのコカインだ。一人でこの状態を断ち切ろうとすれば死ぬしかない。だから、それを断ち切るのは至難の業だったよ。……あのまま続けていたら死んでいたな。疑う余地なしだ。(＊9)

それでも、デニス・ホッパーは生き残った。

シーダーズ・サイナイ病院から彼を救い出したのは、旧友バート・シュナイダーだった。『イージー★ライダー』に資金を提供してホッパーとピーター・フォンダに映画を作る機会を与えたあと、仕事上での付き合いこそなかったものの、シュナイダーは常に変わらずデニス・ホッパーの友人であり続けた。病院で身元保証人としてホッパーを引き取る書類にサインした彼は、ディーン・ストックウェルら他のホッパーの友人たちにも声をかけて、ホッパーを治療に専念させて彼が再び仕事に戻れるよう尽力した。

一九八四年、ようやく仕事に復帰できるほどに回復したホッパーは、ディズニー・スタジオ傘下のタッチストーン社製作によるコメディ『マイ・サイエンス・プロジェクト』に出演するチャンスを得る。これは落ちこぼれの高校生二人組がタイムワープしてしまうというたわいのない映画に過ぎなかったが、今のホッパーには仕事ができるだけで嬉しかった。彼の役は六〇年代を引きずったまま生きている化学の教師で、最後には彼自身もワープして「ウッドストックへ行ってきたぞ！」と叫びながら『イージー★ライダー』のビリーの扮装そのままで登場するというセルフ・パロディだった。それはまるでホッパーが「もう俺は過去の栄光にはこだわらないぞ！」と高らかに宣言したようなものだった。そして撮影中に彼がまったくトラブルを起こすことなく模範的な俳優として振る舞っていたことが評判となり、次々と出演依頼が舞い込むようになった。

その中で、一九八五年から翌八六年にかけて出演した二本の作品、デヴィッド・リンチ監督の『ブルーベルベット』とデヴィッド・アンスポー監督の『勝利への旅立ち』によってデニス・ホッパーの復活は決定的となった。前者においては精神異常の極悪人役を鬼気迫る怪演でテンション高く演じ、同作品を八〇年代を代表するカルト作品にした一方で、後者では哀愁を漂わせるアル中の高校バスケット・ボールのコーチ役で主演のジーン・ハックマンやバーバラ・ハーシーといった共演者たちを完全に食ってしまったのだ。この二作品での演技で、彼は全米映画批評家協会賞およびロサンゼルス映画批評家協会賞の最優秀助演男優賞を獲得した。とりわけ、『勝利への旅立ち』では作品そのものが全米で大ヒットしたこともあって批評家だけでなく一般の映画観客、そして業界関係者たちからも圧倒的に支持されることとなった。

一九八六年の暮れにはニューヨークのトニー・シャフラッツィ画廊で、彼が六〇年代に撮り続けた写真の個展が催されて大評判となり、写真集「ＯＵＴ　ＯＦ　ＴＨＥ　ＳＩＸＴＩＥＳ」も発売されて写真家としてのデニス・ホッパーを再評価する気運が一気に盛り上がり、その勢いは一九八七年二月にアカデミー賞最優秀助演男優賞にノミネートされるまでとどまるところを知らなかった。

とうとう、デニス・ホッパーは奇跡の復活を遂げたのだ。この復活は本当に「奇跡」と呼ぶにふさわしいものだった。なぜならこれは彼にとって二度目の復活であり、三度目の頂点への到達だったからだ。最初の頂点は十代の終わりにジェームズ・ディーンの弟分の「将来を約束されたスター」として。次は三十代前半に『イージー★ライダー』をひっさげてカウンター・カルチャーの申し子として。そして五十代となったこの時期に三度(みたび)第一線に返り咲いたのだ。長いハリウッドの歴史の中で、これほどまで劇的に栄光と転落を繰り返した者はいない。

今やデニス・ホッパーは若手の人気スターたち——たとえばショーン・ペン、キーファー・サザーランドといった俳優たち、あるいはデヴィッド・バーン、ジム・ジャームッシュ、アレックス・コックスといったミュージシャンや新進映画作家たちから崇拝される人物となった。そして、演技の領域での復活に次いで、彼自身が「天職」として再開したいと心から望んでいた映画監督としてのキャリアもまた復活する。八八年には『カラーズ／天使の消えた街』、八九年には『ハートに火をつけて』を、そして九〇年には『ホット・スポット』、九四年には『逃げる天使』。次々と作品を発表する彼は、第一線でコンスタントに質の高い作品を送り出す映画作家として、また出演した作品では圧倒的な存在感を示す俳優として、ハリウッドで押しも押されもせぬ地位を確立したのである。過去二度の頂点はいずれもわずか二年間程度の短期間のものだったわけだから、ある意味ではこの時期こそデニス・ホッパーの人生にとって最大の絶頂期だったといえるだろう。

一九九〇年代の「現在」を生きるデニス・ホッパーにとって、もはや『イージー★ライダー』での成功などは過去の通過点に過ぎなかった。

逆転

Sun
Mother Earth
Copyright © 1969 Columbia Pictures. All Rights Reserved. Permission granted for Newspaper and Magazine reproduction. PRINTED IN U.S.A.
PANDO COMPANY in association with RAYBERT PRODUCTIONS presents EASY RIDER starring PETER FONDA • DENNIS HOPPER
JACK NICHOLSON • Screenplay written and conceived by Peter Fonda, Dennis Hopper, Terry Southern • Directed by DENNIS HOPPER
Produced by PETER FONDA • Executive Producer BERT SCHNEIDER • Color • Released by Columbia Pictures
"Property of National Screen Service Corp. Licensed for display only in connection with the exhibition of this picture at your theatre. Must be returned immediately thereafter."
NSS69/202

逆 転

02 モンタナへ——過去を引きずって

デニス・ホッパーがアルコールおよびドラッグ中毒を克服し、『イージー★ライダー』の成功を過去のものとするまでの間、〝相棒〟は何をしていたのだろうか。ここで、ピーター・フォンダの足跡をたどってみよう。

一九七四年十二月十六日。——ピーター・フォンダは日本へやってきた。来日の目的はテレビCMに出演した日本のアパレル・メーカー「レナウン」社の新ブランド「シンプル・ライフ」の宣伝キャンペーンであったが、もうひとつの目的は彼が先頃完成させた第二回監督作品『アイダホ・トランスファー』の日本での配給先を探すことだった。

第一回監督作『さすらいのカウボーイ』ではまずまずの批評を得ながらも興行面での成功を勝ち取ることはできなかった。しかし、俳優としてはこの三年間の間にメジャー・スタジオ配給による四本の作品に主演し、いずれも興行的成功を収めて、ハリウッドや国の内外に対して名門フォンダ家の主役の座にいるのは今やピーターなのだと印象づけていた。たとえば七四年に出演した『ダーティ・メリー　クレイジー・ラリー』は一二〇万ドルの予算に対して二五〇〇万ドルの収益を生み、その年の二十世紀フォックス配給作品では最高の成績だった。だが『イージー★ライダー』での超然としたヒーロー像（あるいはアンチ・ヒーロー像）を越えるような役柄はそう簡単に見つかるものではない。結局、『ワイルド・エンジェル』以前の青春スター路線の延長でしかない未婚の母との束の間の恋に燃え上がるヴェトナム脱走兵（『ふたり』）だとか、得意のバイクやカー・アクション・シーンを盛り込んだアクション映画のヒーロー（『ダーティ・メリー　クレイジー・ラリー』、『悪魔の追跡』）、あるいはヴェトナム戦争後遺症で「人間狩り」ゲームに取り憑かれた青年（『ダーティハンター』）といった中途半端なものばかりで、父ヘンリーのキャリアと比べるとかなり見劣りのするものでしかなかった。

だが、デニス・ホッパーに『イージー★ライダー』で「彼は最終的にはただの一俳優にすぎなかった」と主張されようとも、ピーター・フォンダは「スター」としての確固たる地位と、富の象徴である豪華ヨットでの自由気ままな暮らしを手に入れるだけの目的であの映画のプロデュースをしたわけではなかった。彼が本当に欲していたのは、役者としてだけでなく、「成功」することでハリウッドのシステムから独立した映画製作者としての基盤を築き、父ヘンリーを含むすべての者に対して一人の映画作家として自らの思想や考え方を表明し、そして認められることだったはずだ。

『さすらいのカウボーイ』で、『イージー★ライダー』が描いていた「人生の模索」というテーマを、西部劇という伝統的なジャンルにおいてより深く掘り下げた彼は、たしかに思想家として成長しつつあった。だが、発表した作品が収益を生み出さなければ、独立した映画製作者として次の作品に取りかかることは難しい。『さすらいのカウボーイ』の結果がもたらしたのは、三年かけてようやく製作することのできた新作『アイダホ・トランスファー』の公開のめどがなかなかたたないという厳しい現実だった。

『アイダホ・トランスファー』は二千年後の未来にタイムスリップした若者たちを描くSF映画で、愛する能力を失ってしまった未来の人々が石油や石炭を使い果した結果、人間自体がエネルギー源とされてしまう悲観的な未来社会を描くもので、ピーター自身の心象風景を具現化した作品だった。彼は出演はせず監督だけに専念し、製作は『さすらいのカウボーイ』同様ビル・ヘイワードが務めていた。

来日時、音楽評論家・鍵谷幸信（慶応義塾大学教授）によるインタヴュー（「週刊プレイボーイ」一九七五

年一月十四日号）で、ピーター・フォンダは次のように語っている。

――『アイダホ・トランスファー』という映画は、えらく難解な映画という噂だが？

PF ええ。「タイム」誌の批評家が、「難解なので四回観てやっと分かった」って書いていました（笑）。

――『イージー★ライダー』は日本の若者たちに非常な共感を呼んで大ヒットしたが、そういう難解な映画が世界のヤングに理解され、共感を得られると思いますか？

PF ドラマチックな作品ではないし、たしかに難解な面もあると思う。しかし、この映画の中で僕は、人類の持っている価値とか、人間対人間の関係、そういったものを非常にデリケートな形で表現したつもりです。だから、観るときは多少むずかしくても、観た次の日になれば、きっと何か分かってもらえると信じている。

――なぜ、そんな難解な映画を作ったのですか？

PF 『イージー★ライダー』ではロック・ミュージックを使ったり、いろんな面白おかしいシーンを入れたりしたので、ドラマチックな映画ではなかったけれど難解でもなければ退屈もしなかった。しかし、僕自身の哲学をそのまま映画にした今度の作品では『イージー★ライダー』や『さすらいのカウボーイ』のように直接的にテーマを表現することは不可能だったのです。僕自身もまた、なるべくイージーなやり方は避けたかった。

結果だけを言えば、『アイダホ・トランスファー』はアメリカ国内ではシネメーション・インダストリーという弱小配給会社の手によって一応公開されはしたが、観た人間の数はデニス・ホッパーの『ラストムービー』といい勝負だったはずだ。批評もテンポの悪さを容赦なくこきおろすものばかりで、興行成績は惨憺(さんたん)たるものだったからだ。この時点ではまだ俳優としてのピーター・フォンダのスター・ヴァリューはかなり高かったから、もし彼自身が主演も兼ねていたなら少しは状況が違ったかもしれない。もっとも、『イージー★ライダー』での成功によって群を抜いた大スターへと成長していたジャック・ニコルソンにしても、監督に専念した第一作『ドライブ・ヒー・セッド』（七〇年／日本未公開）で惨敗した後、今度は失敗できないからと『ゴーイン・サウス』（七九年／日本未公開）では主演と監督を兼ねたものの惨めに失敗を繰り返しているのだから、いちがいにそうとばかりは言えないかもしれない。

それでも、映画興行市場として無視することができない地域となっていた日本において、ピーター・フォンダは『イージー★ライダー』一作によって一躍人気スターとなっていた。ちなみに、デニス・ホッパーの存在は日本ではさしてクロース・アップされることはなく、一にピーター、二にジャック・ニコルソンがこの映画から生まれたスターだった。だから、せめて日本だけでも大規模に公開できれば、と彼が考えたとしても無理はなかった。だが、残念ながら日本で注目されたのはスターとしてのピーター・フォンダだけだったので、彼自身が出演していない作品を配給・公開しようという会社はとうとう現われなかった。

残念な結果となった来日の少し前、ピーター・フォンダはフロリダ州キーウェストで、とあるインディペンデント（独立プロダクション製作）映画に主演した。これは同年のフランク・ペリー監督作品『ランチョ・デラックス』（日本未公開。『荒野にさすらう若者たち』としてテレビ放映）の原作者である作家トマス・マッゲインが、映画化を他人にまかせていては満足できる作品には仕上がらないからと、自作である『92イン・ザ・シェイド』の脚色と監督を自ら買って出た作品（日本未公開）で、ピーターの他には『さすらいのカウボーイ』以来彼の親友となっていたウォーレン・オーツ、マーゴット・キダー、それに『ランチョ・デラックス』にも出ていたハリー・ディーン・スタントンとエリザベス・アシュレイが出演していた。けれども、ユナイト映画の手で公開されたにもかかわらず、この作品も芳しい成績を残すことはできず、マッゲインは監督業をあきらめて翌年にはアーサー・ペン監督のために『ミズーリ・ブレイク』の脚本を担当することになる。

『ランチョ・デラックス』と『92イン・ザ・シェイド』は、ピーター・フォンダを含めた関係者の多くの人生に大きな影響を与えることとなった。

『ランチョ・デラックス』は、マッゲインが妻ポーシャ・レベッカ（ベッキー）・クロケットと共に住んでいたモンタナ州リヴィングストン郊外の牧場で撮影されたのだが、ロッキー山脈の麓にあって雄大な自然に囲まれたこの地は出演者たちの心をとらえ、ハリー・ディーン、ウォーレン・オーツ、そして後には主演を務めたジェフ・ブリッジスらが相次いで同地に移り住んだり、別荘を購入したりしたのだ。一方、マッゲインはこの作品の撮影を通じて主演女優エリザベス・アシュレイと深い関係となり、それがそのまま次作『92イン・ザ・シェイド』に持ち越される。だが、この作品の撮影中マッゲインはもう一人の主演女優マーゴット・キダーとも恋愛関係におちいり、キダーとの間に一子をもうける。だがゴシップはこれだけでは終わらず、夫マッゲインの恋愛に対する自由な考え方を支持していた妻ベッキーもまた、まずウォーレン・オーツと、次にピーターと関係を持つ。結局マッゲイン夫妻は友好的に離婚。ベッキーとピーター・フォンダは、この年の十一月十一日に二人だけの結婚式を挙げる。

ウォーレン・オーツの勧めもあってベッキーが長く住んでいたリヴィングストン郊外に牧場を買ったピーターは、オーツ、マッゲインらの隣人となり、結果、モンタナ州リヴィングストンは、芸術家

たちのコミューンの様相を呈するようになる。互いに色恋のもつれすら含み込んだ深い友情で繋がっている者たちの聖域となったのだ。ピーターはこのコミューンのことを「モンタナ・ブルームズベリー」と呼んでいた（二〇世紀初頭のロンドンはブルームズベリー地区で、ヴァージニア・ウルフ、Ｅ・Ｍ・フォースター、バートランド・ラッセル、そしてリットン・ストレイチーとドーラ・キャリントンら知識人・文学者グループが自由な恋愛関係で繋がりつつお互いに影響を与え、「ブルームズベリー・グループ」と呼ばれていたことを踏まえたもの）。彼にとって、これはある意味で父ヘンリーの若き日のライフ・スタイルの再現でもあった。最初の妻マギー・サラヴァンと終生愛し合っていたヘンリー・フォンダは、サラヴァンが自分のエージェントであったリーランド・ヘイワードと再婚した後、ロサンゼルスでも、ニューヨークでもずっと隣人として暮らし続けたのだ。さらに、ハリウッドと遠く離れた場所で芸術家たちのコミューンを築くという発想は、何年か前にニューメキシコ州タオスでデニス・ホッパーが試みたのと同じものでもあった。そしてピーターは、ホッパーがわずかに繋がっていたハリウッドとの関係を断ち切ってタオスへ引き籠もってしまったために仕事上のキャリア面で行きづまってしまったのと同じ轍を踏むことになる。

ピーター・フォンダが「扱いにくい」俳優だという評判は一作ごとに確実に広がっていた。彼は相手がプロデューサーだろうが監督だろうがお構いなしに「『イージー★ライダー』を作った自分の方が力量が上だ」という尊大な態度で接していたのだ。加えてピーターは、偉大な父や女優として大きく成長していた姉ジェーンへの対抗意識もあって主演以外の出演依頼は一切断っていた。結果として、七〇年代も後半になるとメジャー・スタジオからピーターに声がかかることはなくなってしまった。そして、かつて『ワイルド・エンジェル』や『白昼の幻想』で付き合ったＡＩＰによるＢ級アクション映画の主役しか残されていなかったのだ。しかも『ダイヤモンドの犬たち』、『未来世界』、『ハイ・ローリング』といったAIP製作や配給作品は、いずれも公開されるやいなやゴミ箱へ捨てられてしまう類の作品でしかなかった。メジャー・スタジオである20世紀フォックス映画製作配給、新鋭ジョナサン・デミ監督による『怒りの山河』に主演するようなチャンスもあったが、これとて実態はプロデューサーがかつての仕事仲間ロジャー・コーマンだったから回ってきたに過ぎなかった。

俳優としては明らかに下降線をたどっていたピーター・フォンダだが、インディペンデントの映画製作者としての意欲は衰えることなく、前作『アイダホ・トランスファー』から五年後の一九七九年、久々に自らの監督兼主演でビル・ヘイワードが製作総指揮を務める新作映画『ワンダ・ネヴァダ』（日本未公開。テレビ放映タイトル『グランド・キャニオンの黄金』）に取りかかるチャンスを得た。これは当時人気上昇中だった十三歳のブルック・シールズをフィーチャーした企画で、ひょんなことから彼女と道連れになったピーター演じる賭博師が彼女とグランド・キャニオンにある金鉱を探しにいくという肩のこらない現代版西部劇とでもいうべき作品で、配給はユナイト映画が引き受けることになっていた。

この作品はピーターにとってとても大きな意味を持つ作品になった。かつてピーターがフォンダ一家総出演を熱望していた企画『コンシーヴド・イン・リバティ』は、ジョージ・スティーヴンス監督の死去で頓挫したままになっていた。そこで、ピーターは、当時七十四歳となっていた父ヘンリー・フォンダにこの作品へのカメオ出演を要請。子供の頃からずっと尊敬し、憎み、圧倒され、認めてもらいたいと全人生をかけて願い、闘ってきた父との初共演を実現させたのだ。高齢のヘンリー・フォンダはわずか一日だけの撮影だったが、「いとしのクレメンタイン」のメロディが流れる中、こってりとメーキャップを施して垢と埃にまみれた老金鉱掘りの役を楽しそうに演じた。

そのほかの出演者たちもピーターの幼なじみのボビー・ウォーカー・ジュニア、『イージー★ライダー』でヒッチハイクで同行するヒッピーを演じたルーク・アスキュー、『ラストムービー』と『さすらいのカウボーイ』で共演したセヴァーン・ダーデンとテッド・マークランドという顔触れで、いずれも彼の親しい友人たちだった。

ピーターとヘンリーは、心の底ではお互いに愛し合っていたけれども長い間うまくコミュニケートすることができずにいた。それはジェーンとヘンリーの間でも同じことだったが、ヘンリー・フォンダは人生の最後の数年で初めて息子や娘と心の通い合った関係を構築することができたのだ。ピーターとの良き思い出となったこの『ワンダ・ネヴァダ』出演の際のヘンリー・フォンダの心境は、のちに彼がピーターに宛てた手紙の文面から読み取ることができる。

親愛なる息子へ。

一週間前に書き始めたときは、すぐに投函するつもりだったが、多忙な日々はあまりにも早く過ぎ、いまだにおしまいまで書けていない。そこで今朝は、あわただしい一日がはじまる前の六時に起きた。わたしは、例のごたいそうなメーキャップがひどく気にかかっている。だから、お前があのシーンを使えないと考えても、わたしとしても充分に納得できることを知らせたいと思う。お前に出演を求められたことは、わたしにとってたいへん大きな意味があったし、あのシーンが映画の役立てばいいと思う……うまくいけば、とても愉快なことだ……。とにかく、わたしがお前をとても誇りに思っていることを知っておいてもらいたい。（スタッフやキャストの）全員が、まぎれもなくお前を重んじているが、それは見ていて気持ちのいいことだ。四十三年間、そういう例にあまり接してこなかっただけに、とても強い印象を受けた。とにかく、お前は優秀な監督だ。お前は思いやりのある人間であり、わたしはお前を愛している。

父より(*10)

作品の出来不出来といった次元とは違う部分ながら、ピーター・フォンダはこの『ワンダ・ネヴァダ』によって初めて、大成功した『イージー★ライダー』でも得ることのできなかったものを得たのだった。

だが、美談とはうらはらに、この作品はピーターにとってかすかに残っていたハリウッドとの関係を完全に断ち切ってしまうきっかけとなった。ピーターはまたしても配給元のユナイト映画と一悶着起こし、以後一切、映画製作者として、あるいは監督として作品を発表するチャンスを得ることができなくなってしまったのだ。ピーターは次のように語っているが、この発言からはピーター自身に内在する問題を読み取ることもできそうだ。

PF ユナイト映画はこの作品で大金を得ようと思ったのさ。過度の期待だよ。僕はただ、映画の成功によって自分の立場を保てればいいと思っていたのにね。狂気の沙汰だよ。彼らは僕のことを嫌ったわけだが、構やしないさ。僕も彼らを嫌っているからね。あれが僕が作った最後の映画だよ。あまり観た人はいなくて、みんな何かで読んだことがあるだけ、という映画さ。だけどあの映画は僕の作品なんだし、僕のしたかったことなんだからね。あまり出来のいい映画ではなかったけれど、僕は充分に楽しんであの作品を作ったんだ。(*11)

ピーター・フォンダは、一九七〇年代を通して、日本ではスターとしての地位を守り通していた。主演した作品は、それがメジャー・スタジオ製作による作品だろうがＡＩＰ製作のＢ級アクションだろうが日本の興行マーケットでは通用し続けていたし、七四年の「シンプル・ライフ」のCM以降も、彼はインスタント・コーヒーの「MAXWELL」やホンダのスクーター「TACT」などのテレビCMに登場していた。しかし、その日本でさえも『ワンダ・ネヴァダ』が劇場で封切られることはなく、かろうじてテレビ局が『グランド・キャニオンの黄金』と題して放映したにとどまった。

財政的な基盤という観点でもピーターの凋落は明らかだった。「はした金で一財産かせぎだした」と父ヘンリーを驚嘆させ、事実ヘンリーがそれまでの生涯で稼いできたよりも多くの金額をたった一作品でピーターにもたらした『イージー★ライダー』は、公開から5年後の七五年の時点でさえ、まだ彼に毎年二〇万ドルもの収入をもたらし続けていた。だが、「ピープル」誌はすでにこの時点でピーターが「フォンダ家で最もリッチな者」の座からすべり落ちたことを伝えている。原因としては大型ヨット「タトューシュ号」の購入と、『さすらいのカウボーイ』、『アイダホ・トランスファー』の二作品での失敗が挙げられていて、たとえば『アイダホ・トランスファー』はピーターの個人会社パンド・カンパニーに五〇万ドルもの損失をもたらしたとされている。(＊12)

船上生活を切り上げ、モンタナの地を終(つい)の棲家(すみか)と定めるにいたった一九八〇年には、ピーター・フォンダは完全にハリウッドから見離されてしまっていた。彼自身は自分が映画製作者として、監督として、俳優としてもまだまだ捨てたものではないと考えていたのかもしれないが、もはやマイナーな会社の製作するB級映画ですらピーター・フォンダに主役をオファーすることはないのが現実だった。一九八二年の八月十一日に父ヘンリーが亡くなると、ピーターはまるでつっかえ棒が外されたかのように姉ジェーンとの共演の企画、あるいは『イージー★ライダー』の続編の企画『バイカーズ・ヘヴン』の実現に向けて奔走し始めるが、すでに過去の人となっていたピーター・フォンダの話に耳を傾けてくれるプロデューサーはどこにもいなかった。八〇年代を通じて、彼はポリグラム、ニュー・ワールド、キャノンといった新興の製作会社の作品でかろうじて仕事をみつけているが、それらとてキャスト順位（ビリング）三番目だとか、六番目といった脇役に過ぎなかった。主役のオファーが来るのは日本映画『だいじょうぶマイ・フレンド』（八三年）くらいのものとなっていたのだ。

　筆者が彼の自宅を訪れた九一年の時点では、ピーター・フォンダは愛妻ベッキーとともにモンタナ州リヴィングストン郊外の土地「インディアン・ロック牧場」に住んでいた。息子や娘たちもそれぞれ独立し、自身五十歳を越える年齢となった彼は、近くの町ボーズマンにあるモンタナ州立大学で月に一回、二年生に舞台芸術を教えるかたわら自伝を執筆、新たな映画も企画を考えながら、地元のバイク仲間によるツーリング・クラブ「アグリー」のメンバーとして二台のバイク「バッド・ボーイ」と「ファット・ボーイ」でのツーリングを楽しんでいた。これらのオートバイはハーレイ・ダヴィッドソン社から贈られたものだ。彼は『イージー★ライダー』でアメリカン・スタイルのオートバイを普及させた功績として同社の社外重役の一人になっていた。その生活は大自然に囲まれた理想的なものとも思えるが、現実問題として、彼がハリウッドから完全に忘れ去られた過去の人物であることはまぎれもない事実だった。

　奈落の底にいたデニス・ホッパーが華々しくハリウッドへの帰還を果たした一方で、ピーター・フォンダは『イージー★ライダー』という過去の栄光を引きずりながら、モンタナの地にあって自らの復活を夢見続けていた。

モンタナ州リヴィングストン郊外の「インディアン・ロック牧場」にて

ピーター・フォンダ邸で
インタビューする著者

逆転

＊1 『トラックス』Tracks 一九七六年。ヴェトナム戦争から帰還した兵士（ホッパー）が友人の遺体を列車でカリフォルニアへ運ぶ途中、女子大生（タリン・パワー）と恋に落ちるが、戦場での体験がフラッシュバックする……。共演にディーン・ストックウェル。製作総指揮バート・シュナイダー。

＊2 エドマンド・キーンは18世紀から19世紀当時最高の俳優と讃えられたイギリスの俳優。ジョン・バリモアは舞台の名優からサイレント映画へ進出したアメリカの俳優で、女優ドリュー・バリモアの祖父にあたる。

＊3 一般にカンヌ映画祭の最高賞は「パルムドール」だが、一九三九年から五五年、および六五年から七四年までの間は最高賞を「グランプリ」としていた。九〇年以後は審査員特別賞を「グランプリ」としている。

＊4 ドキュメンタリー映画『デニス・ホッパー／狂気の旅路』のナビゲーター役で、ホッパーの秘書的な立場にあったサティア・デ・ラ・マニトゥも認めている。

＊5 一九七九年当時、批判にさらされていたパンクロックへの共感を示したアルバム「ラスト・ネヴァー・スリープス」のA面一曲目「マイ・マイ、ヘイ・ヘイ（アウト・オブ・ザ・ブルー）」。「フェイドアウトするより燃え尽きたほうがいい　錆つきるより燃えつきるほうがマシだ」と歌詞にあるフォーク調の曲だが、B面最後では「ヘイ・ヘイ、マイ・マイ（イントゥ・ザ・ブラック）」としてパンクロック・ヴァージョンで歌われる。ニール・ヤングはカナダのトロント出身のシンガーソングライターで、バッファロー・スプリングフィールドやCSN&Y（クロスビー、スティルス、ナッシュ&ヤング）のメンバーとして活躍したのちにソロとなった。一九九五年にロックの殿堂入りを果たしている。

＊6 ジャック・ニコルソンによるラジオスポット用の宣伝コメント。二〇〇一年に発売されたDVD特典として収録され、『デニス・ホッパー／狂気の旅路』でも聞くことができる。

＊7 インタヴューB

＊8 エレナ・ロドリゲス「デニス・ホッパー／狂気からの帰還」一五〇頁

＊9 インタヴューA

＊10 ハワード・タイクマン「ヘンリー・フォンダ　マイ・ライフ」二九五〜二九六頁

＊11 インタヴューB

＊12 Christopher P. Anderson, "The FONDAS : HENRY & PETER / The "Darrow" star and his son are pals again", People, April 7, 1975

Chapter 5

二つの新たな続編プラン

01『タイム・トゥ・テイク・アナザー・ライド』

一九九三年から九五年にかけての三年間で、日本ではデニス・ホッパーの出演作品が十一本公開された。その詳細を見てみると、九三年には主演作が二本――次第に偏質狂となっていく南部の人種差別主義者を怪演した『パリス・トラウト』、一転してロサンゼルスの犯罪組織を追う刑事に扮した『ネイルズ』――と、悪役を演じたものが三本――殺し屋役の『レッドロック／裏切りの銃弾』、やくざ者をややコミカルに演じた『アイ・オブ・ザ・ストーム』、そしてファミコンの人気者スーパー・マリオ・ブラザースの宿敵＝恐竜クッパ大王を演じた『スーパーマリオ／魔界帝国の女神』――と、実にヴァラエティに富んでいる。

九四年には四年ぶりとなる監督作『逃げる天使』が公開されたほか、出演作品は三本――トニー・スコット監督の傑作『トゥルー・ロマンス』では主人公クリスチャン・スレイターの父親を演じてクリストファー・ウォーケンと対決する場面が話題となり、『ボイリング・ポイント』では哀愁漂う老詐欺師役、そしてこの年の暮れから翌年にかけてスーパー・ヒットを記録した話題作『スピード』の爆弾魔役。さらに、九五年には史上最高額の製作費で話題をさらったケヴィン・コスナー主演の『ウォーターワールド』での悪役と、『サーチ＆デイトロイ』の日本の某新興宗教教祖を思わせたテレビ伝道師役、と、まさに絶好調と言っていい売れっ子ぶりだった。

日本でも映画の二次利用、三次利用のビジネスが増え、結果として劇場で公開される映画の本数が飛躍的に増加した時期だったとはいえ、これだけの活躍ぶりなると他に例を見ない。まさにデニス・ホッパーは三度目の絶頂期にいたといえる。

一方、十年間も出演作品が日本で公開されることのなかったピーター・フォンダもまた、九三年一月に公開された『恋愛の法則』でささやかながらスクリーンに登場している。この映画は生き方を模索している二十代後半の四人の男女を描く、主人公たちと同世代の若い監督の手による典型的なインディペンデント映画だ。主人公の一人、ベスを演じたのはピーターの実の娘ブリジット・フォンダで、彼女は八七年の『アリア』で映画デビューして以来、着実にキャリアを積み重ね、すでに九〇年代を代表する女優の地位を確立していた。ピーター・フォンダは、この娘が主演する青春群像劇にモンタナの山道を一人オートバイで疾走する中年バイカー役でゲスト出演したのだ。実生活そのままの姿での彼の登場は、もちろんブリジット・フォンダが彼の娘であることを知っている観客へ向けた楽屋落ち的な楽しさを狙ってのことなのだが、それだけでなく、この映画の作り手たちが「インディペンデント映画」の先駆者たるピーター・フォンダに敬意と感謝の気持ちを表したということでもあろう。六〇年代の半ば頃からデニス・ホッパーとともに、自分たちの手で自分たち自身の映画を作ることに情熱を注ぎ、『イージー★ライダー』の成功によってその突破口を切り拓きながらも次第に活躍の場を失っていったピーター・フォンダにとって、まさしくこの「インディペンデント」という言葉こそが映画人としての人生のキーワードだったはずだ。

「『イージー★ライダー』の成功はあなたの人生にどのくらい大きな影響を及ぼしたのか？」と九一年に筆者が訊ねた質問に対して、ピーターは次のように答えている。

PF 映画公開直後は、一言でいえば映画市場において大儲けしたということだね。なぜなら僕たちはとても少ない予算でこれを作り、大きな収益を挙げたわけだからね。そのことは（インディ

ペンデント映画作家の僕にとって）とても良い声明となり得たんだ。だけど、配給した会社側にとっては僕にとってほどの大きな意味はなかった。重要なことは、インディペンデントであることのなのさ。僕はここ、モンタナ州に住んでいる。ハリウッドまでわざわざ出ていきはしないし、彼らと食事したり、パーティに出席したりもしない。そんなことには関心がないんだ。僕が情熱を傾けたいのは映画製作や舞台の仕事だけなのさ。僕の関心は演技すること、監督すること――映画でも舞台でもイメージを創造していくこと――なんだ。今現在、僕が受けている影響を挙げるならば、それはインディペンデントのマーケットで僕が置かれている立場と関係している。つまり、『イージー★ライダー』に強い影響を受けた若い独立映画製作者たちが僕を訪ねてきて質問したり、映画の公開の方法を尋ねたりするわけだ。他の独立映画製作プロダクションが僕に頼りにしたり、僕の経験を参考にしたりするんだ。なぜなら『イージー★ライダー』は僕から「ヘンリー★フォンダの息子」という烙印を消し去り、ピーター・フォンダに対して「『イージー★ライダー』のキャプテン・アメリカ」という新たな呼称を与えたんだからね。その影響力は世界的なものだった。だけど、ハリウッドでは、まあ、それほど大きなものではなかったんだ。どういうことだかわかるかい？　僕は……まあいいさ（笑）。うまくやっていくよ。（＊1）

インディペンデントの映画作家あるいは映画製作者としてのピーター・フォンダは、七九年の『ワンダ・ネヴァダ』以来、すでに十五年も新作に取りかかるチャンスをつかむことができずにいた。その間彼が、七〇年代に入ってから、女優として、また反戦運動家として時代をリードする存在になっていた姉ジェーンと共演して西部の女傑アニー・オークレイ（＊2）とその生き別れの弟の物語を映画化するという企画に奔走したり、『イージー★ライダー』の続編企画『バイカーズ・ヘヴン』の実現へ向けて、初めは二の足を踏みつつも結局熱心に動いたりしていたことはすでに述べてきたとおりだ。しかし、いずれも実現させることはできなかった。

だが、ピーター・フォンダは、まだ自分には世間に対して示すに値する才能も思想も満ち溢れているし、何とかもうひと花咲かせて自分のキャリアを父や姉と比べても遜色のないものにしたいと考え続けていて、筆者がモンタナを訪れた九一年時点においても新たな映画の企画を三つも構想し、それについて熱っぽく語ってくれた。だが、彼の話を聞いていると、リアリティのない夢に取りつかれている愛すべき夢想家の素顔が浮き彫りになってくるのだった。

PF 僕は今、日本人のフナハラという相棒と『化石の森』の再映画化の話を進めている。オリジナル版は一九三六年に製作された、レスリー・ハワード、ベティ・デイヴィス主演の映画だ。ハンフリー・ボガートも出演していて、ギャングのデューク・マンティーという素晴らしい役を演じてスターになった。三〇年代後半から四〇年代にかけて作られたすべてのフィルム・ノワールの中でも最高傑作のひとつだ。つまり、今再びフィルム・ノワールを復活させようというアイディアなんだ。

——どの役を演じる予定なんですか？　レスリー・ハワードの役？

PF 僕は製作、そして監督をする。ベティ・デイヴィスの役には娘のブリジットを使いたいと思っていて、レスリー・ハワードの役はジェフ・ブリッジスに頼もうと思っている。

——ジェフ・ブリッジス！

PF ジェフはご近所さんで、ここから真っすぐ五キロほど行ったところに住んでいるんだ。ブリジットも子供の頃何年かここに住んでいたんだよ。彼女は今はあちこちで働いているけどね。

……ちょっと働き過ぎだな。もう少しペースを落とさないとね。なぜって彼女には健康を保っていてもらわなきゃならない。『化石の森』のためにも（笑）。それとハンフリー・ボガートの役なんだけど、これはまだ決めかねているんだ。もしかしたらデニスかな。

――それはすごい！（笑）

PF まだ話してないんだけれど、可能ならばデニスに頼みたい。ほかにも気になっている俳優はたくさんいるよ。アレック・ボールドウィンとかね。来年の夏までには撮影に入りたいと思っている。春か夏には撮るよ。それと、実は、バイク映画の脚本を書いているんだ。

――『イージー★ライダー』のような？

PF 『イージー★ライダー』に似ているんだが、続編というわけじゃない。ただ、今回も一九六八年当時の僕やホッパーのような立場の俳優を使うだろう。若くて、反抗的で、過激な、と言ってもいい（笑）。たとえば『シザーハンズ』のジョニー・デップとか、若い人たちを使いたいと思っている。主人公は五人のライダーだ。二人の女性と三人の男性だ。女たちは男たちの彼女というわけじゃなく、五人それぞれが別の人生と別のオートバイを持っている。全員が独立（インディペンデント）しているわけさ。彼らは東から旅を始める。ニューヨークかニュージャージーから西に向けてね。『イージー★ライダー』ではカリフォルニアからフロリダへ向けての旅だったけれど、今回の連中は西へ向かうんだ。「アメリカを探しに」ね。われわれが『イージー★ライダー』でしたことととてもよく似ているけど、違う物語だし違う登場人物なんだ。どう作ればいいのかはわかっている。それでまあ、今、執筆中なわけさ。脚本ではないよ。脚本化の作業は誰かに頼むつもりだ。この作品は来年の終わり頃かその翌年からになるだろう。大作になるよ！

――『化石の森』を終えてからですね？

PF ああ。でも映画の場合、いつになるかはわからないからね。ブリジットのスケジュールの都合がつかないようならバイク映画の方が先になるだろう。このバイク映画で、僕はスタッフと俳優たちをある場所へ連れていかなければならない。サウスダコタ州のスタージェスという所なんだが、ここからだと八百キロ東に行ったあたりで、とても有名な場所なんだ。去年はオートバイ仲間がそこに集まり始めてちょうど五十年目で、八月には五二万五〇〇〇人もの仲間が集まったんだよ。

——それはすごい！

PF まったく信じられないよ。三週間も続くお祭りなんだが、ちょうど真ん中にあたる二週目の半ばくらいのときは特に盛り上がって、ショウ、展示会、レース、コンサートなどが行なわれるんだ。今年も、もうすぐロサンゼルスからビル・ヘイワードがバイクでここへやってきて、二人で二日半かけてスタージェスまで行くんだ。バイクに乗っているだけで稼げればいいんだけどね（笑）。それから、僕の手元には今、ニコラス・カザン（＊3）が書いた『JUST HORRIBLE』という脚本もある。一幕物の舞台劇をカザンが脚本化したもので、娘のブリジットも関わる予定なんだ。だけど、それはとても変わっていて、映画会社に売り込むのはきっと楽じゃないだろう。小品だし、普通の映画じゃないし、なんとか頼み込んで製作費を出してもらうしかないだろう。これがバイク映画ともなれば誰でも「オーケイ。喜んでお手伝いしましょう」となるんだけどね（笑）。

——そうでしょうね（笑）。

PF 『化石の森』も、きっと映画会社は「ダメだ」と言うだろう。とても面白いんだけどね。だから、バイク映画と『化石の森』両方の企画を、ある投資グループにオファーしようかと思っているんだ。ニコラス・カザンの『JUST HORRIBLE』に乗り気になるようだったら、ついでにまとめて二本分の製作費を出してもらうとかね。それが僕の願いなんだよ（笑）。僕はそのチャンスを信じている。……結果的にうまくいかなくったって、全力を尽くすことは人としての義務だ。人間、なにごとも精一杯、一所懸命やらなければならないんだ。僕は『イージー★ライダー』でもそうしたつもりだ。誰もが「そんなものはダメだ」とか「そんな映画作れないよ」なんて言って、資金を提供してくれるどころか、話を聞こうともしなかった。僕たちが作り終えた後でさえ、出資を頼んだ人たちは誰も映画を観ようとはしなかったんだよ。誰一人としてね。だけど、僕とデニスには運があった。すべてがタイミングよくうまくいったという点でね。それに、デニスはあの役を演じるのに最高の俳優であると同時に、最高の監督だったんだ。（＊4）

親しい仲間や自分の娘を使って映画を製作することは、ある意味で映画製作における理想的なスタイルなのだろう。現にピーター・フォンダがインディペンデントの映画製作者として『イージー★ライダー』以降手がけてきた三本の作品は、いずれも親しい仲間だけで作ったものだ。しかしながら、意地の悪い見方をすれば、現在の彼の話に乗ってくれそうなのは旧友デニス・ホッパーか、隣人ジェフ・ブリッジスか、実の娘ブリジット・フォンダぐらいしかいないのかもしれない。今やスターとなった娘に対して、自分のために何とかスケジュールを空けてもらいたいと切望している彼の姿は、冗談めかしてしゃべっている分、悲壮感すら漂っていた。

ピーター・フォンダを取材して強く感じたのはまさしくこの悲壮感であり、焦燥感だった。彼は待ち合わせた場所に愛用のオートバイ「バッド・ボーイ」で颯爽と現われて筆者の車を山奥の牧場まで先導してくれたし、インタヴューの間もその後のくつろいだひとときも、常に自信満々で、すべてが順調だという態度に終始していた。だが頭をすっぽりと包んでいた海賊のようなバンダナはすっかり禿げあがった額を隠す精一杯の若造りのためなのは誰にでもわかることだったし、バイク映画なら誰だって喜んで出資してくれるだろうと語るその言葉には、現実を直視したくない男の弱さをも感じた。結局、語ってくれた三つの企画は、いずれも映画化されることはなかった。

実は『化石の森』は、かつてヘンリー・フォンダがNBCテレビのアンソロジー物の番組「プロデューサーズ・ショウケース」の一エピソード（第一シーズン第一〇話）としてハンフリー・ボガート（映画と同じ役）、ローレン・バコール（映画版のベティ・デイヴィスの役）相手に主役（映画版のレスリー・ハワードの役）を演じた題材でもある。ピーター・フォンダは五十歳を越えてなお、『イージー★ライダー』と、亡父ヘンリーの影を引きずって生きていたのだ。

また、ピーター・フォンダは「新たなバイク映画」プランを語っているうちに、半分本音で、半分はただの思いつきに過ぎないとも思えるような話をしてくれた。『イージー★ライダー』を作った男たちのそれぞれのドラマが、もう一度だけある一点で交わる可能性があるのだとしたら、その唯一の形がこれかもしれないと、そのとき筆者は考えた。そしてまたそれは、『イージー★ライダー』を作ったピーター・フォンダにとって自身の物語を完結させ得る唯一の方法でもあるようにも思えた。彼が語ってくれたことを次で紹介する。

PF 僕が作ろうとしているものは決して『イージー★ライダー』の続編ではないんだ。見た目にはオートバイに乗った人々なわけだけど、『イージー★ライダー』とは違う登場人物たちが違う方向へ向かって行く。彼らは謝肉祭に立ち寄った後、スタージェスへ行くわけだ。四十万台ものバイクが集まるところへね。彼らに何が起こるのかと言うと、男はみんな死んでしまい、二人の女性は生き残る。今話せることはそのくらいなんだけれどね。

まだ正式な題名はついていない。タイトルがあるにはあるんだが、いい音楽のように耳にぴたりとくるものではない。だから僕たちは、とりあえずこう呼んでいるんだ……『TIME TO TAKE ANOTHER RIDE』（もうひとっ走りする時が来たようだぜ！）とね。これはつまり、物事はとても大きく変化する。われわれが『イージー★ライダー』を作った一九六八年の時点からも大きく変わって、今また、この国で何が起きているのかを見るために旅に出るべき時が来た……という意味なんだ。キャプテン・アメリカの進んだ道は当てにならない。〝夢〟というものも当てにならない。そこには現実がある。それが僕が主人公たちを五人にしようとしている理由のひとつでもあるんだ。なぜなら五人の人物がいれば社会の構図を見せることができる。二人だけでは難しいが五人、しかも男と女を配置すればもっとうまく見せることができるはずだ。その映画で僕は老いぼれバイカーを演じるつもりさ。

――老いぼれバイカーを？（笑）

PF　死んでいく老バイカーを演りたいね。そして、五人の若者たちと僕の人生が交錯する。彼らは僕から何かを感じ取って、それを心に抱いて旅を続けていくんだ。もしラッキーにもデニスが仕事に困っていたりすれば（笑）、デニスにも出演してもらいたい。

――それはいいですね。

PF　ただし、ビリーとキャプテン・アメリカとしてではないよ。

――ええ。

PF　それに……そうだ！　彼には監督を頼むかもしれないよ！　僕はただプロデュースに専念し

てね。だけど、もしデニスが僕に「エージェントをとおしてくれ」と言うようだと僕にチャンスはないだろう。逆に「それで、どんなふうにやりたいんだ⁉」と言ってくれればチャンスありだね。もしそうなら、僕たちはまた一緒に何かやれるだろうと思う。

僕にとって「忍耐」という言葉は、時に非常にいい美徳となるんだ。一二八〇年のイタリアにまで遡れるフォンダ一族の家訓があるんだが、それは「パセヴェラテ（perseverate）」というラテン語で、「忍耐強くやり通さねばならない」という意味なんだ。フォンダ家は古い家系でね（笑）。だから、この言葉は僕の人生にも作用していると思う。フォンダ家の他の誰よりもね。いつでも幸せでいるために、この世界でゆとりを持って生きられるように、映画を作るために、僕がしたいと思うことをし続けるために、僕は「忍耐しなければならない」んだ。僕は我慢しなければならない。誰もが「そんなことしちゃダメだ」と言ったり、ああしろ、こうしろと命令したりするが、僕は「忍耐しなければならない」のさ。『イージー★ライダー』を忍耐しなければならないし、僕の人生を忍耐しなければならないし、デニスをも忍耐しなければならないんだ！（笑）。成し遂げるためにはね。誰が僕にその家訓を思い出させるのかって……ジャックだよ！（笑）

時おりジャックに会う。僕はジャックが好きだ。彼の書く脚本が好きだし、彼の演技も好きだ。思うに、ジャックは最も革新的な俳優の一人だと思う。僕は本当に彼の仕事ぶりを称賛しているんだ。あるとき、ジャックに展覧会でばったり会って、美術談義をしていたときに、僕はこう言ったんだ。「ジャック！　君は本当に素晴らしい脚本家だ。前に書いたようなバイク映画の新しい脚本を書いてみてはどうだい？」——彼はこう答えた。（ジャック・ニコルソンの声色と表情をそっくりに真似して）「フォンダ！　六十歳になったら一本やろうぜ、フォンダ。俺たちが脇役をやるんだ！　いい考えだぜ。俺たちが脇役をやろうじゃないか、フォンダ！　六十歳になったらな！」

——（笑）

PF　ジャックは僕より四歳年上だから、僕より四年早く六十歳になるね。だけど、彼は正しいと思うよ。もし作るなら前作とは違った映画にするべきだろう。僕はまだ現役バリバリの映画プロデューサーなんだからね。僕の映画『タイム・トゥ・テイク・アナザー・ライド』——これがこの映画のタイトルになるかどうかはまだわからないけど——の意図は、「今この国で何かが起こっている。僕たちはそれが何かを見に行き、理解しなければならない。僕たち自身のためにも、それをスクリーン上に表現しなければならない」ということなんだ。（＊5）

02 ホッパーからピーターへの電話

デニス・ホッパーは、その七本の監督作品を観比べるとよくわかるのだが、基本的に常に新しい人との出会い、新しい才能とのせめぎ合いの中で作品に取り組んでいるといえる。もちろん、なかには親友のディーン・ストックウェルやジュリー・アダムスのように複数回出演している俳優もいるし、映画製作の実務的な部分については常にポール・リュイスをパートナーとしてもいる。だが、彼が若い俳優たちや若い映画作家たちに崇拝されている理由は、彼が常に前向きで、最先端の文化やまだ誰も認めていない才能などを進んで吸収し、へたな若者よりずっと革新的であり続けているからなのだ。

たとえば彼は、六〇年代のヒッピーの生き残りを演じた一九九〇年作品『フラッシュバック』（＊6）に関するインタヴューで次のような発言をしているのだ。

――『フラッシュバック』で、あなたは六〇年代を代表し、キーファー・サザーランドは八〇年代を代表しています。映画の中での六〇年代と八〇年代の価値観の衝突をどのように感じていますか?

DH ヘンな話だよなあ、六〇年代と八〇年代の価値観の衝突なんて。俺は六〇年代のことなんてもう考えたことないぜ（笑）。六〇年代に俺が出た映画のダイアローグは「Hey, man. I'm cool. can you dig it?」ってな感じのものばかりで、それを朝から晩まで言わされたわけだ。いまどき、当時のやりかたなんてできるわきゃないぜ。この映画でも「What are you laughin' at. pal?」って台詞があるけど、ディーン・マーチンやフランク・シナトラくらい古臭く聞こえちまう。まったくお笑いだぜ。

——六〇年代のことなんかもう考えもしないというなら、八〇年代についてはどうですか?

DH 八〇年代のことならいつも考えているよ(笑)。今だって映画を作らなきゃって考えてるし。ブラブラしてる時間なんてないのさ。予定はぎちぎちに入れてる。やるときは目いっぱいやるんだ。たしかに妥協しなくちゃならないことはいっぱいあるよ。妥協してやるだけの価値があればいいんだけれどね。仕事を得るためには悪趣味な仲間とも付き合わなくちゃならない。今までは「俺はアンタらと戦ってやるんだ」って調子でやってたけど、今はシステムの中で働きたいんだ。くだらないたわごとに耳を傾けた甲斐あって、その埋め合わせはついているよ。これまでのところ、ラッキーだったと思うね。(*7)

この発言から受ける印象は、筆者が『イージー★ライダー』についてインタヴューした際の印象に等しい。オーラル・ヒストリー(生の証言をきちんと文書として残すこと)の重要性を理解し協力してはくれはしたものの、本音は「おいおい、勘弁してくれよ」という感じだったのだ。彼にとっての『イージー★ライダー』は、自分の作品だと強く意識はしているものの、明らかにはるか昔のぎこちない習作に過ぎず、どうせなら自分の新作なり待機作なりについてこそ語りたいと考えているという印象を強く受けたのだった。

その彼が、ピーターの提唱するような「親しい仲間による映画作り」についてどう考えているか、こう答えてくれた。

——ジェームズ・ディーンが二十四歳の若さで死んだとき、あなたはどんな気持ちで、どんなことを考えましたか?

DH そのことを考えるのは今でも辛いものがある。第一に人生はとても儚いものだということだ。それはとても、……俺にとっては、たとえいくつになっても驚くべきことだという感覚がある。どんなことだって起こり得るし、それはまるで小さな「時の連鎖」のようなものだ。あらゆる英知を総動員して、われわれは自分たちの人生の残り時間というものを仕上げようとする。だからコンピュータや映画、小説、本、そして芸術、……すべてを創り上げようとする。それは驚くべきことだね。人生は儚いものだからね。自動車事故とか、病気や暴力とか、……狂気の沙汰だね。だからつまり、……俺が若かった頃にジェームズ・ディーンが死んだ。人は彼に天才の資質を見出していた。彼は実際に天才だった。だけど彼はとても若くして死んだから、多くのことを成し得なかった。彼は自分の夢を満たすことなく、あまりにあっけなく死んでしまった。そのことで俺は自分の精神をずたずたにされてしまい、その苦しい想いは今日にいたるまで変わらない。人が死んだ知らせに接するとき、いつでも俺は人生がとても儚いものだと感じる。

それから映画の仕事……映画を作るということは、ほんの束の間、家族的単位でなされるわけなんだが、これはまるでジプシーみたいなもんでね。撮影中は本物の家族とは過ごせないから、経済的にも精神的にも、映画を作るために急ごしらえでできた疑似的な家族のようになる。演技する立場の者なら、ときには数日、数週間、またある場合は数カ月をその映画のために費やすわけだ。監督という立場であれば、ときには一年間にもなる。脚本を書くことからはじまって、その改訂、キャスティング、撮影クルーを集め、ロケ地を探す人々を集め、実際に撮影し、終わればまた戻ってきて編集だ。とにかく長い間その仕事にかかりきりになるわけさ。その間は家族っていうわけだよ。俳優たちだって、ロケ地に行って八週間とか十週間とかを家族のように過ごすわけさ、毎日。そこでは誰もが問題を抱えている。実生活上の妻や夫や子供たちのようにね。それが、撮影が終わるとある日突然、みんないなくなってしまう。なかには二度と再び会わない人もいる。試写のときに会ったり編集室に来たりする者もいるけど、その後何年も何年も、別の映画で一緒になるまで会わない者もいる。あるいは、死んだと伝え聞いたりすることもある。この感覚はジプシーのキャンプと一緒さ。一時的に家族のようになり、ときとしてくっついたり離れたり……。

十九歳のときにジミー・ディーンが死んだことが、こんな考え方を持つようになったきっかけだな。ほんの束の間だが、ロック・ハドソンとエリザベス・テイラーは俺たちを実際に家族のようにさせようと試みていた。なぜなら俺たちが一緒に働いた『ジャイアンツ』という映画は、映画の歴史の中でも最も贅沢な、……当時のお金で四〇〇〇万ドルもかけて作られた超大作で、公開された一九五六年だけでそれ以上の興収を挙げた映画だったんだけど、撮影には五カ月もかかった。通常はせいぜい五週から八週、せいぜい十週間ってところだから、これはとても長い期間だった。俺たちはこの五カ月の間いつも一緒に過ごしていた。ジミーは撮影終了の二週間前に死んだんだ。だから撮影が終わって数カ月間はロック・ハドソンもエリザベス・テイラーも何度もパーティを催して、俺たちみんなを親しい仲間としてとどめておきたがっていたんだよ。ジミーの想い出と一緒にね。だが六カ月も経つとロック・ハドソンは次の映画へ行き、エリザベス・テイラーも別の映画を作るためにいなくなり、みんなの心の傷もどこへやらだった……。だけど、みんながジミーやその他の想い出とともに本当に家族のようになろうとした事実は、俺のその後の長い映画界での人生の中での最初の特別な経験となった。

いまの時代でも、撮影の終わりまで親しくしていても、撮影終了後も同じような関係を続けるのはとても難しい。俺にしても、みんなにさよならを言って自分の荷物をまとめ、車まで歩いて、運転して飛行機に乗って消え去ってしまうのは好きじゃない。だけど撮影終了後も親しい友だちみたいにつき合い続けるなんて、めったにできることじゃないってよく知っているからね（笑）。

――ジョン・フォードや黒澤、フェリーニといった監督たちはそれぞれ独自のスタッフがいて、常に一緒に仕事をしていますね。俳優でもたとえばジョン・フォードとジョン・ウェイン、黒澤と三船などです。言わばチームと呼ぶべきものです。映画製作に際してこのようなスタイルについてどうお考えですか？

DH 素晴らしいと思うね。本当にね。そう、カザンも――エリア・カザンとマーロン・ブランドもそうだった。カザンはアクターズ・スタジオのグループ・シアターからいつも同じ役者を使っていただろ。ペキンパーも同じ役者を使っていた。フランシス・フォード・コッポラもだいたいいつも同じ人々と一緒に仕事をしたがるだろう。それとデヴィッド・リンチ。彼も随分昔からカイル・マクラクランやローラ・ダーンを使っているよね。

これは素晴らしいことだと思うよ。俺はその考え方は好きだが、それを実際に行なうには多くの映画を作り続ける立場をいつでも維持していなければならないわけで、人も拘束し続けなければならない（笑）。

――今までに六本の映画を監督したわけですが、六本の作品に選んだ俳優たちの中でまた一緒に仕事をしたいと思う人はいますか？

DH 誰とまた一緒に仕事をしたいかというなら、先ずジャック・ニコルソン、それからロバート・デュヴァルや、ショーン・ペンだね。（＊8）

ホッパーは本当にジャック・ニコルソンのことが大好きなようだ。『イージー★ライダー』撮影中のエピソードなどを聞いていても、話がニコルソンとのことになると実に嬉しそうに話していたのが印象的だった。第一線に復帰してからというもの、ホッパーはタオスの地を離れてロサンゼルスのヴェニス・ビーチに新居を購入してそこに住み始めた。それもあって、彼とニコルソンは親しい付き合いを再開していた。ときには二人でプロ・バスケットボールの地元チーム、ロサンゼルス・レイカーズを応援しに出かける様子が報じられたし、幻の共演に終わった『黄昏のチャイナタウン』に代わる、新たな再共演の話を心待ちにしているのは映画ファンだけでなく彼ら自身でもあるはずなのだ。

さて、そのジャック・ニコルソンだが、すでにPrologueで見てきたように、ホッパー、フォンダとともに『イージー★ライダー』の続編企画『バイカーズ・ヘヴン』を製作する話は、初めはピーターが、そして再浮上した際にはニコルソンが拒否したためにお流れになった。もし、再び新たな形で『イージー★ライダー』の続編が具体的に進んだとしたら、ニコルソンはどう反応したのだろうか？すでに述べてきたように、ピーターは過去にこだわり続けることによって創作意欲を保っているところがあり、それが『イージー★ライダー』の続編だろうが、彼自身が語るような「新たなバイク映画」だろうが率先して取り組むであろう。一方ホッパーは後を振り向くことなく常に前向きの姿勢で居続けているが、ニコルソンと再び一緒にする仕事とあらば迷わず話に乗るだろう。

鍵を握るであろうニコルソンは、これまであまり直接的には『イージー★ライダー』の続編企画について意見を述べていないのだが、『バイカーズ・ヘヴン』の企画がいったん頓挫(とんざ)した後の一九八五年（つまり彼がまだ『黄昏のチャイナタウン』のトラブルによって大ヒット作の続編企画に対して慎重な態度を取るようになる以前）に受けたあるインタヴューで、その問題の答えが隠されていそうな発言をしている。

JN『イージー★ライダー』以降、俺が、時代や、ある種の文化を象徴するイコンになったと言われるようになった。ひとつには俺が、映画を自分たちの娯楽と思えなくなった観客たち、彼らのエッジの部分の感覚を反映する存在だったからだと思う。率直に言って彼らは、映画に描かれている世界が自分たちとはかけ離れたものだと感じていた。(中略)

「スター」とは、映画産業の商業的な部分に過ぎない。数字がすべてなんだ。いい仕事をしそうだとみんなが考えるかどうか、なんてこととともなんの関係もない。数字が、この男は投資してみる価値のある「財産」だと示す、ただそれだけのことだ。

七〇年代、俺が作品を選ぶ基準はまずなによりも、監督だった。現在の映画作りのシステムでは、脚本を読んだ時点で出演を決めなくてはならないことが多い。おかげで、監督の名を知っていたらたぶんトライしただろう作品を断ったことも何度かある。たとえば『刑事ジョン・ブック／目撃者』もそうだ。どんな作品でもそれなりにうまく仕上げることができる、そこそこの監督はけっこういる。しかし、成功も失敗も経験し、酸いも甘いも噛みわけた、真に偉大な監督も少なからずいる。俺の選択規準はほとんど変わることがなかった。(中略)デニス・ホッパー、ボブ・ラフェルソン、それ以前にモンテ・ヘルマンとロジャー・コーマンがいた。もちろん、あの頃は選択の余地がなかったともいえる。が、俺を必要としてくれたのが彼らだった。(中略)

六〇年代にノスタルジーなんて感じない。過去を懐かしむようなタイプじゃないんだ。ひょっとしたらセンチメンタルな部分はあるかもしれない。しかし、ノスタルジーを感じるといったら、あの頃の体重ぐらいのものだ。

ただ、なにか今までとは違うことを試せるのなら、たとえそれが最悪の作品になりそうだとし

ても出演することはあり得ることさ。（＊9）

結局のところジャック・ニコルソンは、それが『バイカーズ・ヘヴン』のように前作のイメージをそっくりそのまま引きずっていたり、あるいは利用していたりするだけの企画であれば決して関わりたくはないと考えているのではないだろうか。だが、彼はときにインタヴューアーを喜ばせるべく、次のような思わせぶりなコメントを発したりもしているのだ。

JN ベイビー。俺はいつだってバイク映画を作って一財産こしらえることはできるんだぜ。つまりさ、ご存じとは思うがまた全員で戻っちまうって話だよ。そいつはフォンダとホッパーと俺の新たな悪ふざけってことさ。……まあ、タイミングの問題と言っておこう。（＊10）

ジャック・ニコルソンは基本的にインタヴューアーに対してとてもサービス精神旺盛なのだが、時として過剰なまでのリップ・サービスで相手を煙にまいて、その裏にある本音の部分を見せないようにしているのではないか、と思わせるふしがある。だから、このコメントが本心からのものなのかどうかはわからないが、実際に彼が一九八七年に再浮上した『バイカーズ・ヘヴン』の話を断ったことはすでに述べたとおりである。

『イージー★ライダー』という一本の映画を成功へ導く原動力となり、ひとつの時代の象徴となった三人の男たち——デニス・ホッパー、ピーター・フォンダ、そしてジャック・ニコルソンにとって、『イージー★ライダー』はそれぞれに長く辛酸を極めた苦難の日々の末に到達したゴールであり、そしてまた新たなる人生のチャレンジへ向けてのスタートでもあった。

その後、三人の中で最も高い極みにまで達したのは皮肉なことに『イージー★ライダー』という船に最後の最後にぎりぎりで飛び乗ったジャック・ニコルソンだった。彼は途中で迷って立ち止まったり、いったん引き返したりすることなく一気に上り詰めた。それはまるで映画の核心となるセリフを口にするやいなや、あっという間にあの世（ヘヴン）に駆け上がっていったジョージ・ハンソンという彼の役そのもののようでもあった。

最も劇的な道を進んだのはデニス・ホッパーだった。頂上から突き落とされて谷底まで落ち、心身ともにずたずたになるまで打ちのめされた彼は、その才能を惜しんだかつての仲間たちによって救出され、奇跡的にも再びさらなる高みにまで到達した。

そしてピーター・フォンダは父の影に怯え、『イージー★ライダー』でつかんだ名声に翻弄されているうちに、気がつくと抜け出そうとしても抜け出せない谷底へと来てしまった。それはある意味で彼自身が選択してきた道であったはずだが、いつの間にか一人はぐれてしまったことに気づいたとき、彼の存在は人々から忘れ去られてしまっていた。

だが、三人が成功を分かち合った時点から四半世紀という月日が流れ、ようやくそれぞれが立ち止まって周囲を見渡し、来し方を振り返ったとき、お互いにこの二十五年間の健闘をたたえ合い、再び各人の才能や想いをぶつけ合う準備が整ったといえるのではないだろうか？

そもそも『イージー★ライダー』が目指していたものは、ピーター・フォンダとデニス・ホッパーが長い期間二人三脚で設計図を書き、育ててきたもののはずだった。つまり『イージー★ライダー』を作った男たちのドラマとは、本来ピーターとホッパーの物語であったのだ。

一九六一年のあの日、まるで運命の糸に操られるかのようにして一点に結びついたピーター・フォンダとデニス・ホッパーの人生は、その後さまざまな紆余曲折を経ながら互いに影響を与え合い、ひとつの時代を象徴する作品である『イージー★ライダー』として結実した。だが彼らがつかんだ栄光は、二人の人生を大きく隔ててしまうほど強大なものだった。結実した映画が生み出した金銭的利益は、各自が感じていた自らの功績に対してバランス良く配分するには莫大すぎた。そこから亀裂が生じたのだ。『ラストムービー』で味わった苦痛にさいなまれながらタオスで過ごしていた時期、デニス・ホッパーはあるインタヴューアーに対してこんなことを言っている。

DH 俺は常にピーター・フォンダと一緒に映画を作りたいと思ってきた。ピーターは俺に『イージー★ライダー』を作るチャンスを与えてくれたし、俺は奴のことが好きだ。だが、俺にはピーター以上に好きな奴がごちゃまんといるんだ。いいかい、ピーターはあの映画への俺の功績を半分盗み取ったんだ。俺は総収入から七パーセントしかもらえないが、ピーターは一二パーセントも懐に入れているんだ。(＊11)

なぜ、本来対等のパートナーであったはずの二人の取り分に五パーセントもの差が生じたのか。これには複雑な経緯があったようだ。一説にはテリー・サザーンが脚本化作業の早い段階で手を引いてしまったため、彼に配分されるはずだった七パーセントを新たに共同プロデューサーとして迎え入れたビル・ヘイワードに二パーセント、そして残り五パーセントがパンド・カンパニーの取り分とされたのだという。そしてピーターのP、デニスのDをとってパンド（ＰＡＮＤＯ）と名づけられたとはいえ、会社の資本金は実際のところピーターが出資していたので、現実にはこの会社の取り分はそのままピーターの懐に入った。ピーターとてもちろん悪意があって（出し抜こうとして）そう決めたわけではなかっただろうし、ホッパーとて了解していたとしても、その五パーセントが結果的に三〇〇万ドルもの金額にふくれ上がるとは想像すらしていなかったということなのだろう。

だが、結果的には、これがデニス・ホッパーの眼にはピーターの抜け目なさとして映ったのだろうし、そのことが明らかになってきた頃には、すでに二人の間の距離は物理的にも心理的にも腹をわって話し合うにはあまりに離れすぎていたのだろう。

八〇年代に『バイカーズ・ヘヴン』の企画が二度ほど実現寸前まで行き、結局流れてしまった背景にも、やはり二人の心の底のどこかにまだしこりが残っていたのかもしれない。九〇年代になってからは、ホッパーが、もはやそんなことは遠い過去の話だから気にかけたりはしないと言えるだけの余裕を身につけるにいたったことは間違いないが、ピーターには少なくとも筆者が接した時点では、まだ若干の心の傷、あるいは負い目のようなものがあったように思える。終始和（なご）やかな雰囲気のうちに行なわれたインタヴューの中で唯一、彼が厳しい口調で質問をピシャッとはねつけた瞬間があった。それは「この二十年間で『イージー★ライダー』によって総額でどのくらいの金額を手に入れたのですか？」と質問したときで、彼は「その答えを知る必要はないはずだ。そういったことに関しては何も知る必要はない」と答えたのだ。

だが、二人の仲違いは、ある意味で、同じ理想を追い求めていた二人があまりにも親しい間柄であったために起きたことだったともいえるだろう。『イージー★ライダー』の成功をバネに二人がそれぞれに発表した作品、すなわち『ラストムービー』と『さすらいのカウボーイ』は、アプローチの手法こそ異なるものの基本的には同じ方向性を持っていた。かたやタオスに、かたやモンタナに、それぞれ芸術家のためのコミューンを築こうと夢想した二人の生き方すら、実はとてもよく似ているものだったともいえる。『イージー★ライダー』の成功以降、別々の道へと離れていった二人だが、彼らにとって自分たちの映画を作るべく悪戦苦闘して駈けずり回った二十代の若き日々がいかに貴重なものだったか、思い返してみれば容易に理解できるはずだ。

『イージー★ライダー』について改めてインタヴューするために久しぶりにデニス・ホッパーの自宅を訪れたとき、筆者の関心は、初めから彼とピーターとの関係に絞られていた。そしてピーターにも会って話を聞きたいのだがと切り出したとき、彼は「お安い御用だ」とばかりにすぐに電話をかけてくれ、「やあ、どうしてた⁉ 実は俺の日本人の友人がお前を訪ねて『イージー★ライダー』について インタヴューをしたいと言ってるんだが……」と威勢よく話し始めた。その翌日、飛行機と車を乗り継いでモンタナ州リヴィングストンにあるピーター・フォンダの牧場にたどり着き、ひとしきり質問をし終えた後で、「あなたは今でも……」と切り出しかけたところ、彼はまるで筆者の質問を予期していたかのようにこう答えた。

PF ご承知のように、昨日僕が外のポーチにいたときにデニスが電話をかけてきて、君たちのことを僕に話した。会話の最後に、彼は「俺もできれば一緒に行きたいんだよ」と言い、僕も「君にもぜひ来てほしいよ」と答えた。彼は「愛しているよ」と言い、僕も「愛しているよ、デニス」と答えた。……今日、君に教えたいことは、デニス・ホッパーは僕に「愛しているよ」と言い、僕も彼に「愛しているよ、デニス」と言ったということなんだ。僕たちの間にたとえどんないやなことがあったとしても、それはすべて通り過ぎたんだ。風のようにね。もう何のわだかまりもないんだよ。(＊12)

『イージー★ライダー』はまぎれもなくひとつの時代を象徴するエポック・メイキングな作品になり、製作に関わった多くのひとだけでなく、観客として作品に接した多くのひとたちの人生にも影響を及ぼした。そして、この作品が生まれた背景には、まぎれもなくデニス・ホッパーとピーター・フォンダという二人の男の人生のドラマが存在していたのだ。

デニス・ホッパーと5番目の妻ヴィクトリア

デニス・ホッパーを取材中の筆者

03 『イージー★ライダー2』

一九九三年の十一月、CNNの芸能ニュースをみていると出し抜けに、デニス・ホッパーとピーター・フォンダの二人がにこやかに肩を並べている映像とともに『イージー★ライダー』以来二十五年ぶりに一緒に映画を作る予定だとのニュースが飛び込んできた。いや、正確には、ちょうどチャンネルを合わせたとき、まさにこのニュースが終わろうとしていたところだったのだ。驚いて映像の方に気が行ってしまい、「一緒に映画を作る予定がある」と言っていたのか、それとも「また一緒に映画を作ってもらいたいですね」というコメントだったのか定かではなかった。二年半前リヴィングストンの牧場でピーターが語ってくれた『タイム・トゥ・テイク・アナザー・ライド』の企画に協力することをデニス・ホッパーが快諾し、製作資金集めのためにマスコミを通じてアピールしているのだろうか？　それとも既に撮影のスケジュールさえ秒読みに入っているのか？　ジャック・ニコルソンは出演可能なのだろうか？——明けて一九九四年の一月に、とにもかくにもロサンゼルスのデニス・ホッパー宅へ話を聞きに行くことにした。

アメリカに到着してニューヨークで一週間ほど過ごしていると、思いもかけず「ロサンゼルスに大地震発生」のニュースが飛び込んできた。無事かどうか確認しようとデニス・ホッパーの家に電話をかけてみるがいっこうにつながらなくて不安が募る。ヴェニス・ビーチにあるデニス・ホッパー邸は建築家ブライアン・マーフィの設計による堅固なスタジオ（＊13）で、外壁が鉄板で囲まれた要塞のような造りなので火事にさえ巻き込まれなければ大丈夫だろうが、デニス・ホッパーはちょうど新作の監督作品『逃げる天使』のポスト・プロダクションの最終段階に入っているはずだから、もし地震の影響で仕事にトラブルでも発生していたらインタヴューどころではなくなる可能性もあるのだ。

若干の不安を胸にロサンゼルスへと向かったが、実はこの地震の影響による不安とは別に、ニューヨークでもうひとつの気がかりなことを〝発見〟していた。それは前年の秋、六番街にオープンしたばかりの「ハーレイ・ダヴィッドソン・カフェ」を訪れたときのこと。——店内にはいたるところにオートバイ関連のレプリカなどが飾られていたが、そのなかに『イージー★ライダー』でのキャプテン・アメリカの服装をしたピーター・フォンダの等身大の人形が映画と同じ星条旗柄の燃料タンクとヘルメットの改造型ハーレイとともにひときわ目立つ場所に飾られていた。当然だ。チョッパー型のバイクを世界的に流行らせるきっかけを作ったのが『イージー★ライダー』であることは疑いの余地がないし、今でもハーレイ・ダヴィッドソンといえば『イージー★ライダー』のイメージと切っても切れない関係にあると言っても過言ではないからだ。ハーレイ・ダヴィッドソン社の社外重役の一人であるピーター・フォンダは、これまた当然ながらこの店のオープニング・セレモニーに出席しており、店内にはそのときの彼の写真が何枚も飾られていた。だが、そこにデニス・ホッパーの姿は映っておらず、同店の設立発起人に名前を貸している著名人のリストの中にもピーターの名前はあってもホッパーの名前は見られなかったのだ。もし本当に二人がまた一緒に映画を作るプランが進行しているのであれば、少なくともこのリストの中にデニス・ホッパーの名前くらいあってもおかしくはない。何の根拠もなかったが、何となくそんな違和感を覚えた。だが、CNNの画面ではたしかににこやかに二人が肩を組んでいる最近の姿が映っていた。いったい何が起きつつあるのだろうか？

一九九四年一月二十一日。余震が続き、なんとなく町中が落ち着かない雰囲気となっている中でロサンゼルスに入り、約束どおりにホッパー邸を訪れた。

『逃げる天使』の仕上げで忙しいはずのデニス・ホッパーは、しかしそんな素振りなど一切見せずに早起きをして迎えてくれた。職を離れた筆者の状況を心配してくれる彼の優しさは相変わらずで本当に心にしみる(*14)。個人的に取材をするようになってはや六年半になるが、この印象だけはまったく変わらない。アルコールとドラッグによる自己破壊的な年月を清算してからというもの、彼に本来備わっていたこうした人間としての素晴らしい資質が表面化し、あふれる才能を十二分に発揮させる力にもなっているのだろう。

さて、かんじんのピーター・フォンダとの新しい企画に関しては、肩透かし半分、新たな希望半分といったところだった。結論的には『イージー★ライダー2』の企画が再浮上しているのは事実だが、それはピーターの語っていた話とは別物であって、今のところピーターとは無関係に進められているものだったのだ。詳細については、デニス・ホッパー自身の言葉で紹介しよう。

DH 君が見たCNNの映像はたぶん、ロサンゼルスにできたモーターサイクル・バー、「サンダー・ロードハウス」のオープニング・セレモニーに行ったときのものだろう。ニューヨークの「ハーレイ・ダヴィッドソン・カフェ」のようなバーだよ。ピーターはニューヨークの方にも顔を出したはずだが、俺は行っていない。ともかく、そのときは俺とピーターの共通の友人であるドワイト・ヨーカムのはからいでピーターとマスコミの前で顔を合わせることになったんだ。だけど彼と一緒にまた映画を作るというプランはないな。

実は、たしかに『イージー★ライダー2』の企画は現在進行中で、俺も楽しみにしている。もっとも二十五年前に『イージー★ライダー』が大成功してからというもの、これまで何度もそういう話はあったんだ。だけど、一度も具体化することはなかった。今回の話は以前、俺の主演作『トラックス』をプロデュースしたハワード・ズーカーという友人（＊15）がファイナンスしようと動いている企画で、俺はその脚本をとても気に入っているんだ。今までの続編企画のどれよりもアイディアがいいんだよ。ズーカーは実現のあかつきにはぜひ俺に監督をしてくれと言っていて、俺も大いにその気になっている。だけど、ピーターはこの話に何の関わりもない。……実は、主役にはブリジット・フォンダ、それからニューヨークに住む上院議員の役でジャック・ニコルソンにも出演してもらう構想なんだが、実のところまだ二人にも具体的にオファーしたわけではなくて、俺とズーカーとの間で可能性を煮つめている段階だ。ブリジットは業界紙か何かでこの企画のことを聞いているかもしれないけどね。

――どんな内容なんでしょう?

DH 若い女性が主人公で、その役をブリジットに演じてもらいたいんだ。彼女がピーター・フォンダの実の娘であることとは別にしても、彼女は今の若い世代の女優の中でベストだと思うからだ。で、その役はニューヨークに住んでいる裕福な家の娘なんだが、ふとしたきっかけで自分が実はニューオリンズの娼婦と行きずりのバイカーとの間に生まれた私生児だったことを知る。

――つまりオリジナルの『イージー★ライダー』でピーターとトニ・ベイジルが墓場でアシッド・トリップしながらメイク・ラブした結果生まれた（のが彼女だった）というわけさ。彼女は自分自身のアイデンティティの危機に直面し、自分の両親がどんな人間だったのかを確かめようとする。そして彼女は父親が立ち寄ったとおぼしき町の出身である上院議員を訪ねる。この上院議員には二十五年前にニューオリンズの町はずれで殺された弁護士の弟がいたんだ。ようするに、彼はジョージ・ハンソンの兄貴というわけさ。で、この役をジャックに演じてもらいたいと思っている。彼女は、議員の話から父親がたどった道をだいたい把握し、モーターサイクル・バーで知り合った二人の若者と連れだって、父の足跡をたどるバイクの旅をしようと決心する。自分の父親が何を求めていたのかをたしかめるためにね。そして、観客は彼女の眼を通じて九〇年代のアメリカの現実を知るわけだ。

――アメリカの現実をみつめる旅を再び、というわけですね。

DH そのとおり。彼女が訪ねて行くと、二十五年前にはヒッピーだったり、自由を求める若者だったりした者たちは、みな今の俺の年齢くらいになってすでにリタイアしていたり、かつてのヒッピー・コミューンは年を取った彼らが経営する安っぽいモーテルになっていたりする、……といった具合さ。そこから今のアメリカの現実や、あの時代が俺たちにとって何だったのかといったことが見えてくるんだ。

――以前あなたの紹介でモンタナのピーター・フォンダの家を訪ねたときに、彼は『タイム・トゥ・テイク・アナザー・ライド』という企画の話をしてくれました。彼もやはり、今のアメリカの現実をみつめ直す旅を今の若い俳優たちを主人公に描く、という考えを持っていました。できれば自分やジャックやあなたがその映画の中で老いぼれライダーの役でカメオ出演するというアイディアだったんですが。

DH そのアイディアはどうかな。……俺は老いぼれライダーなんか演りたくないな（笑）。

――物語のアイディアはもともと誰が思いついたんでしょうか？　ハワード・ズーカーですか？

DH いや違う。もともとのアイディアが誰のものか俺は知らないんだが、俺がかなり手を加えるつもりだ。

――監督だけして、出演はしないつもりなんですか？

DH そのとおり。俺は監督に専念したい。もしズーカーがファイナンスに成功したら俺は喜んでこの企画に取りかかるよ。

――何か特別なタイトル……『イージー★ライダー2』ではないタイトルがついているんですか？

DH いいや。だけど、今のところ俺たちは『イージー★ライダー2』と呼んでいるし、それでいいんじゃないかな。（＊16）

一時間ばかり雑談をしてからホテルへ戻ったが、しばらくの間は、聞いたばかりのこの『イージー★ライダー2』の企画と、デニス・ホッパーが今ピーター・フォンダに対してどんな感情を持っているのだろうかという疑問が頭の中に交互に現れては消えた……。なぜハワード・ズーカーがこの企画をピーターではなく、ホッパーのもとへ持って行ったのかは容易に理解できる。今のピーター・フォンダに興行価値はないし、かつて『イージー★ライダー』を観た観客のノスタルジーを呼び起こすためだけであれば、彼の娘ブリジット・フォンダが主演という事実さえあれば充分だろう。今や映画監督として第一線に返り咲いているデニス・ホッパーが前作に引き続き監督を務め、ジャック・ニコルソンも出演するとなれば、話題性、興行面での信頼度も申し分ない。もはやピーター・フォンダに出る幕はないのだ。だが、デニス・ホッパーの立場としてはどうなのだろうか？　ピーターが今でも『イージー★ライダー』の続編の企画でカムバックを果たしたいと願っていることは、ホッパーとて百も承知だろう。彼はオリジナル版を一緒に作ったかつての相棒に、まず声をかけるのが筋だとは思わないのだろうか？　この企画の実現に関してピーターにイニシアティヴがない以上、話がもっと具体化した時点で声をかければ充分だと考えているのだろうか？　それとも心の底に今でもまだしこりが残っていて、敢えてピーターの存在を無視しようとしているのだろうか？

今回の取材は、初めから「あなたとピーター・フォンダとの間で新たに一緒に映画を作る企画があると聞いたのだが、それは『イージー★ライダー』の続編の企画なのだろうか？　詳細を聞きたい」

と連絡した上で行なった。けれどもデニス・ホッパーは「この企画にピーター・フォンダはまったく関わっていない」と一言語っただけで彼との協力関係の可能性に関しては何も語ろうとはしなかった。

もちろん、こちらからその可能性を尋ねることは簡単にできたのだが、なぜか尋ねる気にはなれなかった。万が一にもピーターの存在や彼の関与を完全に否定する言葉などデニス・ホッパーの口からは一言だって聞きたくなかったからだ。

その代わり筆者は、ハワード・ズーカーの事務所の電話番号を聞いてから彼の家を後にした。ピーター・フォンダとデニス・ホッパーの物語を傍観者の立場で語るのではなく、もっと積極的にコミットすべきときが来たように思ったからだ。何ができるかはわからないが、ハワード・ズーカーに連絡を取り、可能であればピーター・フォンダの日本人プロデューサーの友人にも連絡を取り、『イージー★ライダー2』製作の実現へ向けて何か具体的に、日本で映画の製作資金の一部をファイナンスする可能性を探るとか……動いてみたいと思ったのだ。

実は一九八九年にデニス・ホッパーを初めて日本に手弁当で招待したとき、筆者は手弁当で集まった仲間たちと「東京デニス・ホッパー・フェスティヴァル実行委員会」という大仰な名前の会を立ち上げていた。この「委員会」は、いくつかの活動目標を設定していたのだが、それらのうち、「デニス・ホッパーの写真展および、彼の作品を集めた映画祭を開催する」、「デニス・ホッパーについての本を出版する」、そして「ホッパー初来日を実現させる」といった目標は幸運にもすべてほどなく実現することができた。だが最後にひとつ、ほんの〝洒落〟のつもりで加えた最終目標があって、それが『『イージー★ライダー2』を製作する」というものだったのだ。

帰国後、かつての仲間たちにも相談し、とりあえずハワード・ズーカーに連絡を取ってみた。事前にデニスの事務所から「日本からこれこれしかじかの連絡があると思うから」と伝えておいてもらったのでことはスムーズに運んだ。先ずは「役に立てる保証はないが、とりあえずどんなストーリーなのかくわしく知っておきたい」と伝え、脚本のコピーを送ってもらった。――その脚本の表紙には、『EASY RIDER 2 : THE NEW GENERATION』First Draftと記されていた。

物語の基本的な設定は、デニス・ホッパーが自身の言葉で語ってくれたとおり。脚本執筆者の名前はランディ・ウェイドとある。一読しただけで、この脚本を書いたウェイドなる人物がいかに『イージー★ライダー』という作品や、それにかかわった人々のことをよく知っているかがわかった。一例を挙げれば、ヒロインは初めニューヨークに住んでいるのだが、鼻持ちならないヤッピーのフィアンセとの結婚を控えている。そのフィアンセ（この役には明らかに実際のブリジットの恋人であるエリック・ストルツがぴったりだという筆者の意見にハワード・ズーカーも同意してくれた）は新居としてコネチカット州の屋敷を両親からプレゼントされるのだが、彼女はその場所に何となく拒否反応を示す。記憶力のいい読者は覚えているかもしれないが、ヘンリー・フォンダの二人目の妻でピーターとジェーンの母親だったフランシス・フォンダは、ロサンゼルスからコネチカット州グリニッヂへ一家で転居した後に不幸な自殺を遂げている。こういった「符号」のようなものはほかにもそこかしこにちりばめられており、デニス・ホッパーが脚本の出来のよさに感心していたのもよくわかる。

しかし、残念なことに筆者がこの企画の実現のためにできたことは結局なにひとつなかった。それでも、ひとつだけダメでもともと、と思ってトライしたことがあるので、それを記しておきたい。それはジャック・ニコルソンに直接、この『イージー★ライダー2』への参加を頼むことだった。

一九九四年六月三日、新作映画『ウルフ』の取材でロサンゼルスを訪れ、初めてジャック・ニコルソンにインタヴューする機会を得た。『ウルフ』の配給元であるソニー・ピクチャーズの依頼で行ったジャンケット取材で、インタヴューも他の何人かとの共同取材だったため、『イージー★ライダー』について聞きたいことが山ほどあってもそう自分勝手なことはできない。『ウルフ』で久々に一緒に仕事をしたマイク・ニコルズ監督についての質問から脱線して「他に、若い頃に一緒に仕事をした仲間たちと久々にまた一緒に映画を作る企画はないのか?」と振ってみるくらいがせいぜいだろうとあらかじめ予想していた。結局、この質問をぶつけるまでもなく、ニコルソンは自ら、自分のキャリアについて「『イージー★ライダー』以前、『イージー★ライダー』以後」という言い方をした。そのことで彼がいまだに、自分のキャリアの原点が『イージー★ライダー』にあることを強く意識していることだけはわかった。

今回は共同取材の形でしか会えないことはあらかじめ想定されていたので、実は「委員会」の仲間たちとともに、「デニス・ホッパーとハワード・ズーカーが計画している『イージー★ライダー2』をわれわれはどうしても観たい。その実現の鍵はあなたの出演の可否が握っていると思うのでぜひとも出演してほしい」という内容の手紙を直接手渡しするという作戦を立てていた。無事インタヴューが終わり、懐からその手紙を取り出して渡すとき、筆者はこう言い添えた。「この手紙は、あなたと共通の友人を持つ日本人のあるグループからの特別なメッセージです。ぜひ読んで下さい」と。彼は、映画でお馴染みの例の悪魔的な笑みを浮かべて、「そうかい? それじゃあ後でゆっくりと読ませてもらうよ」と約束してくれた。

実は、話はまだここでは終わらない。その後三カ月ほど経って、ジャック・ニコルソンは『ウルフ』の宣伝キャンペーンのために、久々に来日することになったのだ。

一九九四年九月二十日、試写会での舞台挨拶のために東京は半蔵門の東條ホールに姿を見せた彼と、通用口から車へ向かうわずかな時間に話をするチャンスがあった。もっとも、目ざといファンからのサイン攻めがあって、実際に言葉を交わせたのは彼が車に乗り込んだあと、後部座席のウィンドウを開けてもらって言葉を交わすというあわただしいものだった。「ロサンゼルスでのインタヴューの後で手紙を渡したことを覚えていますか？」と尋ねると、彼は「ああ、もちろん覚えているよ」と答えた。だが、「では、手紙に書いてあったとおりにぜひ『イージー★ライダー2』に出演して下さい」と言ってみたところ、彼は困惑とも苛立ちともとれる何ともいえない表情で真っ正面から筆者の眼を見据え、「カモーーン！」と一喝した。

この言葉のニュアンスは、まあ「おい！　勘弁してくれよ」というところだろうが、それが『イージー★ライダー2』の企画そのものに対する反応なのか、単に日本での仕事を終えて今から遊びに繰り出そうとしているときに突然現われてそんな話をしてくれるなよ、という意味での反応だったのかは正直わからなかった。わからないままでよかったのだという気もする。

結局、これ以降、忙しさにかまけてこの企画に関して何か特別な活動をするということもなく月日だけが流れていった。ハワード・ズーカーがその後資金調達に成功したという情報も入ってこないし、ホッパーの仕事のスケジュールにも、『イージー★ライダー2』の予定は入っていなかった。

実は、この話を聞いた一九九四年の初めは『イージー★ライダー2』が実現するとしたらとてもいいタイミングだった。この年はアメリカ国内で『イージー★ライダー』が公開されてちょうど二十五周年に当たる年で話題性としては申し分ない企画だったからだ。そのチャンスをつかみそこなったのは、『イージー★ライダー2』実現にはたしかに痛手だったとはいえ、実現に向けて動き出したとしても、また『バイカーズ・ヘヴン』同様の運命をたどってしまう公算が強いことは疑う余地がなかっただろうが……。さらに付け加えると、ピーター・フォンダの方の企画『タイム・トゥ・テイク・アナザー・ライド』も、その後、話が進展しているという情報はさっぱり入ってこなかったのである。

*1 インタヴューB
*2 アニー・オークレイは、バッファロー・ビルの「ワイルド・ウェスト・ショー」で人気を博した射撃の名手。ミュージカル「アニーよ銃をとれ」などのモデルになった。
*3 『エデンの東』の監督エリア・カザンの息子で、この頃は『運命の逆転』でアカデミー賞脚色賞にノミネートされたばかりだった。
*4 インタヴューB
*5 同上
*6 日本では劇場未公開（のちにＤＶＤ発売）だが、アメリカでは公開第一週に興行成績一位を記録した大ヒット作。ホッパーは元ヒッピーの活動家、キーファー・サザーランドが若い捜査官を演じた。
*7 Dennis Hopper interview by Michael Wilmington & Garrett White, "L. A. STYLE", July 1989（「銀星倶楽部⑬特集：デニス・ホッパー」所収の川勝正幸の原稿「デニス・ホッパーの先端的文化に対する眼差し」に収録されている。訳＝柳下毅一郎）
*8 インタヴューA
*9 前掲「Ｓｗｉｔｃｈ」所収インタヴュー。十二～十四頁
*10 Jack Nicholson interview by Stephen Schiff, "Vanity Fair", August 1986
*11 Dennis Hopper interview by Arthur Bell, "VIVA", March 1974, p.75
*12 インタヴューB
*13 その後、このスタジオに隣接したフランク・ゲイリー設計による三つのコンドミニアムも購入したホッパーはそれらを繋げて住居・事務所・ギャラリーとしていたが、二〇一〇年のホッパーの死後、五百万ドルで売りに出された。
*14 筆者は日本ヘラルド映画というインディペンデント系の洋画配給会社に勤めていたが、九二年末に会社を辞めてフリーランスの映画ジャーナリストとなっていた。ホッパーは「誰かのために働くのではなく、自分自身のやりたいことをやるためにインディペンデントになるのは絶対に一番いいことだ！」と励ましの言葉をくれた。詳しくは「アメリカの友人／東京デニス・ホッパー日記」（キネマ旬報社）を参照されたし。
*15 ハワード・ズーカーはプロデューサーとしての名前。本名ザック・ノーマンで俳優としても活動し、主な出演作に『ロマンシング・ストーン／秘宝の谷』（84）『マッド・フィンガーズ』（88）『キャデラック・マン』（90）など。『トラックス』にも出演している。
*16 筆者によるデニス・ホッパーへのインタヴュー（九四年一月二十一日）

Chapter 6

その後の人生

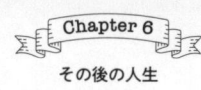

01 ホッパーの緩やかな下降とピーターの返り咲き

一九九〇年代後半のデニス・ホッパー出演作品の日本での公開状況を見てみると、たとえば九七年には『フランキー・ザ・フライ』（五月公開）、『バスキア』（六月公開）、そして『スペース・トラッカー』（一二月公開）とコンスタントに公開され、『フランキー・ザ・フライ』宣伝キャンペーンのために、四度目の、そして結果的には最後となった来日を果たしてもいる。しかしながら、『スピード』（九四年一二月公開）や『ウォーターワールド』（九五年八月公開）に出演していた数年前と比べると、明らかに作品そのものの立ち位置がハリウッドのメイン・ストリームからは外れてきていることがわかる。

さらに、二〇〇〇年代に入ってからの状況を見ると、出演作品はB級のアクション映画かホラー映画のようなものばかりとなり、ロン・ハワード監督、マシュー・マコノヒー主演の『エドｔｖ』（九九年三月アメリカ公開／二〇〇〇年六月日本公開）およびジョージ・A・ロメロ監督による『ランド・オブ・ザ・デッド』（〇五年公開）がアメリカではユニヴァーサル配給、日本ではＵＩＰ配給というメジャーな形で公開された以外は、劇場公開されずにＤＶＤだけの発売という作品が如実に多くなってきた。

たまにではあるが、ジョセフ・ファインズ主演の文芸物の佳作『レオポルド・ブルームへの手紙』（〇三年四月アメリカ公開／〇五年二月日本公開）、ベン・キングズレイの親友役で好演した『エレジー』（〇八年四月アメリカ公開／〇九年一月日本公開）、ヴィム・ヴェンダース監督による『パレルモ・シューティング』（〇八年一一月ドイツ公開／一一年九月日本公開）のような質の高い作品に出演することもなかったわけではない。しかし、そういった作品での彼は作品にスパイスを利かせる脇役という立場にすぎなかったし、それらは本国公開からかなり遅れて、インディペンデント系配給会社がひっそりと公開す

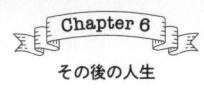

るような小品でしかなかった。

話題作への出演という観点では、悪役を演じたテレビ・シリーズ『24――TWENTY FOUR』の第一シーズン（〇一～〇二年製作／〇二年日本国内ビデオ発売・〇四年日本国内テレビ放映）があったものの、それはホッパーが主役のキーファー・サザーランドのことを子供の頃から知っているという関係ゆえに、彼の推薦で出演することになったのであろうと想像できる。

とはいえ、〇八年～〇九年に全米で放送されたテレビ・シリーズの群像ドラマ『crash クラッシュ』（第一クール・第二クール各一三話）では堂々の主役扱いでの登場だった。これはアカデミー作品賞候補にもなった劇場用映画『クラッシュ』（〇四年）のテレビ・シリーズ版で、日本ではフジテレビ系のCS放送、フジテレビNEXTで放送されたのみにとどまり、残念ながら広く一般の人の目に触れることはなかった。

デニス・ホッパーの俳優としてのピークは、明らかに九〇年代半ばで終わり、後はゆるやかな下り坂を歩み始めていた。

映画作家としてのホッパーについていうならば、七本目の監督作品となった『逃げる天使』が九四年に公開されて以降はチャンスに恵まれず、本人が切望していたエドワード・アビー原作の「モンキー・レンチ・ギャング」（邦訳「爆破――モンキーレンチギャング」）の映画化も実現することはなかった。二〇〇〇年になって、アーティストとしての回顧展会場での上映を念頭において、ホッパーが初めて撮ったデジタル・ビデオ作品『ホームレス』（九分半の短編作品）には、『ホットスポット』（九一年）あたりまでに見られたような、観る者に居心地の悪さをあえて感じさせるような独特の個性も、往年の

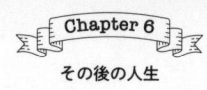

演出の冴えも全く感じられなかった。もはや明らかに映画作家としてのキャリアも過去のものとなってしまっていた。

二〇〇〇年以降のホッパーのアイデンティティの拠りどころは、映画俳優や映画監督ではなく、むしろアーティストとしての立場にこそあった。六〇年代からこの方、ホッパーは、写真家、抽象表現主義のアーティスト、現代アートの目利きとして数多くのアーティストと交流を持ち、全米でも有数のアート・コレクターとして常に知られてきた。しかし、とりわけ八六年に『ブルーベルベット』や『勝利への旅立ち』で映画界の第一線に返り咲いてからは、アーティストとしての側面も強調されるようになり、それが若手の才能溢れる俳優、ミュージシャン、アーティストたちの尊敬を集めるようにもなっていた。その、「アーティストとしてのデニス・ホッパー」をプロデュースした人物こそ、ニューヨークのアート・シーンで知らぬ者のいない大物アート・ディーラーでホッパーの親友でもあったギャラリスト、トニー・シャフラッツィである。

シャフラッツィは、八六年一二月にホッパーによる写真展「アウト・オブ・シックスティーズ」を開催して以来、ホッパーの写真の仕事を常にハンドリングするかたわら、アーティストとしてのホッパーの全体像を示す大規模な回顧展の開催と、それを書籍化したカタログレゾネ（全作品目録）の出版を目指していた。もちろん、それはホッパー自身の希望もあってのことだったわけだが、九一年から準備し始めていたその企画が、具体的なプロジェクトとして動き出したのはようやく九九年に入ってからのことだった。

九九年から二〇〇〇年にかけてニューヨークで暮らしていた筆者は、ホッパー本人とトニー・シャフラッツィからの要請で資料集めなどの下準備を手伝ったのだが、美術館で最初に大規模な「デニス・ホッパー回顧展」が開催されることになったのはヨーロッパにおいてであった。まずアムステルダムのステデリック美術館で試験的に展示会が催された後、より大きな規模の回顧展がウィーンのオーストリア応用芸術博物館（通称はその頭文字をとってMAK美術館）で〇一年五月に開催され、この回顧展のために編集された豪華なカタログ「ア・システム・オブ・モーメント」も刊行された。

シャフラッツィによるカタログレゾネ（総作品目録）「デニス・ホッパー：フォトグラフス　1961-1967」が完成し、その記念の回顧展「デニス・ホッパー　サインズ・オブ・ザ・タイムズ：フォトグラフス、ビルボードズ&フィルムズ」がニューヨークのトニー・シャフラッツィ画廊で開催されたのは〇九年九月のことで、プロジェクトの始動から丸十九年の月日を経ての実現だった。そのレセプションは、多くの映画人らが出席する大規模のもので、まだ元気だったときのホッパーにとっての最後の晴れ舞台となった。

デニス・ホッパーがアルコール中毒、ドラッグ中毒の泥沼から立ち直って再び第一線で活躍する大復活を遂げていたのと対照的に、九〇年代半ば、ピーター・フォンダはモンタナの片田舎にあって自ら映画産業界との関係を断ち切り、過去の栄光にしがみつきながら誰かがキャリア復活へと自分をアシストしてくれることを夢想する日々を送っていた。

だが、そのピーターにも、九六年にひょんなことから久しぶりに注目を浴びる作品への出演のチャンスが巡ってきた。――その作品、『エスケープ・フロム・L.A.』は、ホラー／アクション映画で知られるジョン・カーペンター監督が、八一年公開のヒット作『ニューヨーク1997』の続編として十六年ぶりに手がけた話題作で、主人公スネーク役には前作同様カート・ラッセルが扮し、舞台を一九九七年のニューヨークから二〇一三年のロサンゼルスへ移した近未来アクションだ。ピーターが演じたのは、大地震によって本土から引きちぎられて孤島と化したロサンゼルスで、次の大地震で引き起こされるに違いない大津波に乗ってサーフィンしようともくろむ老ヒッピーという役どころだった。これはカーペンター監督が、舞台をロサンゼルスにしたときスネークが誰に会いたいと思うだろうかと考え、「きっとキャプテン・アメリカに会いたいに違いない」と思ったがゆえのキャスティングだったという。これは、パラマウント映画の豊富な予算での映画作りの中にあっても、インディペンデント映画作家としての立ち位置を意識するカーペンター監督が、『イージー★ライダー』という低予算インディペンデント映画の大ヒットによって自分を含めた後輩たちの道を切り拓いてくれたピーターへの尊敬の念を込めてのオファーでもあったろう。

ピーター・フォンダが日本でスクリーンに登場したのは、九四年に公開された娘ブリジットの主演作『恋愛の法則』以来だったが、久々のメジャー作品への出演で日本のみならず、アメリカ本国にあってもピーター・フォンダの存在に再び光が当たったことは間違いない。そしてそれが次の、ピーターのキャリアにとってより重要な作品へと繋がったことも、やはり間違いない。その作品、『木洩れ日の中で』は、初老の養蜂家に扮したピーターが家族との絆を取り戻していく物語で、地味な内容ゆえに結果的には日本では劇場公開されずにビデオ発売のみとなったものの、「サンダンス・フィルム・フェスティバル・イン・トーキョー97」のオープニング上映作品として日本で紹介され、ピーター自身も久々に来日を果たした。来日時、ピーター・フォンダは次のように語っている。

——何だか前よりもずっと若々しい感じですよ。やはり俳優はいい作品と巡り合うと若返るんですね（笑）。

PF その通りさ（笑）。この作品に巡り合って本当に良かったと思っている。

——『エスケープ・フロム・L.A.』で久々にメジャー・スタジオの作品であなたの勇姿を観ることができました。あれからいい脚本が来るようになったのでしょうか？

PF ジョン・カーペンターが監督で、友人のカート・ラッセルが主演、しかも物語がとても面白い。このチャンスを逃す手はないと思って飛びついたよ。でも、本当にいい脚本が来るようになったのは『木洩れ日の中で』以後だね。

――『木洩れ日の中で』にはジョナサン・デミ監督の名前がクレジットされていましたが、彼とこの企画との関わりは？

PF 彼がまだ駆け出しの頃に『怒りの山河』で仕事をして以来、よき友人同士なんだ。彼はクリニカという自分のプロダクションを持っていてオライオン映画と契約関係にある。で、彼はこの映画を作りたがっていたんだが自分自身の企画があったので直接手がけることはできず、オライオンとヴィクター（・ヌネッツ監督）との間を取りもってくれたんだ。

――『木洩れ日の中で』でのあなたは『黄昏』のときのお父上にそっくりでした。役作りの上で参考にされた点などは？

PF 多くの人が、『木洩れ日の中で』の広告の、眼鏡をかけた僕の写真と父と重ね合わせたことは間違いないだろうが、それ以上のことは推測に過ぎない。

――でも、外見が似ているだけでなく、映画を見ていて僕は時おりこんな風に思ったんです。「うん、これぞまさしく、僕の思っているヘンリー・フォンダのイメージだ。……いや、ちょっとまてよ。これはヘンリーじゃなくてピーターじゃないか！」と（笑）。

PF ありがとう。たしかに、一九六一年に僕が舞台俳優としてデビューして以降、僕にとっては、父に似ている、外見だけでなく演技の質においても似ている、と言われることは何にも勝る賞賛の言葉だった。それを目標にもしていたし、彼の演技力について、僕は誰よりも畏怖の念を持ってきたからね。

――養蜂家ユリーのキャラクターは、あなたのお父上の実像に近いんじゃないかとも思いました。良い人間ではあるけれど、シャイで、他人との関係をうまく保つためのコミュニケーションが苦手という……。

PF 父は、たとえばバスや電車の中で見知らぬ人から声をかけられたりすると、徹底して無視をつらぬき通すような人だった。世界中の人が知っているヘンリー・フォンダという人物――それが民主主義を体現する偉大なる人物であることは子供ながらにわかっていたけど――は、僕が家の夕食の席でいつも一緒だったヘンリー・フォンダとはまったくの別人だった。彼はおそろしくシャイで、子供たちに対してもいつも批判的で、誉めることができない人だったんだ。だから、僕とジェーンは世間一般的な意味での父親というものは決して持ったことがなかったとも言える。……そうだね。たしかに君の指摘するとおり、ユリーのキャラクターはヘンリー・フォンダの実像と似ているかもしれない。（＊1）

『怒りの山河』は、ピーターに『ワイルド・エンジェル』、『白昼の幻想』で映画作りのノウハウを叩きこんだロジャー・コーマンが新たに興した製作会社ニューワールド・ピクチャーズのもとで、若きジョナサン・デミが監督した最初期の作品のひとつである。当時はスター俳優のピーターに対してデミは新人監督という関係であったが、のちに『羊たちの沈黙』（九〇年）でアカデミー作品賞・監督賞を受賞し、ハリウッドのトップ・ディレクターのポジションに就いた彼の尽力によって、ピーターに新たなキャリアがもたらされたのだと言っていいだろう。

『木洩れ日の中で』はアメリカでは九七年六月に公開され、静かな感動を呼び起こす珠玉の名編としてじわじわと評判が高まり、明けて九八年一月にはアカデミー賞の前哨戦と位置づけられているゴールデン・グローブ賞（第五五回）や、ニューヨーク映画批評家協会賞でピーターに主演男優賞という勲章をもたらした。

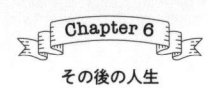

そして、ピーター・フォンダは、『木洩れ日の中で』の演技で第七〇回アカデミー賞主演男優賞候補にも選ばれた。三月二三日に行われた授賞式は世界中でテレビ中継され、筆者もかたずをのんでその賞の行方を見守っていた。

この年のアカデミー賞ではジェームズ・キャメロン監督の『タイタニック』が一四部門でノミネートされ、作品賞、監督賞を含む全一一部門を制覇したことで記憶されている。だが同作品で主演を務めたレオナルド・ディカプリオはノミネートされず、主演男優賞の他のノミニー（候補者）はマット・デイモン（『グッド・ウィル・ハンティング／旅立ち』）、ロバート・デュヴァル（『The Apostle』）、ダスティン・ホフマン（『ウワサの真相／ワグ・ザ・ドッグ』）、ジャック・ニコルソン（『恋愛小説家』）という顔触れだった。そして、プレゼンターのフランセス・マクドーマントが告げた受賞者は、……ピーター・フォンダではなく、ジャック・ニコルソンだった。

ニコルソンは受賞スピーチで、他のノミニーである良き友人たち全員の名を上げたが、特に自らが俳優として初めて認められ、初めてアカデミー助演男優賞にノミネートされた作品『イージー★ライダー』の主演にしてプロデューサーでもあったピーターに「俺の古いバイク仲間のフォンダ（My old bike pal, Fonda）」と呼びかけて、会場にいる多くの映画人やテレビで鑑賞している多くの映画ファンにある種の感慨を与えた。そしてスピーチの最後、「ありがとう！（Thank you!）」と言って会場の割れんばかりの拍手と共に退場する際に、ほとんど聞き取れないくらいにだが、確かに「フォンダ、愛してるぜ！（Fonda, I love you!）」と言ったのだ。（＊2）

『ウルフ』宣伝キャンペーンで来日したジャック・ニコルソン

「サンダンス・フィルム・フェスティバル・イン・トーキョー'97」で来日した際のピーター・フォンダ

1997年、『フランキー・ザ・フライ』の宣伝キャンペーンで最後の来日をしたデニス・ホッパー

全て筆者撮影
Photo by Takeshi Tanikawa

02 ジャック・ニコルソンの栄光

ピーター・フォンダにとって、一番欲しかったに違いないアカデミー賞主演男優賞の受賞はならなかったものの、オスカー・ノミニーとして授賞式の場に招待されたことは、かねてよりの彼の願いであった、何とかもう一花咲かせたい、という願いがかなった瞬間であったことは間違いないだろう。オスカーのステイタスとインパクトは、受賞の如何にかかわらず、ノミニーとなっただけでも必ずその人のキャリアとして言及されるほどのものだ。その点では、デニス・ホッパーの場合も『勝利への旅立ち』の演技によって八六年の助演男優賞部門でノミネートされたことが生涯の勲章のひとつとなっていて、それはピーターにとっても同じことであろう。

しかもピーターの場合は敗れた相手が、ほかならぬジャック・ニコルソンであったことも、他の誰かに持っていかれるよりもずっと自身を得心させることができる要素として働いたはずだ。授賞式でジャックの名前が告げられたときのピーターには、くやしさを押し隠す様子などは微塵もなく、まさしく「良き敗者（Good Loser）」といった印象だった。

実際のところ、『イージー★ライダー』という作品が生み出した映画産業界に対する最大の貢献は、あまりにも売れないので俳優業をあきらめて脚本家としてやっていこうとさえ思っていたジャック・ニコルソンを第一線の俳優として表舞台に送り出したことだったともいえる。

ニコルソンにとって、『恋愛小説家』での受賞は、助演男優賞を三度受賞したウォルター・ブレナンに続く史上最多三度目のアカデミー賞受賞（主演男優賞は二度目）となり、ニコルソンはノミネート回数が主演男優賞・助演男優賞合わせて実に史上最多の一二回にも及ぶ、まさに別の次元に到達した

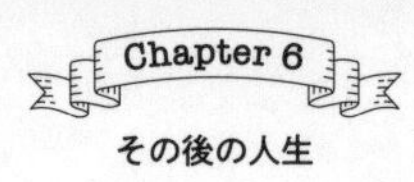

ぞれ次のようなスピーチをしている。

には、デニス・ホッパーとピーター・フォンダが揃って登壇し、ジャックを讃えた。……二人はぞれ

ニコルソンはアメリカ映画協会〈ＡＦＩ〉の第二二回生涯功労賞を受賞した。その受賞記念パーティ

『木洩れ日の中で』で、ピーターが映画俳優として表舞台に返り咲く四年前の九四年、ジャック・

俳優なのである。

DH 俺は、ジャックを『イージー★ライダー』に使いたがらなかった男だ！　このまぬけづらをよく見てくれよな。俺が（バート・）シュナイダーのオフィスへ行ったとき、シュナイダーはジャックを使えと言い、俺はその役に彼を使うことはできないと答えたんだ。それでもバートは「ほかのことは構わないから、ニコルソンを使え！」と言い、俺は「オーケイ。貴様は俺の映画をぶち壊すことになるぞ！」と言ったんだ。……（ジャックに向かって）今夜は素晴らしい晩で、お前は素晴らしい男だ。ワォ！　お前は偉大な俳優だ。偉大な俳優だよ！

PF 彼がどうやって役を手に入れたのかを話そう。デニスと僕は、それまで一緒に仕事していた別の俳優を使う考えがあったんだけど、いざ撮影する段になって、その俳優は四千五百ドルを要求してきた。僕は四千五百ドルを拒否し、ジャックに「君の基本給の水準は？」と聞いたら「ない」と答えた。ジャックは最低賃金で喜んでわれわれのために働くと言ってくれたんだ。そのときの最低賃金は週三九二ドルだった。……（ジャックに向かって）ミスター！　ひとつ言っておきたいんだけど、それは僕がこれまでの人生で使った最高の三九二ドルだったよ！（＊3）

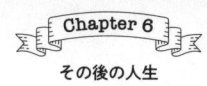

いうまでもなく、四千五百ドルを要求した俳優とはリップ・トーンのことだ。ホッパーは同じ年にテレビ番組「トゥナイト・ショウ」に出演した際、ホスト役のジェイ・レノに「トーンが脚本の変更に腹を立てて、俺に向かってナイフを突き立てたのでジョージ・ハンソン役を降ろした」と語り、トーンから名誉棄損で訴えられて四十七万五千ドルを支払う羽目に陥っている。

ともかく、『イージー★ライダー』製作から四半世紀を経た一九九四年の時点でもなお、監督を務めたデニス・ホッパーは「俺の映画」と言い、プロデューサーだったピーター・フォンダは「われわれのために」「僕が使った」と、それぞれの立場でスピーチしているわけだが、二人とも映画『イージー★ライダー』が生み出したチャンピオンがジャック・ニコルソンであるという事実は素直に認めているのだ。

『木洩れ日の中で』で俳優として第一線に返り咲いたピーターは、八〇年代から九〇年代の半ばまでの時期と比較すれば、その後もいくつかの注目すべき映画で、印象的な役を演じる機会を得ることができるようになった。たとえば、スティーヴン・ソダーバーグ監督の『イギリスから来た男』（九九年一〇月アメリカ公開／〇〇年八月日本公開）での敵役。ホッパーの『逃げる天使』の音楽担当で、娘ブリジットの交際相手だったカントリー歌手兼俳優のドワイト・ヨーカムが初監督に挑戦し、ブリジットとの親子出演となった西部劇『サウス・オブ・ヘヴン／ウェスト・オブ・ヘル』（〇〇年アメリカ公開／日本未公開。『ワイルド　ガン』のタイトルでＤＶＤ発売）。マーベル・コミック原作のホラーアクション『ゴーストライダー』（〇七年公開）でのメフィストフェレス役。そしてラッセル・クロウ主演の西部劇『3時10分、決断のとき』（〇七年アメリカ公開／〇九年八月日本公開）といった作品だ。

だが、それらはちょうど、デニス・ホッパーのキャリアが緩やかな下降線をたどっていた時期に、ホッパーがたまに出演していた質の高い作品群――『レオポルド・ブルームへの手紙』、『エレジー』、『パレルモ・シューティング』などと同様、本国公開から時間が経ってからようやくアート系劇場で小規模に日本公開されるような作品だった。二本の西部劇に関しては、少なくともアメリカ国内での位置づけは日本におけるそれよりはずっと上なはずだったが、いずれにしてもピーター・フォンダの役は小さなものでしかなかった。

そう考えると、デニス・ホッパーにとって、『ジャイアンツ』や『OK牧場の決斗』に出た若き日を第一期全盛期、『イージー★ライダー』から『ラストムービー』にかけてを第二期、『ブルーベルベット』や『勝利への旅立ち』で大復活を遂げた八六年から『ウォーターワールド』に出た九五年くらいまでを第三期として、第三期全盛期だけでもほぼ十年間続いたのと比べて、ピーターにとっての第二のキャリア・ハイはわずかに『木洩れ日の中で』一本のみだったと言わざるをえない。だが、どん底の時期がどのくらい続いたか、復活を遂げて再び光り輝いた時期がどのくらいの長さだったのか、といった違いはさほど重要ではない。大事な点は、浮き沈みの激しかった二人の男の人生の軌跡が、実はかなり似通ったものだったという事実なのである。二人にとって、若き日につかんだ『イージー★ライダー』での栄光の大きさは、生涯を通じて輝き続ける勲章であると同時に、生涯を通じて決して逃れることのできない重荷でもあったという点で共通していたのだ。

その証拠に、ここに面白い事実がある。デニス・ホッパーとピーター・フォンダは、それぞれに復活を遂げたのち、キャリアのピークをやや過ぎた頃に『イージー★ライダー』をモチーフとした、自動車のテレビCMに出演しているのである。

ホッパーは、九八年七月、フォード「クーガー」(Ford Cougar)のイギリスでのテレビCMキャンペーンに出ている。その内容は、田舎道のガソリンスタンドにフォード「クーガー」で立ち寄った現在

のデニス・ホッパーが、そこに停めてある『イージー・ライダー』のビリーのバイクを見て怪訝（けげん）な顔をする。そのあとホッパーが快適に走っていると、バック・ミラーに後ろからやってくるバイクが映る。バイクに乗っているのは『イージー★ライダー』のビリーである。二人はエールの交換をして、同じカフェでテーブルにつき、またそれぞれの乗り物に乗って出発するが、〝現在のホッパー〟は加速し、〝ビリー〟のバイクを置き去りにして走り去る、というもの。全編、ステッペンウルフの「ワイルドで行こう」がBGMで『イージー★ライダー』のビリーの映像と現在のホッパーの映像を合成したものだ。過去のホッパーと現在のホッパーを対比させ、しかし現在のホッパーが一歩先へ進んでいく、という今を生きるホッパーにふさわしい演出であった。

一方ピーターは、一七年二月、アメリカのスーパーボウルの生中継に合わせて製作されたメルセデス・ベンツ（Mercedes-Benz）GTロードスターのCMに登場した。こちらは、いかにもアメリカ的な風景のルート66沿いのガソリンスタンドを併設するバーが舞台で。そこに大勢の荒くれ者のバイカーたちが集まり、ジュークボックスでステッペンウルフの「ワイルドで行こう」を大音響で流しながら、ビールを飲んだり腕相撲に興じたりしている。そこへ「本物が来た！」と一人のバイカーが扉を開けてみんなに告げ、全員がバーの外へ出てみると、そこにはキャプテン・アメリカそっくりな黒の革ジャン、黒の皮のパンツに身を包んだピーター・フォンダ本人がいる。だがピーターは「ナイス・ライド！」と一言いうと、バイクではなくメルセデス・ベンツのGTロードスターに乗り込んで、唖然とするバイカーたちを尻目に颯爽と去っていく……。

どちらのCMもコンセプトは似たようなものだ。それでも、ピーターの場合は『キャノンボール』や『恋愛の法則』にバイカー役で出演し、メフィストフェレスを演じた『ゴーストライダー』でもキャプテン・アメリカとそのチョッパーのイメージと共に登場するなど、常に『イージー★ライダー』

を引きずって生きていたイメージが強かったため、バイクを捨て去って今風のオープンカーに乗り換えたピーターの雄姿は、ようやく『イージー★ライダー』を卒業した、というニュアンスも感じられた。しかしながら、どちらの場合も相変わらず「ワイルドで行こう」や『イージー★ライダー』のイメージと共に言及されていることは間違いない。そういう意味では、『イージー★ライダー』の呪縛は生涯を通じて二人の人生について回ったのだ。

ジャック・ニコルソンは、二〇〇〇年代に入っても、ハリウッドのトップ・アクターの一人として活躍を続けていた。定年後も事件を追い続ける元刑事役を演じたショーン・ペンの初監督作品『プレッジ』（〇一年）。保険会社を定年となり第二の人生の在り方を模索する役どころで十二回目のアカデミー賞ノミニーとなり、六度目のゴールデン・グローブ賞主演男優賞（ドラマ部門）受賞を果たした『アバウト・シュミット』（〇二年）。同じくゴールデン・グローブ賞への十六度目のノミネート（ほかに九九年にはセシル・B・デミル賞を受賞）となったロマンティック・コメディ『恋愛適齢期』（〇三年）。そしてマーティン・スコセッシ監督、レオナルド・ディカプリオ、マット・デイモン、マーク・ウォールバーグら人気スターらが多く出演する中でギャング組織のボスを貫禄たっぷりに演じた『ディパーテッド』（〇六年一〇月アメリカ公開／〇七年一月日本公開）ではナショナル・ボード・オブ・レビュー主演男優賞（アンサンブル演技賞）を受賞、ゴールデン・グローブ賞への十七度目のノミネートなどの栄誉を手にした。

さらに、〇七年の『最高の人生の見つけ方』ではモーガン・フリーマンとともに、余命半年の宣告を受け人生の黄昏時を有意義に過ごそうとする男を演じて好評を博し、さらに一〇年には、かつて『愛と追憶の日々』、『恋愛小説家』の二作品でタッグを組み、両作でニコルソンにオスカーをもたら

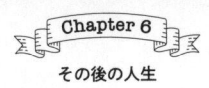

したジェームズ・L・ブルックス監督との三度目のコラボレーションとなった『幸せの始まりは』に出演して話題を集めた。

だが、そんなジャック・ニコルソンの栄光の日々にもやがて終わりが訪れる。

『幸せの始まりは』を最後にスクリーンから遠ざかっていたニコルソンだが、一三年頃より、アルツハイマー型認知症で台詞を覚えられなくなったとの報道が繰り返されるようになった。本人は「ヴァニティ・フェア」誌でのインタヴューで病気を否定したものの、演技に対する情熱がなくなってしまったと語り、事実上の引退状態になった。

その後、一七年二月にドイツ映画『ありがとう、トニ・エルドマン』（一六年）のハリウッド版リメイク作品に出演すると報じられたものの、八月になって、このプロジェクトからニコルソンが撤退すると報じられた。

かつてはアカデミー賞授賞式で、自らがノミネートされたときもされないときも、会場の最前列の席に陣取って「オスカー・ナイトの顔」として広く知られたジャック・ニコルソンだが、近年はまったくその姿を見ることはなくなった。NBAロサンゼルス・レイカーズの試合がテレビ中継されるときも、同チームの大ファンとして知られる彼が特等席で観戦しているさまが映し出されたりしたが、それも見られなくなって久しい。

03 『イージー・ライダー：ザ・ライド・バック』

二〇一二年、唐突に、いささか不可解な形で、オリジナル版でピーター・フォンダが演じたワイアットの若き日とその父や兄弟たちの現在を描いた『イージー・ライダー：ザ・ライド・バック』という作品が作られた。まさかの『イージー・ライダー2』の製作が、突然、実現したわけである。

しかしながら、この作品は、アメリカ国内でもタンパで行われたバイク・フェスタで上映されただけで、全米で幅広く劇場公開されることはなく、翌年にはさっさとDVD化され（のちにDVDタイトルは『イージー・ライダー2：ザ・ライド・バック』と変更された）、日本では劇場公開はおろかテレビ放映、ネット配信すらされていない。この事実からも容易にわかるように、とても劇場で公開できるようなレベルの作品ではないとみなしてよいだろう。

日本国内ではほとんど誰も見たことがないと思われるので、同作の内容をかいつまんで説明しておこう。物語は、ワイアットの弟モーガンを主人公に、彼の独白（ナレーション）で幕を開ける。……その独白とともに映し出されるのは、まさしくオリジナル版『イージー★ライダー』のラスト・シーンである。

――僕の名はモーガン・ウィリアムズ。僕にはワイアットという兄がいた。彼にはこんなニックネームがあった。……キャプテン・アメリカ。一九六九年のマルディグラの翌日、彼と親友ビリーはフロリダを目指してバイクを走らせていた。空は、ちょうど9・11がそうだったように澄んだ青色だった。その日、ワイアットは死んだ。それが国家という形であれ、一個人という形であれ、自由というものに対して大きな怖（おそ）れを抱く者たちによる、憎しみと偏見の犠牲となったのだ――。

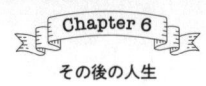

ナレーションが終わり、画面は現在のモーガンを写し出す。メキシコの海岸沖にある島で宝飾デザイナーとして生計を立てながら社会に背を向けて生きているモーガンのもとへ久々に妹シェーンが訪ねてくる。彼女が世話をしている口やかましい父、オールド・ヒコック・〝ワイルド・ビル〟ウィリアムズは、今では車椅子に頼る身の上で、人生の残り時間は長くない。シェーンは、父と対立して家を飛び出したモーガンに、父が亡くなる前に和解して欲しいと懇願しに来たのだ。

モーガンは、金持ちの知人にコカインを売って得た金で、亡き兄ワイアットが乗っていたのと同じ改造型ハーレイを作ると、もう一人の兄ヴァージルがワイアットの死亡現場から持ち帰った遺品である、背中に星条旗がプリントされた黒の革ジャケットを着こむ。ドル札を筒状に丸めてビニール・チューブに入れ、コルクの栓をして星条旗柄のオイル・タンクに隠すと、父や妹の住むオハイオ州スプリングフィールドまでアメリカ横断の旅に出る。

途中、家族ぐるみの友人で今はモトクロス・バイクのコーチをしているウェス・コーストを強引に道連れとして巻き込むが、ウェスは若い頃シェーンと恋仲だった。こうして、父との和解を目的とするモーガンと、旧友のウェスによる、ワイアットとビリーの足跡をたどる旅が始まる――。

モーガンとウェスは、ワイアットとビリーの〝コピー〟であるから、モーガンが、尊敬していた兄と瓜ふたつのいでたちなのは意図的だが、ウェスがなぜ革のジャケットに身を包み、バイクのオイル・タンクに炎が描かれているのかの説明はない。ともあれ、二人がオハイオ州を目指して西海岸から東へと向かいつつ、夜ごとキャンプ・ファイヤーしながら語り合う様子と、シェーンのもとに住む父オールド・ヒコックが、訪ねてきた戦友アンディに対して語る昔話を交互に描きながら、フラッシュバックによってウィリアムズ家に起こったさまざまな出来事をひもといていく。

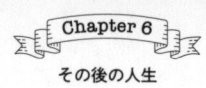

さて、それでは、いったいどのような経緯で、この〝続編〟が製作されることになったのだろうか？元々は法律の勉強をしていたこの作品のプロデューサー兼脚本家、そしてモーガン役で主演もしているフィル・ピッツァーが、オリジナルの『イージー★ライダー』の製作資金を拠出したバート・シュナイダーとボブ・ラフェルソンの二人に対して訴えを起こしたことが発端である。つまり、シュナイダーがこれまで五度にわたり、続編を製作する権利を販売していた事実を指摘し、権利を何度も売っているにもかかわらず、実際に続編が作られていないのであれば彼らはその権利を放棄すべきであり、自分にも続編を作る権利がある、と堂々と主張したのだ。そして宣誓供述でのこの主張が認められ、ピッツァーは〇七年の判決で何と勝訴。オリジナルの『イージー★ライダー』の関係者とは何のつながりもないピッツァーが、公的に『イージー★ライダー』の続編を製作する権利を得てしまったのだ。訴訟社会であるアメリカの、訴えたもの勝ちというような歪みには嘆息するしかない。ジャック・ニコルソンが演じたジョージ・ハンソン弁護士であれば、被告のバート・シュナイダーとボブ・ラフェルソンに対してどんな弁護を試みただろうか。

同作品の公式ホームページでのフィル・ピッツァーの紹介欄には、「過去六年の間、もっぱら『イージー★ライダー』フランチャイズ（＊4）に関わってきた。彼は二本の脚本『イージー・ライダー：ザ・ライド・バック』と『イージー・ライダー：ザ・サーチ・コンティニューズ』を共同執筆した」とされている。ということは『イージー・ライダー：ザ・ライド・バック』に続く、さらなる続編が準備（あるいはすでに製作）されているということだろうか。実際、『〜ザ・ライド・バック』のラストは、再会したウェスとシェーンの間に、新しい物語が始まることを予感させるものになっている。ということは、今後さらなる『イージー・ライダー』シリーズが臆面もなく製作されていく可能性があ

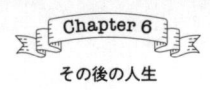

るということか……。オリジナル版の『イージー★ライダー』に少なからぬ影響を受けた世界中の人々と同様に、筆者もまた暗澹（あんたん）たる気持ちを禁じえない。

ネイサン・レイビンなるライターは、『イージー・ライダー：ザ・ライド・バック』について、ウェブ上の記事で次のように酷評している。

> 映画スターでありたいというピッツァーの主張は、（トミー・）ワイザウよりもっとお粗末なものである。なぜならば、画面に登場できたのは彼にとって幸運かもしれないが、それは、（誰も見たいとは思わない）『イージー★ライダー』の続編を製作する法的な権利はなくとも、確実に芸術的な権利を有している人々を、法的な詭弁（インチキ）で追い払っただけのことである。（＊5）

トミー・ワイザウは〇三年の『ザ・ルーム』を製作・監督・主演し、「史上最低の映画」との評判を得た人物のことで、要するに『イージー・ライダー：ザ・ライド・バック』はそれ以下だと言いたいわけである。

本来であれば第三者の批評を紹介するだけにとどめて、筆者自身の感想を述べることは抑制したいところだが、少しだけ、筆者がこの作品のポイントだと思う点を指摘しておきたいと思う。

全体として、家族の物語のさまざまなエピソードには常にオートバイが絡んでいる。父オールド・ヒコック自身がバイク好きだったため、幸せだった幼い頃の兄弟たちは父のバイクいじりを嬉しそうに眺めている。オールド・ヒコックと、彼の戦友アンディの友情もまた、バイクとサイドカーで表されている。シェーンとウェスが結ばれるのは車庫にあるバイクの上だし、モーガンのもう一人の兄であるヴァージルのガールフレンドがならず者バイカーたちにレイプされるのも、二人でバイクに乗って行った空き家で愛し合おうとしていたときだった。いわば、バイクにとりつかれた家族というわけだが、細かな点でも、オリジナル版『イージー★ライダー』へのオマージュなのか、オリジナル版とつじつまを合わせるためなのか、工夫がちりばめられている。

たとえば、ワイアットはニューオリンズで娼婦たちとアシッド・トリップしたとき、それがピーター・フォンダ自身のことであるかのごとく、「ママ、なぜ僕を置き去りにしたんだ⁉」と心情を吐露するが、ここではワイアットらの母親も、まだ幼い子供たちを残して自殺したという設定にしている。やせて長身のフィル・ピッツァーは、たしかにピーター・フォンダの弟のようにも見える。その彼の演じるモーガンがワイアットのチョッパーのコピーを作り、ワイアットの形見のジャケットに身を包んで旅に出ることとの論理的説明として、少年時代からモーガンにとってワイアットこそがヒーローだったという設定が作られ、若くして死んだ兄ワイアットに対して特別な想いを持ち続けてきた彼が、今一度自分の人生を振り返ってみようと思いたち、ワイアットになりきってその行動を追体験していく、という設定もまた理にかなってはいる。

その意味では、予想していたほどひどくはなく、少なくともオリジナル版に敬意を表して真面目に取り組んでいる作品であること間違いはない。

だが、オリジナル版と根本的に違うのは、その政治的なスタンスだ。一言でいうならば、ずっと保守的なのだ。国のために戦うことを素晴らしいこととする作り手たちの考え方が、物語のそこかしこから読み取れるのだ。一見すると、三人の主人公の戦争に対する態度は、それぞれ微妙に異なるように描かれてはいる。第二次大戦で勇敢に戦った父オールド・ヒコック。ヴェトナム戦争で兵士として戦ったものの心を病む長兄ヴァージル。反戦運動に身を投じ、徴兵書類を焼き捨てたことで父との対立が決定的になり、ワイアットを追って家を出るモーガンという具合に。しかし、国のために戦った

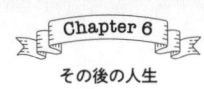

ことを誇りに思っている父ヒコックは、年老いた今も戦争体験による悪夢にうなされながらも、自身の価値観を疑うことはない。だからこそ、徴兵書類を燃やすという国家に対する反逆的な態度を採った息子モーガンのことが許せないわけである。それなのに、物語のラストでモーガンと父ヒコックは和解し、互いを抱きしめ合う。シェーンもまた、国のために戦争に行くことを考えている息子を離婚した夫がいきなり訪ねてきて思いとどまらせようとすると、「あなたには関係ないことよ」と言って元夫を押し返す。息子に対して「イラクへ行くがいい!」と捨てゼリフを吐く元夫が悪者に見えるような演出で、ここからも戦争肯定のメッセージを読み取ることができる。さらにいえば、冒頭のモーガンのナレーションの中で、南部のレッドネックたちに殺されたワイアットとビリーを、9・11同時多発テロの犠牲者たちと重ね合わせているのもあざとい。

ヴェトナム反戦、フラワー革命、ヒッピー・コミューン、フリー・ラブ、フリー・セックス、といったカウンター・カルチャーの時代を象徴するイコンだった『イージー★ライダー』は、保守的な時代の風潮に挑み、敗北を体現することによって不動の名声を獲得した作品だった。それを想うとき、この唐突な〝続編〟から読み取れるメッセージは、この半世紀の間にアメリカという国がどこに向かって突き進んできたのかを写し出しているような気がしてならない。

＊1　筆者によるピーター・フォンダへのインタヴュー（一九九七年一二月六日）
＊2　Jack Nicholson winning an Oscar ® for "As Good as it Gets"（https://www.youtube.com/watch?v=H19_nhpvsT0）
＊3　Dennis Hopper & Peter Fonda On Jack Nicholson's Part in Easy Rider（https://www.youtube.com/watch?v=2a7xTQSgX18）
＊4　フランチャイズとは商号・商標などを使用してビジネスを展開すること。つまり『イージー★ライダー』の題名を利用していろいろ商売をしようとしているようだ。
＊5　Yes, there's an Easy Rider Sequel, and yes, it's awful!（https://thedissolve.com/features/you-might-also-like/486-yes-theres-an-easy-rider-sequel-and-yes-its-awful/）

Epilogue

デニス・ホッパーは、『ラストムービー』をめぐってユニヴァーサル映画と対立したのち、最終的にはユニヴァーサル側が編集したバージョンを『チンチェロ』のタイトルでテレビ放映することを認める見返りとして、『ラストムービー』に関する全権利を所有することになり、その権利をハンドリングする個人事務所、「アルタ・ライト・プロダクション」を設立していた。筆者は、八九年から〇二年にかけてホッパーに連絡を取る際は、アルタ・ライトのホッパーの秘書あてにFAXを送るか電話をかけていたのだが、〇七年に久しぶりにアルタ・ライトあてに連絡したところ、電子メールによる秘書からの返信の発信元欄には、「アルタ・ライト」ではなく、「イージー・ライダー・プロダクション」という新たな名前が記されていた。

アルタ・ライトを閉じて新たな会社を興したということなのか。だとすればそれはいかなる事情があってのことだったのだろうか。新たな秘書に立ち入ったことを訊くのもはばかられたので、その経緯についてはわからないが、過去の栄光と直結する社名とする背景としては、これはいよいよ『イージー★ライダー2』の企画が具体的に動き出してのことだろうか。あるいは、その可能性も含めて『イージー★ライダー』を監督した人物の会社であることを明確にすることで、何がしかのアドヴァンテージを得ようと考えてのことだろうか。おそらく、どちらかであろうと推察された。だが、当時、『イージー★ライダー2』製作開始のニュースは一切報じられていなかった。奇跡の復活を遂げてからこの方、常に前向きで、新しい人たちと新しい仕事に取り組んできたデニス・ホッパーが、過去の栄光にすがろうとしているのだとしたら、それは良いしるしであるはずはなかった。

デニス・ホッパーが人生の最後の数年の間に、『イージー★ライダー2』の企画を実現するために動いていたのか。それが九四年の時点でハワード・ズーカーとの間で検討していた企画——ランディ・ウェイド執筆の脚本をベースとした企画——と同じなのか、それとも別物であったのか。今となっては知るすべもない。

二〇〇九年九月、デニス・ホッパーは滞在先のニューヨークで体調不良のために倒れ、緊急入院していったんは退院して自宅へ戻ったものの、年末にはロサンゼルスのシーダーズ・サイナイ病院に再び入院した。彼が倒れたのは、ニューヨークのトニー・シャフラッツィ画廊での回顧展「デニス・ホッパー　サインズ・オブ・ザ・タイムズ：フォトグラフス、ビルボードズ&フィルムズ」(*1) のオープニングパーティのわずか数日後のことだった。

ホッパーを襲った病は前立腺がんだった。シーダーズ・サイナイ病院に入院した時点で、すでにがんは骨にまで転移していて、余命いくばくもないことは明らかだった。そんな中で、ホッパーは五人目にして最後の妻であったヴィクトリアとの離婚訴訟に踏み切った。先妻たちとの間の子供たちが後妻に遺産を相続させないために手を回したのだともいわれているが、こちらも真相は藪の中である(*2)。

デニス・ホッパーが最後に公の場に姿を見せたのは一〇年三月二六日のことだった。ハリウッド大通り（ガワー通りからラ・ブレア通りにかけての東西）とヴァイン通り（サンセット大通りからユッカ通りにかけての南北）沿いの舗道にスターたちの星型のプレートが埋め込まれている。この「ハリウッド・ウォーク・オブ・フェーム（ハリウッドの殿堂）」に新たにデニス・ホッパーのプレートが加えられることとなり、その記念式典に出席したのだ。「ハリウッド・ウォーク・オブ・フェーム」には、映画だけでなく、音楽、放送など、エンターテインメント業界の各ジャンルから選出されたスターたちが〝殿堂入り〟しているのだが、映画スターやスタッフは前年度までに八三〇名が名を連ねており、デニス・ホッパーは、映画界からは八三一人目、すべてのカテゴリーを通してだと二四〇三人目のハリウッド・スターということになった(*3)。

通常、六月に発表されるその年の受賞者の中で、ホッパーの式典だけが一足早い三月に行われた理由は公的には発表されていないが、当然ながらホッパーの病状を考慮して前倒しされたのであろう。この記念式典は何にもまして人々の感動を呼んだのだが、それは痩せ衰えて明らかに体調が悪そうなホッパーのかたわらに、終始、一人の男が彼を労るように付き添っていたからだった。それは、自身もめっきり公の場に姿を見せることがなくなっていたジャック・ニコルソンであった。しかも彼は、自分をスターダムへ押し上げてくれた『イージー★ライダー』を作ったのがほかならぬこの日の主役、デニス・ホッパーであることをみんなに思い出させようとするかのように、『イージー★ライダー』でピーター・フォンダが着ていた革ジャンを彷彿させる星条旗柄のシャツに身を包んでいたのた。

ニコルソンは九六年、自身五九歳のとき、既に「ハリウッド・ウォーク・オブ・フェーム」入りしており、さらにその七年後の〇三年には六三歳のピーター・フォンダもまたそこに加わっている。それを考えると、デニス・ホッパーの殿堂入りは遅すぎたとも言えるが、大好きな友人で、偉大な俳優として尊敬していたジャック・ニコルソンの厚い友情に支えられ、四人の子供たち全員に囲まれての記念式典は、まさに、人生最後に花道であった。

そして、この記念式典から二か月後の一〇年五月二九日、何度も失意の底に突き落とされながらも不死鳥の如く甦ったハリウッドの風雲児デニス・ホッパーは、ヴェニス・ビーチの自宅で子供たちに見守られながら七四歳でその人生に幕を下ろした。

葬儀は、デニス・ホッパー自身が愛してやまなかったニュー・メキシコ州タオスのランチョス・デ・タオスのサン・フランシスコ・デ・アシス・ミッション教会で六月三日に執り行われた。親族や地元の友人たちはもちろん、俳優仲間としてはジャック・ニコルソンと、『トゥルー・ロマンス』で共演したヴァル・キルマーらが参列した。取材した記者の質問に対してニコルソンは、「俺とヤツとの関係は唯一無二のもので、他のどんなヤツとの関係とも違うものだった。ある意味で俺たちはソウル・メイトだった。本当に寂しい」と答えている(＊4)。

いくつかの新聞やテレビ局は、ピーター・フォンダも葬儀に参列したと報じたが、それは長身のピーターによく似たポニーテイルの男性をピーターと見間違えて伝えたもので、彼は葬儀には参列していない。だが、それから五か月ほど経って、墓参りのためにホッパーの墓地を訪れた筆者は、ピーター・フォンダがひっそりとホッパーの墓参りをしていたことを知った。ホッパーが埋葬されている墓は、同地のスペイン人墓地の中にあって、本来はスパニッシュ・カソリックの人しか埋葬してもらえない墓地なのだが、生前のホッパー自身の希望を伝え聞いた同地に住む俳優仲間のディーン・ストックウェルらが奔走して埋葬の許可をもらったという。その墓は、棺の上に土を盛っただけで墓石すらない簡素なもので、墓参りした人は周辺の拳大(こぶし)の石を拾って自分の名前と簡単なメッセージを思い思いに記して、盛り土の上に置いていた。その石の中に、最後の日々に離婚訴訟で争うことになってしまった妻ヴィクトリア、二人の間に生まれた当時だった七歳の娘ガレン、そしてピーター・フォンダの名が記された石があったのだ。

デニス・ホッパーの死と相前後して、ピーター・フォンダの人生にも相次いで大きな変化が訪れていた。〇八年三月、ピーターの〝義兄弟〟にして親友、そして長年にわたるビジネス・パートナーでもあったビル・ヘイワードが、カリフォルニア州カステイクの自宅(トレイラー・ハウス)で拳銃自殺を遂げたのだ。

ピーターにとってはバイクのツーリング仲間でもあったヘイワードだが、彼はそのバイクで大きな事故を起こし、回復の見込みのない状態に陥ったのを苦にしての自殺だったという。ビルの姉であるブルック・ヘイワードと結婚し、娘マリーンをもうけていたもう一人の義兄弟デニス・ホッパーは、ビルの死に際して「彼は素晴らしい男だった。彼の死はわれわれ家族にとって大きな悲劇だ」と声明を出した（＊5）。

Chapter 1で詳述したように、フォンダ家とヘイワード家はロサンゼルス時代、ニューヨーク時代を通じて常に隣同士に住み、両家の子供たち——ジェーン・フォンダ、ピーター・フォンダ、ブルック・ヘイワード、ビル・ヘイワード、そしてブリジット・ヘイワード——は、5人の姉弟のように育っていた。そのうちの一人、ブルックと結婚したのがデニス・ホッパーだったので、ホッパーの娘マリーンにとってビル・ヘイワードは叔父にあたる。だから「家族」なのだ。

ピーターにしてみれば、わずかに残っていた映画界とのパイプでもあった親友ビル・ヘイワードの死は、母フランシス、義理の母のような存在だったマーガレット・サラヴァン、ひそかに想いを寄せる初恋の相手だったビルの妹ブリジット・ヘイワードに続いて、四度目の「家族の自死」だった。そのショックの大きさは想像に難くない。

ビル・ヘイワードの死から三年が過ぎた一一年の前半、ピーターはモンタナの地で三十六年間連れ添って暮らした、二度目の妻ベッキー（ポーシャ・レベッカ・クロケット）——ピーターの友人でもあった作家トマス・マッゲインの元妻で、アラモ砦で戦ったデイビー・クロケットの末裔——と離婚する。そして、その年の六月、七十一歳のピーターは、マーガレット・〝パーキー〟デボジェレールとハワイで三度目の結婚式を挙げ、かつては嫌っていたロサンゼルスの地——サンタモニカ地区の北西に位置するパシフィック・パリサデスという海沿いの小さな町――に引っ越していた。

一九九八年、映画『イージー★ライダー』はアメリカ国立フィルム登録簿に登録された。これは、八八年に国立フィルム保存法（National Film Preservation Act）という法律が制定され、国の遺産として永久保存するにふさわしい「文化的、歴史的、芸術的に重要な映画」を年に最大二五本登録することになったためである。前年までに毎年きっかり二五本ずつ、計二二五本が登録されていたのに加えて、この年はヘンリー・フォンダの代表作のひとつである『牛泥棒』、ジェームズ・キャグニーの代表作『民衆の敵』、ミッキー・マウスのデビュー作『蒸気船ウィリー』などと共に、『イージー★ライダー』を含む計二十五本が新たに登録されたのだ。

その前年、アメリカ映画協会が設立三十周年を記念して「アメリカ映画ベスト一〇〇」を選んだ際にも、当然のごとく『イージー★ライダー』はそのうちの一本として選出されている。時の経過と共に、映画『イージー★ライダー』の重要性はいよいよ確固たるものとなってきたのである。

そして、二〇一九年七月一四日、『イージー★ライダー』は、ニューヨーク、マンハッタンの「ビークマン劇場」でロードショー公開されてから、満五十周年を迎えた。

八九年にコロムビア映画を買収したソニー・ピクチャーズ・エンタテインメントは、チネテカ・ディ・ボローニャとの共同作業でオリジナルの三五ミリフィルム・ネガから修復・プリントした『イージー★ライダー』の真新しい４Kレストア版を五月に行われたカンヌ国際映画祭で特別上映した。さらに、イヴェント上映の専門会社として〇二年に設立されたファゾム・イヴェンツ（＊6）とのパートナーシップにより、全米の四〇〇館を超える劇場で、七月一四日と一七日の午後四時と七時の二回、『イージー★ライダー』の五十周年記念特別上映を行った。これに際して、ピーター・フォンダによるイントロダクションの映像が新たに撮影され、映画の上映前に紹介されたのだが、その中でピーターは、「一九六九年に、僕はアメリカを探しに出かけた。五十年後、僕はいまだに探し続けている」と観客に語りかけた(＊7)。

この五十周年記念特別上映に参加した観客の多くが、二年前のスーパーボウル中継でメルセデス・ベンツGTロードスターのCMに登場したピーターの雄姿を目にしていたであろうし、カンヌ国際映画祭での上映時、ピーター自身がそこに立ち会っていたこともニュースで知っていたかもしれない。けれども、イントロダクションで語るその姿が、ピーター・フォンダにとって映像を通してファンの前に姿を現す最後の機会となるなどとは想像すらしていなかったに違いない。

ピーターの死は突然訪れた。——『イージー★ライダー』五十周年記念特別上映からわずか一か月後の一九年八月一六日、ピーター・フォンダは肺がんに起因する呼吸器不全によって、ロサンゼルスの自宅で七十九年の人生を終えたのだ。肺がんにかかっていたことは公表されていなかったから、その死は多くの映画ファンにとって突然のことと受け止められたが、少なくとも家族は、ある程度、覚悟していたようだ。

ピーターの死後、姉のジェーン・フォンダは「ヴァラエティ」誌に次のような声明を発表した。——「とても悲しい。彼は心根の優しい、私の可愛い弟で、家族の中で一番、おしゃべりが好きでした。彼にとって最後となった日々、私は彼と二人きりの美しい時間を過ごしました。彼は努めて笑おうとしていました」(＊8)

その死から一か月後の九月二〇日、ニューヨークのラジオ・シティ・ミュージック・ホールで『イージー★ライダー』五十周年記念特別上映&コンサートが開かれた。これは、『イージー★ライダー』の伝説的なサウンドトラックを映像とシンクロさせながらライヴ演奏する催しで、ステッペンウルフのジョン・ケイ、ザ・バーズのロジャー・マッギンらがそれぞれ「ワイルドで行こう」や「ワズント・ボーン・トゥ・フォロー」「イージー★ライダーのバラード」などをステージで唄いあげた。映画の仕事も多く手がけるソングライターで、レコード・プロデューサーのT・ボーン・バーネットが音楽監督を務めたこの催しは、ピーターの生前から準備されていたものであり、プロデューサーとしてピーター自身の名前もクレジットされていた。(*9)

ピーター・フォンダの人生は、最後の最後まで『イージー★ライダー』と共にあった、といっても過言ではないだろう。

いつの日かきっとまた、デニス・ホッパーとピーター・フォンダの二人が、あるいはそれにジャック・ニコルソンを加えた三人が、スクリーン上で新たな人生探索の旅を始めるに違いないと願い、その日を心待ちにしていた世界中の映画ファンの夢は、こうして永遠に叶うことのない幻となった。そしてまた、三十歳前後の若さで『イージー★ライダー』という作品を世に送り出し、稀れにみる成功と栄光を手にした代償であるかのように、その後の人生で逃れたくとも逃れられない重荷を背負うことになった男たちのドラマにも終止符が打たれた。

映画の中でワイアットは、人生最後の夜に、キャンプ・ファイヤーの炎に照らされながら、「俺たちは負けたんだ(We blew it)」と総括した。たしかに、その後のホッパーとフォンダの人生は決して平坦なものではなかったが、互いに競い合うようにしてさらなる高みを目指してもがき、共に再び表舞台に返り咲いたことを想えば、「二人ともよくやったよ!(You did it!)」とその肩を叩き、健闘を称えたいと心から思う。……だが、筆者が願うまでもなく、今ごろ二人は〝バイカーズ・ヘヴン〟で、マリファナやLSDでハイになりながら「俺たちはよくやったよな！（We did it!）」と、互いに肩を抱いて語り合っているのかもしれない。

＊1 「デニス・ホッパー　サインズ・オブ・ザ・タイムズ：フォトグラフス、ビルボードズ＆フィルムズ（Dennis Hopper Signs of the Times : Photographs, Billboards & Films）」二〇〇九年九月一二日～一〇月二四日

＊2 ホッパーの結婚歴について簡単に記しておく。最初の結婚相手はChapter 1で触れたように女優ブルック・ヘイワード（六一年結婚、六九年離婚）で、二度目はやはりChapter 4で触れた歌手ミシェル・フィリップスとのわずか8日間の結婚（七〇年）だった。その後、ミケランジェロ・アントニオーニ監督の『砂丘』でヒロインを務めた女優ダリル・ハルプリン（七二年結婚、七六年離婚）、女優・ダンサーのキャサリン・ラナーサ（八九年結婚、九二年離婚）、女優ヴィクトリア・ダフィ（九六年結婚、一〇年離婚）と計五回の結婚・離婚歴があった。

＊3 このときは、ホッパーと共に、ブルース・ダーン、ラッセル・クロウ、ベン・キングズレイら一二名が新たに名を連ねた。

＊4 BBCニュース「2010年6月3日のデニス・ホッパーの葬儀にスターたちが参列」（https://www.bbc.com/news/10223051）

＊5 メトロニュース「2018年3月21日、『イージー・ライダー』のプロデューサーが自殺」（https://metro.co.uk/2008/03/21/easy-rider-producer-kills-himself-48699/）

＊6 ファゾム・イヴェンツ FATHOM EVENTSは2019年現在、全米で一〇〇〇劇場、スクリーン数一五〇〇規模のイヴェント上映を開催するイヴェント上映の専門会社。

＊7 クルーザー・ニュース「今週『イージー・ライダー』50周年のお祝い：全国で七月一三日と一七日に4K修復版で上映」（アンドリュー・チャーニー、2019年7月12日　https://www.motorcyclecruiser.com/easy-rider-celebrates-50th-anniversary-this-week/）

＊8 FOXニュース「ジェーン・フォンダが弟ピーターの死について語る：彼は心根の優しい、私の可愛い弟でした」（ジェシカ・ナポリ、2019年8月17日　https://www.foxnews.com/entertainment/jane-fonda-speaks-out-brother-peter-death）

＊9 ローリング・ストーン映画ニュース「ラジオ・シティ・ミュージック・ホールで『イージー・ライダー』上映＆コンサート開催」（アンジー・マートッキオ、2019年7月29日　https://www.rollingstone.com/movies/movie-news/50th-anniversary-easy-rider-screening-and-concert-864695/）

1993年、ロサンゼルス「サンダー・ロードハウス」のオープニング・セレモニーに出席したデニス・ホッパーとピーター・フォンダ

©ZUMA Press/amanaimages

あとがき

本書を執筆するにいたった経緯について若干述べておきたい。――一九八六年の暮れ、ニューヨークのトニー・シャフラッツィ画廊で開催中だったデニス・ホッパーの写真展を訪れて以来、筆者はホッパーという人物の持つスケールの大きさをもっと世間に知らしめたい、そのために何かできることはないかとずっと考えてきた。志を同じくする仲間たちとの出会いもあって、三年後の八九年に「東京デニス・ホッパー・フェスティヴァル」を開催。その過程を通じてホッパー本人と知り合うことができた。その後、デニス・ホッパーという人物を深く知るにつれて、彼の名が語られるとき、必ず引き合いに出される『イージー★ライダー』のことを、一度本人から直接詳しく聞いてみたいと思うようになった。チャンスは思いがけず、すぐにやってきた。九一年の夏、朝日新聞日曜版で世界の名作映画の関係者へのインタヴュー連載企画の準備がすすめられていて、その一環として彼に『イージー★ライダー』について取材してほしいという依頼を受けたのだ。このとき、彼の紹介でピーター・フォンダからも詳しく話を聞くことができたのだが、二人とも当時のことを微に入り細に入り鮮明に語ってくれたにもかかわらず、証言が大きく食い違う部分もあって強く興味をそそられた。このときの取材をきっかけに『イージー★ライダー』を作った男たちのドラマを自分なりに整理して、まとめてみたいと思ったのがそもそもの発端であった。

だが、このとき直接二人から証言を得たといっても、それは製作後二十年以上の歳月を経た時点でのものにすぎない。〝真実〟に近づくためには、製作当時の証言や、現在にいたるまでの様々な時期に彼らが語ってきたことなどを照らし合わせて検証する必要があった。資料を収集したり、追加取材をしたり、ようやく一九九六年に筑摩書房より『「イージー・ライダー」伝説――ピーター・フォンダとデニス・ホッパー』というタイトルで刊行することができた。

それから二十四年。――つまり、『イージー★ライダー』日本公開からちょうど五十年になる節目の年に、増補新装改訂版として再び世に出すこととなった。改訂作業を行っていた二〇一九年は「第一回東京デニス・ホッパー・フェスティヴァル」開催、デニス・ホッパーの初来日からちょうど三十年、二〇二〇年はホッパーの没後十年の年に当たり、さらに、同時に、二〇一九年はアメリカで、二〇二〇年は、前述のとおり日本で『イージー★ライダー』が公開されてから五十年に当たる。いろいろな意味で、振り返るには良い時期だということで新版のプロジェクトがスタートしたのである。その最中に、ピーター・フォンダ逝去のニュースが飛び込んできたのだった。

　五十年という月日に対する感覚は、人によって違うかもしれないが、能と並んで武士に愛好された幸若舞の演目のひとつ「敦盛」に「人間五十年、下天の内をくらぶれば、夢幻の如くなり」と謳われている。五十年前のあの日あの時のことをヴィヴィッドに覚えているということは容易なことではないのだろう。

　だが、映画『イージー★ライダー』のことを考えると、実は五十年という月日はあっという間なのだという気もする。何年経って観返しても、ひとつひとつのシーン、その中で生きている俳優たちの息づかいが、初めてこの映画を観たときの記憶を瞬時に思いださせてくれるからである。

『イージー★ライダー』が全米で公開された一九六九年、日本で公開された一九七〇年は、どんな時代だったのだろうか。奇跡と言われるほどの高度経済成長を続けていた六九年、日本は熱い〝政治の季節〟を迎えていた。大学改革を求める全共闘（全学共闘会議）が東大安田講堂を占拠。機動隊が突入して学生が大量に検挙される。翌七〇年にはヴェトナム反戦、成田空港建設反対と共に、七〇年安保反対闘争が繰り広げられるも、過激化した学生運動は国民の支持を得られず、日米安保条約も自動延長。〝政治の季節〟は終焉を迎えつつあった。既存の権力に対して叛逆的な生き方をしても、結局は何も変えることができずに負けていく『イージー★ライダー』は、そんな時代の若者の気分を象徴していたと言えるだろう。

　筆者は、当時まだ小学生だったので、その時代の空気を肌で感じていたわけではない。『イージー★ライダー』を初めて観たのは、日本での公開より五〜六年が過ぎた頃だった。それでも、バイクにまたがったピーター・フォンダが腕時計を投げ捨てる旅立ちのシーンや、ジャック・ニコルソンがUFOについて語るシーンが強く印象に残っている。『イージー★ライダー』への興味が増したのは、もう少し大人になってからだったが、映画を作ったピーター・フォンダやデニス・ホッパー、そして彼らが描き出した若者の心情と、どこかシンクロするものがあったからこそ、筆者は何十年もこの映画にこだわり続けることになったのだろう。

公開から五十年。当時の観客たち、そして筆者もまた、儚(はかな)い夢幻(ゆめまぼろし)のような旅をしてきたことになる……。

新版に衣替えするにあたって、書名を新しくし、旧版の「終章」と「エピローグ」をひとつにまとめて「Chapter 5」とし、新たに「Chapter 6」と「Epilogue」で、旧版刊行以降の『イージー・ライダー』をめぐる出来事やデニス・ホッパー、ピーター・フォンダの人生について加筆した。ほかにも旧版刊行時の細かなミスを修正したり、若干の記述を追加したりしている。また、筆者による直接のインタヴューではなく、ほかの単行本や雑誌記事に収録されたものを引用した箇所については引用元を明示しているが、本書のほかの部分とのバランスを考慮して訳文を適宜修正している。

本書刊行に当たり、出版をお引き受けいただいた径書房の原田純社長にお礼を申し上げたい。また、写真の使用に関しては、旧版刊行時に引き続き、ソニー・ピクチャーズ・エンタテインメントの担当部署（ディストリビューション・プロダクトマーケティング／PR&プロモーション）にご協力いただいた。この場を借りて感謝の意を表したいと思う。

旧版の「あとがき」で謝意を伝えた母に、今回も特別な感謝の意を表したい。そして、もはや本書を手渡すことは叶わないものの、新版の刊行を誰よりも先に報告したいと筆者が願う二人の男たち——デニス・ホッパーとピーター・フォンダに本書を捧げたい。

二〇一九年一一月

谷川建司

- *Henry D. Herring, "Out of the Dream and into the Nightmare: Dennis Hopper's Apocalyptic Vision of America", Journal of Popular Film & Television, Vol.* 10, *No.* 4. *Winter* 1983.
- *Ron Rosenbaum, "Riding High: Dennis Hopper Bikes Back", Vanity Fair, Apr* 1987.
（ロン・ローゼンバウム、〝荒地からの帰還・デニス・ホッパー／インタヴュー〞大久保賢一訳、「*Switch*」1987年6月号 = *Vol.* 5, *No.* 3 所収）
- *James Truman, "Dennis Hopper's New Wave", House & Garden, Mar* 1988.
- *Garrett White & Robert Dean, "Art of the Sixties: Dennis Hopper Another Side," Frank,* 8/9, Winter 1987/1988.
（ロバート・ディーン,〝アート・オブ・'60*s*〞、千葉茂隆訳、「銀星倶楽部13 特集／デニス・ホッパー」所収）
- *Mark Selwyn, "Interview: Dennis Hopper", Flash Art, Summer,* 1989.
- *Lee Israel, "For Peter Fonda, It's All Now", New York Times, Sep* 8, 1968.
- *Joyce Haber, "Peter Fonda Talks Film to Festival", New York Post, May* 12, 1969.
- *Archer Winsten, "Rages and Outrages", New York Post, Aug* 4, 1969.
- *Sidney Skolsky, "Tintypes...Peter Fonda", New York Post, Aug* 30, 1969.
- *Tony Reif & Iain Ewing, "Fonda", Take One, Vol.* 2, *No* .2, 1969.
（〝ピーター・フォンダ、「イージー・ライダー」について語る〞= 抄訳,「映画評論」1970年3月号所収）
- *Robert Taylor, "Afternoon of a Fonda", Boston Sunday Globe, Aug* 17, 1969.
- *Pauline Peters, "Mr. Easy Rider", Nova, Feb* 1970.
- *Kay Gardella, "Henry Fonda Talks About Peter & Jane", New York News (Sunday News), Jan* 24, 1971.
- *Howard Junker, "Interview: Peter Fonda"*, 1971.
（ハワード・ジャンカー、〝ピーター・フォンダ／インタヴュー〞、島田陽子訳, *Cut* 、*No.* 23、1993年9月号所収）
- 〝新春*BIG*いいたい放題②／鍵谷幸信*vs*ピーター・フォンダ〞、「週刊プレイボーイ」1975年1月14日号
- *Christopher P. Anderson, "THE FONDAS: HENRY & PETER / The "Darrow" star and his son pals again", People, April* 7, 1975.
- プレイボーイ・インタヴュー、〝ピーター・フォンダ〞、「*PLAYBOY*」1976年4月号
- *Karen Horowitz, "Wanda Nevada: Peter Fonda as Actor / Director", Filmmakers, Jul,* 1979.
- *Jeffrey Wells", Fonda's back on his old cycle to start a new cycle", New York Post, Oct* 26, 1982.
- アレン・ライダー、〝ジャック・ニコルソン／インタヴュー〞、「週刊明星」1981年3月26日号
- ビバリー・ウォルカー、〝顔のない顔［*On Screen*］〞、構成 = 川口敦子,「*Switch*」1988年10月号 = *Vol.* 6, *No.* 5.
- ナンシー・コリンズ、〝偉大なる女たらし［*Off Screen*］〞、古屋美登里訳、「*Switch*」1988年10月号 = *Vol.* 6, *No.* 5.
- 守屋正、〝*The Trip* / ニュー・シネマの萌芽〞、「*Switch*」1988年10月号 = *Vol.* 6, *No.* 5.

[その他の資料]

- *Peter Fonda, Dennis Hopper, Terry Southern, "Easy Rider" (Original Screen-play), A Signet Book from New American Library, Inc.,*1969.
- シナリオ「イージー・ライダー」,「映画評論」1970年3月号
- *Randy Wade, "Easy Rider Ⅱ: The New Generation" (first draft), Apr* 8, 1993. *(= Unpublished Screenplay)*
- *Jay Robert Nash & Stanley Ralph Ross, "The Motion Picture Guide" (Vol.* Ⅰ〜Ⅸ*), CineBooks.*
- *John Willis, "Screen World" (Vol.*21〜 *), Crown.*
- *Harry Medved & Randy Dreyfuss, "The Fifty Worst Films of All Time (and how they got that way)," Popular Library, NY.* 1978.

[ウェブ・サイト]

- *Barry Feinstein (IMDb)* ▶ https://www.imdb.com/name/nm0270743/?ref_=fn_nm_nm_64
- *Jack Nicholson winning an Oscar ® for "As Good as it Gets"* ▶ https://www.youtube.com/watch?v=H19_nhpvsT0
- *Dennis Hopper & Peter Fonda On Jack Nicholson's Part in Easy Rider* ▶ https://www.youtube.com/watch?v=2a7xTQSgX18
- *Yes, there's an Easy Rider Sequel, and yes, it's awful!*
▶ https://thedissolve.com/features/you-might-also-like/486-yes-theres-an-easy-rider-sequel-and-yes-its-awful/
- *BBC NEWS: Stars turn out for Dennis Hopper funeral,* 3 *June* 2010 ▶ https://www.bbc.com/news/10223051
- *METRO NEWS: Easy Rider producer 'kills himself',* 21 *March* 2008
▶ https://metro.co.uk/2008/03/21/easy-rider-producer-kills-himself-48699/
- *CRUISER NEWS: "Easy Rider" Celebrates* 50*th Anniversary This Week: Restored* 4*K version will be shown July* 13 *and* 17 *around the country. By Andrew Cherney, July* 12, 2019.
▶ https://www.motorcyclecruiser.com/easy-rider-celebrates-50th-anniversary-this-week/
- *FOX NEWS: Jane Fonda speaks out following brother Peter's death:'He was my sweet-hearted baby brother', By Jessica Napoli, August* 17, 2019.
▶ https://www.foxnews.com/entertainment/jane-fonda-speaks-out-brother-peter-death
- *Rolling Stone MOVIE NEWS:* 50*th Anniversary 'Easy Rider' Screening and Concert Set for Radio City Music Hall, By Angie Martoccio, July* 29, 2019
▶ https://www.rollingstone.com/movies/movie-news/50th-anniversary-easy-rider-screening-and-concert-864695/

- *Donald Shepherd, "Jack Nicholson / An Unauthorized Biography", St. Martin's press, NY.* 1991.
- *Barbara & Scott Siegel, "Jack Nicholson / The Unauthorized Biography", Avon Books, NY.* 1991.
- *Nancy Campbell, "Jack Nicholson", Magna Books,* 1994.
- *The Twenty-second Annual of American Film Institute Life Achievement Award: A Salute to Jack Nicholson, The American Film Institute,* 1994.
- *Patrick McGilligan, "Jack's Life / A Biography of Jack Nicholson", Harper Collins Publishers, London,* 1995.
- 『アメリカン・ニューシネマの息子たち／ルーカスからゴダールまで11人のインタヴュー集』ロッキング・オン編集部訳（ロッキング・オン社、1982年刊）
- 『ローリング・ストーン／インタヴューズ』小倉ゆう子・岡山徹・奥田祐士訳（ＣＢＳソニー出版、1990年刊）
- ハワード・タイクマン『ヘンリー・フォンダ　マイ・ライフ』鈴木主税訳（文藝春秋、1982年刊）
- フレッド・ローレンス・ガイルス『ジェーン・フォンダ　華麗なる挑戦』長沢由美・小田豊二訳（集英社、1983年刊）
- ロジェ・ヴァディム『我が妻バルドー、ドヌーヴ、J・フォンダ』吉田暁子訳（中央公論社、1987年刊）
- *Roger Corman with Jim Jerome "How I Made a Hundred Movies in Hollywood and Never Lost a Dime", Random House, NY.* 1990.
- ロジャー・コーマン／ジム・ジェローム『私はいかにハリウッドで100本の映画をつくり、しかも10セントも損をしなかったか／ロジャー・コーマン自伝』石上三登志／管野彰子訳（早川書房、1992年刊）
- *Michelle Phillips, "California Dreamin' / The True Story of The Mamas and The Papas", Warner Books,* 1986.
- ジョン・ハウレット『ジェームズ・ディーン青春に死す』吉福逸郎訳（ＣＢＳソニー出版、1977年刊）
- 荒井良雄編、映画で英語を楽しもう③『青春よ永遠に／ジェームズ・ディーンのすべて』（芳賀書店、1977年刊）
- ウォーレン・オーツ『荒野より』大久保賢一訳（立風書房、1981年刊）
- スーザン・ストラスバーグ『女優志願』中尾千鶴訳（晶文社、1985年刊）
- マーク・リボウスキー『フィル・スペクター／甦る伝説』奥田祐士訳、大瀧詠一監修（白夜書房、1990年刊）
- *Eleanor Coppola, "Notes / on the making of Apocalypse Now", Simon and Schuster, NY.* 1979.
- エレノア・コッポラ『ノーツ／コッポラと私の黙示録』原田真人・みずほ訳（ヘラルド出版、1980年刊）
- デニス・シェーファー＋ラリー・サルヴァート『マスターズ　オブ　ライト／アメリカン・シネマの撮影監督たち』高間賢治・宮本高晴訳（フィルムアート社、1988年刊）
- ヴィム・ヴェンダース『エモーション・ピクチャーズ』松浦寿輝訳（河出書房新社、1992年刊）
- *Andy Warhol & Pat Hackett, "POPism / The Warhol'60's", Harper & Roes, Publishers, NY.* 1983.
- アンディ・ウォーホル／パット・ハケット『ポッピズム／ウォーホルの６０年代』高島平吾訳（リブロポート、1992年刊）
- カルヴィン・トムキンズ『ザ・シーン／ポスト・モダン・アート』高島平吾訳（ＰＡＲＣＯ出版、1989年刊）
- ロバート・スクラー『アメリカ映画の文化史／映画がつくったアメリカ（下）』鈴木主税訳（講談社学術文庫、1995年刊）
- 田山力哉『カンヌ映画祭35年史』（三省堂、1984年刊）
- 監修　石川弘義・藤竹暁・小野耕世『日本風俗じてん・アメリカン・カルチャー②60'*s*』（三省堂、1981年刊）
- 『マザー・グースのうた』（第5集）谷川俊太郎訳（草思社、1976年刊）
- 『オフ・オフ・マザー・グース』和田誠訳（筑摩書房、1989年刊）
- 鳥山淳子『映画の中のマザーグース』（スクリーンプレイ出版、1996年）

[新聞/雑誌記事・インタヴュー]

- *L. M. Kit Carson, "The Loser Hero", Show, Vol.*1, *N*0.1. *Jan* 1970.
- *Joseph Morgenstern, "Easy Rider", Newsweek, Jul* 21,1969.
（*Newsweek*日本版別冊、1993年12月7日号〝アメリカン・シネマ・グラフィティ〞に所収）
- 河原畑寧〝自由の国アメリカはどこに／イージー・ライダー〞、「キネマ旬報」1969年12月15日号
対談：金坂健二・南博・植草甚一〝アクアリアン・エージのアメリカ映画「イージー・ライダー」と現代アメリカ〞（司会：白井佳夫）、『キネマ旬報』1970年1月15日号
- 渡辺祥子〝「イージー・ライダー」を作った二人の男〞、「キネマ旬報」1970年2月1日号
- 〝〈イージー・ライダー〉とは何んだ〞、「平凡パンチ」1969年12月8日号
- 〝アメリカの腐敗を衝く「イージー・ライダー」〞、「平凡パンチ」1970年1月5日号
- 植草甚一"*Peter in Person*"「平凡パンチ」1970年1月5日号
- "*Dennis Hopper: Head Director", article from the collection of Performing Arts Library of Lincoln Center in NY with no notes about source.*
- *A. H. Weiler, "Dennis Hoppers' Last Movie", New York Times, Oct* 12, 1969.
- *Judith Crist, "Uneasy Rider", New York. Vol.* 4, *No.* 41, *Oct* 11, 1971.
- *Gene Savoy, "Moviemaking at* 12,500 *feet in the Southern Andes", Peruvian Times, Feb* 20, 1970.
- *Tom Nolan, "You Can't Bring Dennis Hopper to Hollywood But You Can't Take Dodge City Out of Kansas, "Show", Vol.*1, *No.*9. *Sep,* 1970.
- *Robin Green, "Interview : Dennis Hopper",* 1971.
（ロビン・グリーン〝デニス・ホッパー／インタヴュー〞、島田陽子訳、*Cut* 、*No.* 23、1993年9月号所収）
- *Mike Sarne, "The American Dreamer", Films and Filming, Vol.* 19, *No.*4. *Jan* 1973,
- *Arthur Bell, "Dennis Hopper / Easy Rider on a Bum Trip", Viva, Mar* 1974.
- 川本三郎〝沈黙している"イージー・ライダー神話"の主〞、「ミュージック・マガジン臨時増刊」1979年3月25日号
- *Michael Wilmington, "Interview: Dennis Hopper", High Times, No.*96. *Aug* 1983.

イージー★ライダー 敗け犬[ルーザー]たちの反逆

ハリウッドをぶっ壊(こわ)したピーター・フォンダとデニス・ホッパー

2020年2月18日　第1刷発行

著者　谷川建司
編集　石熊勝己　原田純
装丁・本文デザイン　小林昌子
写真協力　ソニー・ピクチャーズ エンタテインメント
キングレコード
アダンソニア
アマナ

発行所　株式会社 径(こみち)書房
〒151-0051 東京都渋谷区千駄ヶ谷4−11−9−401
TEL: 03-3746-3522　FAX: 03-3470-6220
印刷・製本　中央精版印刷株式会社
©TANIKAWA Takeshi 2020, Printed in Japan

本書は1996年に筑摩書房から出版された「『イージー・ライダー』伝説　ピーター・フォンダとデニス・ホッパー」の改題・増補改訂版です。

ISBN978-4-7705-0232-2

Reference [参考文献一覧]

[単行本]

- *Seth Cagin & Philip Dray, "Born to be Wild / Hollywood and The Sixties Generation", Coyote,* 1994.
- *Elena Rodriguez, "Dennis Hopper: A Madness to his Method", St. Martin's Press, NY.* 1988.
- エレナ・ロドリゲス『デニス・ホッパー／狂気からの帰還』綾部修訳（白夜書房、1989年刊）
- *Tom Folsom, HOPPER, itbooks, NY.* 2013
- 谷川建司・責任編集『シネアルバム131・デニス・ホッパー／生き残った男の伝説』（芳賀書店、1996年刊）
- 『銀星倶楽部13　特集デニス・ホッパー』（ペヨトル工房、1989年刊）
- 谷川建司『アメリカの友人／東京デニス・ホッパー日記』（キネマ旬報社、2011年刊）
- *"James Dean / Behind the Scene", ed, Leith Adams & Keith Burns, Introduction by Dennis Hopper, Birch Lane Press,* 1990.
- *Playboy Interview: Peter Fonda (a double book with Joan Baez), Playboy Press,* 1971.
- 三谷宏次・責任編集『シネアルバム49・ピーター・フォンダ／永遠にさすらうアウトロー・ライダー』（芳賀書店、1977年刊）
- *Peter Collier, "The Fondas / A Hollywood Dynasty", G. P. Putnam's Sons., NY.*1991.
- ピーター・コリアー『フォンダ／ヘンリー、ジェーン、そしてピーター』谷川建司訳（キネマ旬報社、1995年刊）
- *John Springer, "The Fondas / The Films and Careers of Henry, Jane & Peter Fonda", The Citadel Press, NY.*1970.
- *James Brough, "The Fabulous Fondas", David McKay Company, Inc., NY.* 1973.
- *Jack Stewart, "Henry, Jane and Peter / The Fabulous Fondas", Belmont Tower Books, NY.* 1976.
- *Gerald Cole & Wes Farrell, "The Fondas", St. Martin's Press, NY.* 1984.
- *John Parker, "The Joker's Wild / The biography of Jack Nicholson", Pan Books, London,*1991.
- ジョン・パーカー『ジャック・ニコルソン／ジョーカーズ・ワイルド』谷川建司訳（キネマ旬報社、1993年）
- 今野雄二＋梶原和男・編集『シネアルバム41・ジャック・ニコルソン／ニュー・ハリウッドのスーパースター、栄光のキラー・スマイル』（芳賀書店、1976年刊）
- *Robert David Crane & Christopher Fryer, "Jack Nicholson Face to Face", M Evans and Company, Inc., NY.* 1975.
- *Derek Sylvester, "Jack Nicholson", Proteus Books, NY.* 1982.
- *David Downing, "Jack Nicholson", Stein and Day / Publishers, NY.* 1984.
- *Douglas Brode, "The Films of Jack Nicholson", Citadel Press, NJ.* 1987.

Komichi Shobo

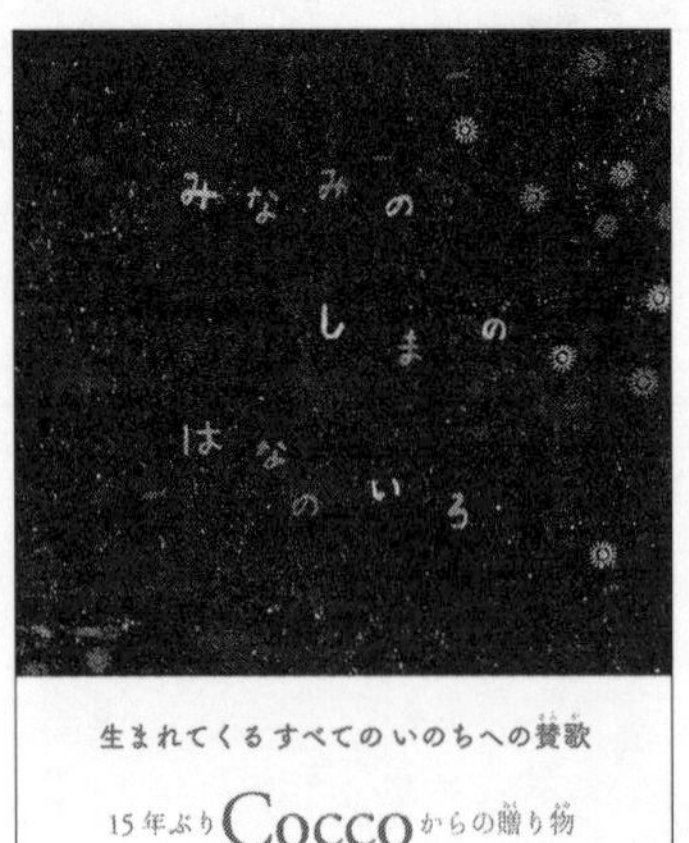

みなみのしまのはなのいろ

文/絵 Cocco

Cocco15年ぶりの新作絵本
今だから伝えたい愛のメッセージ……

あかい はなが すき?
きいろい はなが すき?
それとも、
あおい はなが すき?
なにいろの はなでも
ただ さいて くれるだけで
いい……。

A5変形・厚表紙絵本綴じ・フルカラー・32頁
定価:1500円+税

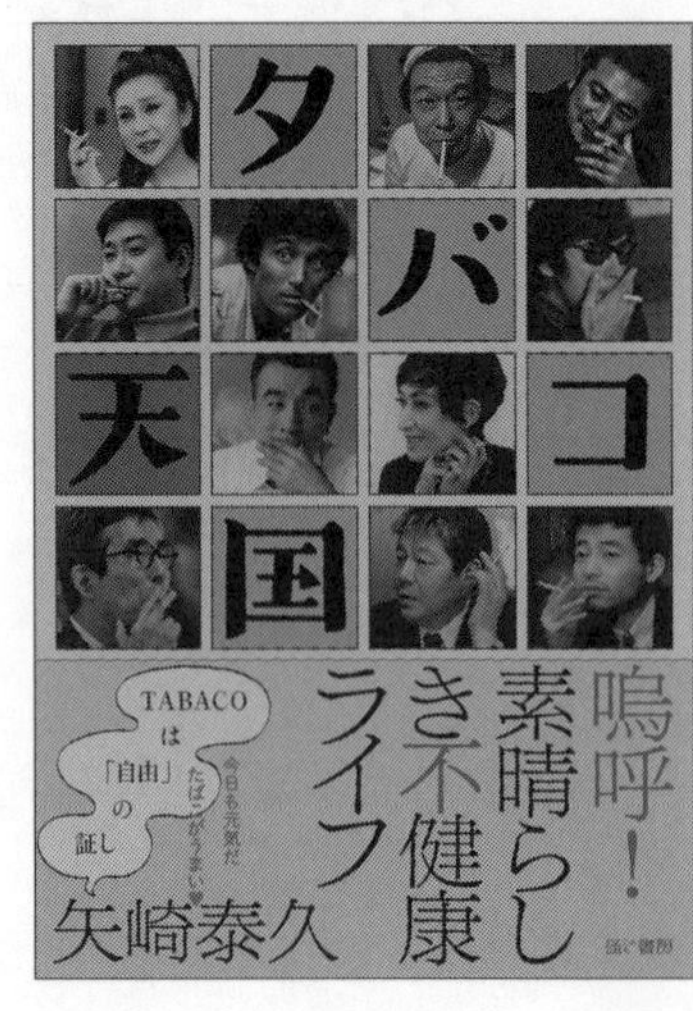

タバコ天国 素晴らしき不健康ライフ

矢崎泰久◎著

和田誠も、勝新も、伊丹十三も、健さんも……
自由を大事にする人は、みんな煙草を愛していた

御年86歳、喫煙歴70余年。あの伝説のカルチャー誌『話の特集』を生み出した著者が、愛すべきスモーカーたちとの思い出(全て実話!)を振り返りながら、煙草の魅力・効用・愛について、時にユーモラスに、時に怒りを抑えつつ軽妙なタッチで綴った、煙のように軽くて洒脱な、手にとって楽しいタバコが主役の名随筆。映画や本、珈琲好きの方にもおすすめです。

四六判・仮フランス装・288頁
定価:1900円+税